Schluss mit dem ewigen Aufschieben

C(

campus concret
Band 48

Hans-Werner Rückert ist Diplom-Psychologe und Psychoanalytiker. Er leitet die Zentraleinrichtung Studienberatung und Psychologische Beratung der Freien Universität Berlin. Er beschäftigt sich seit Jahren mit der Problematik des Aufschiebens und bietet für Betroffene entsprechende praktische Hilfen und Seminare an.

Hans-Werner Rückert

Schluss mit dem ewigen Aufschieben

Wie Sie umsetzen, was Sie sich vornehmen

Campus Verlag
Frankfurt/New York

Die Deutsche Bibliothek – CIP-Einheitsaufnahme

Rückert, Hans-Werner:
Schluss mit dem ewigen Aufschieben : wie Sie umsetzen, was Sie
sich vornehmen / Hans Rückert. – 3. Aufl. – Frankfurt/Main ; New York :
Campus Verlag, 2000
(Campus concret; Bd. 48)
ISBN 3-593-36276-7

3. Auflage 2000

Copyright © 1999 Campus Verlag GmbH, Frankfurt/Main
Umschlaggestaltung: Guido Klütsch, Köln
Umschlagmotiv: Diart, Köln
Satz: Fotosatz L. Huhn, Maintal-Bischofsheim
Druck und Bindung: Media-Print, Paderborn
Gedruckt auf säurefreiem und chlorfrei gebleichtem Papier.
Printed in Germany

Besuchen Sie uns im Internet: www.campus.de

Inhalt

Teil II
Die tiefer liegenden Wurzeln des Aufschiebens

Teil III
Schluss mit dem ewigen Aufschieben –
Strategien zur Bewältigung des Aufschiebeproblems

Vorwort

Wir alle schieben gelegentlich Dinge auf, zu denen wir keine Lust haben oder vor denen wir uns fürchten. Über dieses alltägliche Herausschieben werden Sie sich nicht beunruhigen, es ist kein Problem für Sie. Aufschieben kann sogar Vorteile haben: Last-minute-Flieger reisen zu günstigeren Preisen, und wenn Sie sich jetzt nicht für den Kauf eines neuen Computers entscheiden können, dann profitieren Sie vom Preisverfall.

In diesem Buch geht es um die Art von Aufschieben, die kein Vergnügen ist und kaum einen Gewinn abwirft. Sie geht einher mit Angst und Scham, dem Gefühl, sich nicht kontrollieren zu können, und sie verursacht Leid. Die Betroffenen erleben sich als *Aufschieber*, die wichtige Projekte auf die lange Bank schieben und Entscheidungen vermeiden. Sie vertagen nicht nur bestimmte Vorhaben und Aufgaben, sondern haben generell das Gefühl, in wichtigen Bereichen ihres Lebens gelähmt zu sein. Verantwortlich dafür sind innere Einstellungen, Überzeugungen und eingeschliffene Gewohnheiten, die in vielen Lebenssituationen dazu führen, dass Probleme nicht wirklich angepackt werden.

Wenn Sie zu diesen Menschen gehören, dann ist die Preisfrage: Werden Sie dieses Buch jetzt beiseite legen und seine Lektüre zusammen mit vielen anderen noch unerledigten Vorhaben vertagen? Wird es zu Ihren Neujahrsvorsätzen gehören, den alten Schlendrian wenigstens im nächsten Jahrhundert, gar am Beginn eines neuen Jahrtausends, abzulegen?

»Die Gegenwart ist widerlich, aber dafür, wenn ich an die Zukunft denke, wird alles so gut! Es wird einem so leicht, so unbeengt ums Herz; und in der Ferne geht ein Licht auf, ich sehe Freiheit, ich sehe mich und meine Kinder sich befreien von Müßiggang, von Schnaps, von Gänsebraten mit Sauerkohl, vom Nachmittagsschläfchen und von dieser elenden Tagedieberei...«

9

So beschrieb am Ende des letzten Jahrhunderts Anton Tschechow in seinem Theaterstück *Drei Schwestern* das Lebensgefühl seiner unglücklichen Figuren, die als Aufschieber ihre Hoffnungen auf die Zukunft setzten, weil sie nicht mehr die Kraft hatten, in der Gegenwart etwas zu verändern.

Wenn Sie eine Veränderung zum Besseren nicht nur abwarten wollen, dann werden Sie von diesem Buch profitieren. Sie können es einfach nur lesen oder mit ihm arbeiten. Sie werden mehr Verständnis für Ihr Problem bekommen und Ihr Aufschieben leichter akzeptieren. In den meisten Fällen ist ernsthaftes Aufschieben folgendes: ein Versuch, sich vor Risiken zu sichern, indem man das, was gefährlich erscheint, vermeidet und stattdessen etwas anderes macht. Sie erfahren in diesem Buch, wann und wie Sie in Ihrer Entwicklung das Aufschieben als Selbstschutz gelernt haben. Allerdings ist der Schutzmechanismus, der Ihnen damals als Kind helfen sollte, längst schon selbst zum Problem geworden. Da Sie anstehende Konflikte nicht ausfechten und wichtige Vorhaben nicht durchziehen, stagnieren Sie in Ihrer Entwicklung. Falls Ihnen dieser Preis zu hoch ist und Sie sich verändern wollen, dann finden Sie hier Unterstützung.

Wenn Sie mit diesem Buch arbeiten, können Sie neues Wissen und neue Fertigkeiten aufbauen. Mit deren Hilfe werden Sie wichtige Vorhaben schneller und erfolgreicher anpacken und vielleicht sogar das generelle Aufschieben überwinden. Sie werden dabei zwar zeitweise die etwas unangenehmen Gefühle ertragen müssen, die Sie jetzt noch mit dem Aufschieben abwehren, aber ich versichere Ihnen, dass es Sie weniger belasten wird, als Sie fürchten. Wenn Sie die vorgeschlagenen Übungen und Strategien anwenden, werden Sie Ihr Selbstvertrauen und Ihre Gelassenheit stärken. Für die Angst, dass die Überwindung des Aufschiebens zu anstrengend für Sie werden könnte (und als jemand, der aufschiebt, müssen Sie so denken!), werden Sie später nur ein müdes Lächeln übrig haben.

Sie brauchen mehr Geduld als bisher, wenn Sie nicht mehr aufschieben wollen. Ihre Geduld können Sie trainieren, indem Sie die Zitate aus dem Roman *Auf der Suche nach der verlorenen Zeit* von Marcel Proust, die Sie im Text finden werden, lesen. Proust schildert elegant die Phänomene des Aufschiebens. Seine Sprache ist zunächst etwas anstrengend, kann aber höchst genussvoll sein, und außerdem, wie gesagt, üben Sie sich in Geduld.

Auf den folgenden Seiten finden Sie eine Kurzdarstellung des Aufschiebeproblems und rezeptartig die Lösungsvorschläge, die sich am meisten bewährt haben. Sie wissen dann Bescheid und können wählen, ob Sie tiefer in die Sache einsteigen wollen. Von dieser Übersicht können Sie zwar Informationen erwarten, neue Einstellungen oder bessere Strategien zur Erledigung Ihrer Projekte bekommen Sie durch die Lektüre der Kurzübersicht aber noch nicht!

Ich habe im Laufe von 20 Jahren als Psychologe in der Beratungsstelle der Freien Universität Berlin Hunderte von Studierenden, die Probleme mit dem Aufschieben von Referaten, Prüfungen und Diplomarbeiten hatten, einzeln und in Gruppen beraten. Als Psychotherapeut in eigener Praxis habe ich Hausfrauen, Hochschullehrer, Ingenieure, Journalisten, Kaufleute, Künstler, Lehrer, Zahnärzte und viele Menschen mit anderen Berufen behandelt, die wichtige Dinge schon ewig vor sich her schoben: Eine Scheidung, eine berufliche Veränderung, eine neue Karriere, das Erledigen ihrer Pflichten, eine ersehnte Reise, ärztliche Untersuchungen und Operationen, das Verfassen eines Buches und so weiter. Oft litten sie schon lange unter den seelischen Problemen, wegen derer sie endlich Hilfe suchten – zu einem Psychotherapeuten zu gehen, lässt sich besonders gut herausschieben. Auch Anja, Beate und Helmut, die Sie durch dieses Buch begleiten, hatten intensive Probleme mit dem Aufschieben. Sie sind wirkliche Personen, aber so verändert, dass sie nicht erkannt werden können. Ich bin ihnen dankbar, dass sie mir erlaubt haben, an ihren Beispielen die Probleme zu veranschaulichen, die das Aufschieben auslösen, aufrechterhalten und aus ihm neu entstehen. Auch die Überwindung des Aufschiebens ist keine Fiktion, sondern hat sich so ereignet, wie beschrieben. Wenn Beate, Helmut und Anja sich verändern konnten, warum sollte es Ihnen nicht auch gelingen?

Auf die Dauer bringt das Aufschieben Sie mit einem seelischen Kolbenfresser zum Stillstand. Aber Sie können Ihren Motor reparieren und wieder in Schwung kommen. Sie brauchen dafür *BAR*:

- *Bewusstheit*: Wissen über die Entwicklung zum Aufschieber, über die wichtigsten Konflikte hinter dem Aufschieben, über Einstellungen, die das Aufschieben begünstigen und solchen, die ihm entgegenarbeiten;
- *Aktionen*: Handlungen wie beispielsweise die, sich überprüfbare Ziele zu setzen, vernünftige Schritte zu planen und durchzuführen, mit denen Vorhaben erledigt werden, den Umgang mit der Zeit zu

verbessern, Techniken anzuwenden, um die eigene Impulsivität und Emotionalität zu kontrollieren und sich selbst zu belohnen;

- **Rechenschaft:** Bilanzierung der eigenen Fortschritte und der erreichten Veränderungen durch das Führen eines Veränderungslogbuchs, in dem Sie Ideen, Impulse und kreative Einfälle während der Überwindung des Aufschiebens sammeln.

In vielen wissenschaftlichen Studien, die auf der Welt durchgeführt wurden, hat sich gezeigt, dass eine Kombination dieser Komponenten, also $B+A+R$, am effektivsten ist, um das Aufschieben abzustellen. Diese Strategien finden Sie auf den folgenden Seiten. Sie stellen zwar keine Wunderkur zur Überwindung des Aufschiebens dar, bilden aber ein bewährtes Arsenal von psychotherapeutischen Strategien, mit denen Sie auch in Selbsthilfe sehr gute Aussichten haben, sich vom Vermeider zum Macher zu entwickeln. Aber auch wenn Sie nur einige der Tipps aus diesem Buch regelmäßig anwenden, werden Sie Veränderungen zum Besseren und zu größerer Zufriedenheit erreichen. Ich wünsche Ihnen viel Erfolg und auch ein wenig Spaß dabei.

Zwei Dinge noch: Der besseren Lesbarkeit wegen habe ich überall im Text die männliche Form verwendet, mit der Sie, liebe Leserin, stets mitgemeint sind. Und ich bedanke mich bei Regine, Peer und Neele für die Geduld, mit der sie es hingenommen haben, dass ich während der Arbeit an diesem Buch so oft meine Beteiligung am Familienleben aufgeschoben habe.

Hans-Werner Rückert

1.

Aufschieben kurz und knapp: die Kurzübersicht für den ungeduldigen Aufschieber

Was heisst Aufschieben?

Aufschieben bedeutet: Sie vermeiden es, sich einer Aufgabe, die erledigt werden muss, konsequent, zeitnah und relativ stressfrei zu widmen. Sie schieben die Angelegenheit vor sich her und erledigen statt dessen andere, weniger wichtige Dinge. Aufschieben geht einher mit Gedanken wie:

- Ich warte, bis ich in der richtigen Stimmung bin.
- Ich fange morgen an.
- Ich muss erst noch all die anderen Sachen erledigen.
- Es ist zu anstrengend.
- Ich weiß nicht, wo ich anfangen soll.
- Meine gesundheitlichen Beschwerden werden schon von allein wieder weggehen.
- Der Denkende ist niemals der Handelnde.
- Ich habe doch noch jede Menge Zeit.
- Wieso habe ich auch so viele Aufgaben bekommen? Das ist nicht fair.
- Ich arbeite sowieso unter Druck besser, also mache ich es später.
- Ich hab einfach keine Lust.

Wie häufig ist Aufschieben?

Bei Umfragen in den USA geben 40 Prozent aller Befragten an, dass ihnen wegen ihres Aufschiebens schon einmal Nachteile entstanden sind, 25 Prozent leiden unter wiederkehrendem Aufschieben, dem sie hilflos gegenüberstehen. Bei Studierenden schätzt man, dass 70 Prozent aufschieben, unter denen ebenfalls 25 Prozent chronische harte Aufschieber sind.

Was weiß man über Menschen, die aufschieben?

Allgemein: Aufschieber kommen häufig zu spät, sind unvorbereitet, schlecht organisiert und haben schlechte Beziehungen zu Arbeitskollegen. Sie verbringen zu viel Zeit mit Projekten, die ohnehin scheitern. Sie behindern sich selbst, vermeiden es, sich Rechenschaft über ihren Arbeitsstil zu geben und versuchen stattdessen, ihr Image zu pflegen. Sie werten Kollegen, die auch Aufschieber sind, schroff ab.

Studierende: Sie schieben am häufigsten die Anfertigung schriftlicher Arbeiten und die Vorbereitung auf Prüfungen vor sich her. Ihr Aufschieben ruft Angst hervor und wirkt sich auf ihre Lebensqualität und auf ihre Noten negativ aus.

Warum schieben Menschen auf?

Allgemein: Aus einem Bedürfnis nach Selbstschutz und um Unlust zu vermeiden. Spezifischer: Aus Ängsten, insbesondere vor Versagen, aber auch vor Erfolg; aus Trotz und Ärger; aus Perfektionismus; aus Scham, Abhängigkeit und Ohnmacht; aus Minderwertigkeitsgefühlen. Studierende schieben außerdem als Anpassung an das akademische Milieu auf, wo Pünktlichkeit und Sorgfalt häufig keinen hohen Stellenwert haben, sondern als Sekundärtugenden leicht spöttisch betrachtet werden, und weil erfolgreiche Aufgabenerledigung auf den letzten Drücker ein Hochgefühl erzeugt, das mit gut geplanter Arbeit nicht zu bekommen ist.

Welche Mechanismen kennzeichnen das Aufschieben?

Geringe Impulskontrolle und Unachtsamkeit; schlechtes Zeitmanagement; Unterschätzung der Notwendigkeit, in Übereinstimmung mit wichtigen eigenen Zielen und der eigenen Motivation zu sein.

Wie erklärt man das Aufschieben?

- Als erlernte schlechte Gewohnheit, die durch Belohnungen verstärkt worden ist, insbesondere durch kurzfristige Spannungserleichterung.
- Als Symptom einer tiefer liegenden konfliktbedingten, neurotischen Störung.
- Als stabiles Merkmal der Persönlichkeit oder von dauerhaften Persönlichkeitsstörungen.

- In diesem Buch: als misslingender Versuch, sich vor noch Schlimmerem zu schützen.

Was können Sie gegen das Aufschieben tun?

Selbsthilfe:

- Machen Sie eine Liste von all dem, was Sie zu erledigen haben. Vergessen Sie dabei Ihre Vergnügungen und Ihre Freizeit nicht!
- Streichen Sie alle Dinge von der Liste, die Sie ohnehin nie ernsthaft machen wollten.
- Legen Sie Ihre eigenen Ziele, Werte und Prioritäten fest. Setzen Sie sich realistische Ziele. Schreiben Sie das alles auf!
- Identifizieren Sie Ihre zugrunde liegenden Konflikte wie zum Beispiel Angst, Ärger, Perfektionismus sowie Ihre irrationalen Einstellungen wie die, dass Ihre Aufgaben *zu* hart seien, dass ein Scheitern eine *Katastrophe* wäre und so weiter.
- Bekämpfen Sie Ihre irrationalen Einstellungen, denken Sie vernünftiger und legen Sie sich realitätsgerechtere Auffassungen zu.
- Prüfen Sie, ob Sie trotz Ihrer gegenwärtigen Konflikte und Einstellungen eine Chance haben, Ihre Vorhaben erfolgreich zu bewältigen.
- Prüfen Sie, ob Ihre aufgeschobenen Vorhaben genügend mit Ihren Zielen und Werten übereinstimmen. Wenn nicht: Konzentrieren Sie sich nur auf die Ziele, die für Sie bedeutungsvoll sind und geben Sie die anderen auf.
- Planen Sie, wie Sie Ihre Ziele in kleinen Schritten und Etappen erreichen können.
- Schätzen Sie den Zeitaufwand, bis Sie Ihr Projekt erledigt haben werden, und verdoppeln Sie dann die veranschlagte Zeit.
- Legen Sie Belohnungen für Erfolg fest und belohnen Sie sich für jeden Schritt.
- Beobachten Sie sich genau und halten Sie alle Schritte und Veränderungen in einem Veränderungslogbuch fest.

Wenn Sie trotz Leidens unter dem Aufschieben keinen dieser Vorschläge umsetzen oder aber feststellen, dass Sie dadurch Ihr Problem nicht genügend bewältigen können, brauchen Sie professionelle Hilfe. Sie können einen Kurs in Zeitmanagementstrategien mitmachen oder ein Entspannungsverfahren, wie zum Beispiel autogenes Training erlernen. Schließlich steht Ihnen auch noch die Möglichkeit einer Psychotherapie offen. Dabei können Sie entweder am Verhalten ansetzen (Verhaltenstherapie), an Ihren mentalen Strukturen (kognitive Therapie) oder an den emotionalen Konflikten (tiefenpsychologisch fundierte Psychotherapie, Psychoanalyse).

Teil I

Das Aufschieben – Gründe und Mechanismen

2.

Morgen ist auch noch ein Tag!

Die Sonne flimmert heiß über der südlichen Sierra Madre. Señor Gonzales schaukelt im Schatten seiner Veranda in der Hängematte. Er denkt daran, dass er nach Mexico City fahren müsste, um seine Ernte zu verkaufen, die Sache mit dem Bankkredit zu regeln und Einkäufe zu machen, aber die Hauptstadt ist so weit weg und es ist so heiß. Außerdem steht nicht fest, ob die Züge fahren werden oder nicht, bei den ewigen Streiks. Señor Gonzales seufzt melancholisch. Heute wird er jedenfalls nicht fahren, es ist ohnehin schon zu spät, vielleicht Morgen, mañana, oder irgendwann. Er schiebt seine Reisepläne auf, macht es sich gemütlich und denkt daran, dass es bald Zeit ist für ein Gläschen Tequila. Vielleicht spielt es für ihn keine Rolle, wann er nach Mexico City kommt. Doch auch wenn ihm das wichtig wäre: Er kennt sich und weiß, dass es nichts bringt, sich anzutreiben. Er fügt sich ins Unvermeidliche.

Szenenwechsel: Gerade schiebt Beate, Marketingleiterin in einem Verlag, entnervt ihren Notebook-Computer zur Seite. Ihr fällt nichts ein, aber auch gar nichts. Seit Wochen bemüht sie sich schon, ein Konzept für eine neue Werbekampagne zu schreiben. Sie hofft, bei der Marketingkonferenz in zwei Wochen damit Furore zu machen. Aber es klappt einfach nicht. Heute wird es wohl auch nichts werden, sagt sich Beate, und beschließt, lieber mit der Grafikerin über die Gestaltung der neuen Verlagsprospekte zu sprechen. Das ist eine einfachere Sache. Morgen ist ja auch noch ein Tag! Doch Beate fühlt eine unangenehme Spannung. Abends ist sie regelrecht wütend auf sich. Sie hätte früher anfangen sollen, wirft sie sich vor, überhaupt müsste sie viel mehr Ideen haben. Ob es morgen besser laufen wird?

Auch Beate hat das Aufschieben gewählt. Wer aufschiebt, folgt dem Mañana-Prinzip, in unseren Breiten allerdings zumeist ohne die Gelassenheit des Mexikaners.

Verschiedene Formen des Aufschiebens

Allgegenwärtiges, harmloses Aufschieben

Wir alle schieben etwas auf: unsere Schränke, Schubläden und Schreibtische aufzuräumen, unsere Dachböden oder Festplatten zu entrümpeln, die Gartenarbeit oder das Schuheputzen. Aufgeschoben werden Dinge, die Angst und Unlust auslösen. Aufgeschobene Dinge erledigen wir auf den letzten Drücker: Das Auto beim TÜV anzumelden oder die Weihnachtsgeschenke einzukaufen. Milde Formen des Aufschiebens sind unschädlich, sie machen sogar Spaß, wie wir gelernt haben. »Komm essen!«, riefen unsere Eltern. »Gleich!«, haben wir als Kinder geantwortet, um unser Spiel erst noch zu beenden. Für viele hat sich damit eine aufregende Spannung verknüpft: Gelingt es, den eigenen Willen durchzusetzen, oder gibt es ein Donnerwetter? Wie oft haben wir den Beginn der Hausaufgaben hinausgezögert und erst noch einen Comic durchgeblättert. Ohne es zu ahnen, haben wir uns mit diesen angenehmen Aktivitäten für das Aufschieben belohnt, und damit die Wahrscheinlichkeit erhöht, das nächste Mal wieder ein wenig zu trödeln. Apropos Trödeln: Wie konnte man damit morgens Mama oder Papa auf die Palme bringen! Okay, wenn der Bus uns vor der Nase wegfuhr, war das schon blöd. Aber dann hat Mama uns eben mit dem Auto gebracht, was eine schöne Abwechslung vom ewigen Bus fahren war. Wieder hat sich gezeigt: Aufschieben bringt was!

Tatsächlich kann es gelegentlich sogar ratsam sein, nicht alles sofort zu erledigen. Abwarten und Tee trinken kann Geld sparen helfen und Vorteile bringen: Wenn Sie sich den Computer, den Sie morgen kaufen werden (oder vielleicht übermorgen), gestern schon gekauft hätten, dann hätten Sie für weniger Leistung mehr Geld ausgegeben. Ähnlich kann es Ihnen mit Kleidung ergehen oder mit dem Möbelkauf: Ihre Unentschlossenheit, welches Teil Sie nehmen sollen, kann durch herabgesetzte Preise im Schlussverkauf belohnt werden. Oder aber die Sachen werden ohnehin unmodisch und Sie sind froh, dass Sie nichts gekauft haben.

Aufschieben kann positiv wirksam werden, wenn Sie aus Erfahrung wissen, dass der inspirierte Moment für Sie eher abends als morgens kommt. Der Schriftsteller Franz Kafka hatte ein Pappschild über seinem Schreibtisch, auf dem stand: ABWARTEN! Abwarten, bis sich ein kreativer Impuls einstellt oder – wie es früher poetisch hieß – die Muse Sie küsst. Problematisch wird es dann, wenn Sie der Muse Ihre kussbereiten Lippen seit Wochen, Monaten oder Jahren entgegenstrecken.

Problematisches Aufschieben

Ich kenne Menschen, die nicht nur Pflichten, die Ihnen von anderen aufgetragen wurden, hinauszögern, sondern auch selbstgewählte und angenehm erscheinende Aktivitäten wie Kino- und Theaterbesuche, Reisen oder Sex. Manche von uns schieben alles auf, egal aus welchen Bereichen ihres Lebens die Aufgaben oder Vorhaben stammen, vom Abwasch bis zum Abfassen eines Testaments. Andere hingegen haben nur dann unüberwindlich erscheinende Probleme, eine Sache schnell anzupacken und in angemessener Zeit zu erledigen, wenn es um bestimmte Projekte geht, wie den Zahnarztbesuch, das Beantworten von Briefen und die Steuererklärung. Viele Menschen haben Probleme damit, pünktlich zu sein. Schwierigkeiten in der Wahl des richtigen Zeitpunkts kommen auch in den berühmten Treppenwitzen und launigen Sprüchen zum Ausdruck, die einem immer erst nach der Party einfallen: aufgeschobene Schlagfertigkeit. Sie können die vielen lästigen Dinge wie Hausaufgaben, Einkäufe, Staubsaugen, Zähneputzen und so weiter aufschieben. Sie können aber auch die großen Herausforderungen des Lebens meiden: Ihre Familiensituation zu verbessern, sich neue berufliche oder private Herausforderungen zu suchen, sich unbekannte Dimensionen in Kunst, Kultur und Sport zu erschliessen oder einfach etwas Neues zu lernen, zum Beispiel sich im Internet zurechtzufinden. Wenn Sie solche Herausforderungen meiden, stehen Sie Ihrer eigenen Entwicklung im Weg. Diese Art des Aufschiebens ist zwar weitverbreitet, wird von den meisten aber als noch erträglich angesehen.

Hartes Aufschieben

Das wirklich harte Aufschieben bedeutet, dass Sie gewohnheitsmäßig und scheinbar unnötigerweise die Erledigung von Aufgaben und Vorhaben, die Sie selbst als wichtige, vorrangige oder termingebundene Aktivitäten einstufen, von einem Tag auf den anderen (oder auf Wochen, Monate oder gar Jahre) verzögern. Es bedeutet Qual, erzeugt Leid und hat negative Folgen für Ihr Selbstwertgefühl. Dadurch, dass Sie sich immer wieder etwas vornehmen, es aber dann nicht tun, untergraben Sie Ihr Vertrauen zu sich selbst und erweisen sich als unzuverlässig. Wenn Sie aus unterschwelliger Feindseligkeit, Aufsässigkeit oder Gleichgültigkeit chronisch zu spät kommen, geliehene Gegenstände verschusseln oder ständig versprechen, dass Sie sich zukünftig anders verhalten werden, nur um dann weiterzumachen wie bisher, geraten Sie über kurz oder lang auch mit Ihren Mitmenschen aneinander. Aufschieben kann Sie Ihren Job kosten und Ihre Lebensqualität beeinträchtigen. Schließlich gibt es sogar lebensgefährliches Aufschieben: Wenn Sie gesundheitliche Alarmsignale überhören und den Schmerz in der Brust nicht zum Anlass nehmen, Ihren Arzt aufzusuchen, kann dies fatale Folgen haben.

Die Blockade

Vom Aufschieben als einer generellen Tendenz kann das Festsitzen, die aktuelle Blockade, unterschieden werden. Blockiert erleben Sie sich dann, wenn Sie in Ihrer Arbeit an entscheidende Wendepunkte kommen bzw. wenn eine Entscheidung unbedingt fallen muss. Wenn Angst und Ungewissheit Sie so massiv befallen, dass Sie bis in Ihr Denken hinein eine Lähmung erleben, dann sind Sie blockiert. Wenn Sie sich beispielsweise nach einer langen Zeit des Aufschiebens nun doch einer Prüfung unterziehen, dann kann Sie der gefürchtete Blackout als eine akute Form der Blockierung heimsuchen. Immer dann, wenn Sie sich verändern, werden Sie sich gelegentlich einmal blockiert fühlen. Dann vor allem, wenn Sie in eine schwierige Übergangssituation geraten, in der Ihr altes Verhalten nicht mehr automatisch einsetzt, das neue aber auch noch nicht gewohnheitsmäßig greift. Vielleicht dann, wenn die alte Gewohnheit, jetzt den Fernseher anzumachen, mit der neuen Absicht zusammenstößt, erst noch Ihre Sachen für morgen bereitzulegen. Dann stehen Sie im Flur, zwischen Kleiderschrank und TV, sind blockiert und wissen für kurze Zeit nicht, wohin Sie gehen wollen.

Mechanismen und Lösungswege

Ausweichen

Wer aufschiebt, geht aus dem Feld und weicht auf etwas anderes aus. Statt zu arbeiten, können Sie Tagträumen nachhängen, telefonieren oder fernsehen, Briefe schreiben oder essen. Wenn Ihnen nichts richtig Angenehmes einfällt, können Sie immer noch weniger unangenehme Aufgaben erledigen. Wie viele Teppiche sind gesaugt, wie viele Küchenherde gereinigt, wie viele Schuhe geputzt worden, aus keinem anderen Grund, als ein anderes Arbeitsvorhaben zu vermeiden. Die vielfältigen Ablenkungen, das, was alles anstelle des eigentlichen Vorhabens gedacht, gefühlt und gemacht werden kann, gehört zum Problem des Aufschiebens dazu. Es ist der Bereich des Eskapismus, der Ausreden, des Selbstbetrugs, aber auch der stillen Freuden und klammheimlichen Befriedigungen.

Innerer Kampf

Vielleicht haben Sie sich bereits mehrfach vorgenommen, sich zu ändern, sind aber stets in den Fallen von Ungeduld, Gegenkräften und Angst hängen geblieben. Da Sie von den Gründen für das Aufschieben nichts gewusst haben, konnten Sie an ihnen auch nichts ändern. Sie sind unzufrieden mit sich und schimpfen auf Ihre schlechte Angewohnheit. Tatsächlich ist hartes Aufschieben *auch* eine Gewohnheit, möglicherweise aber eine, die Sie durch erhöhte Selbstdisziplin nicht direkt überwinden können. Das liegt daran, dass Sie sich mit dem Aufschieben schützen, und zwar vor Gefühlen und Zuständen, die Sie bewusst oder unbewusst noch mehr fürchten als Ihre Unzufriedenheit wegen des Aufschiebens.

Hartnäckiges Herauszögern verrät als Symptom etwas über die Kräfte, die sich in Ihnen in einem dynamischen Gleichgewicht befinden, in einem anstrengenden Stillstand: Ihr Wille kämpft gegen den inneren

Schweinehund, wie zwei japanische Sumo-Ringer, beide gleich stark, die sich ineinander verknäuelt haben, aus Leibeskräften schieben und drücken und sich keinen Millimeter von der Stelle bewegen.

Konflikt

Um aus dem Teufelskreis des Aufschiebens herauszukommen, brauchen Sie ein Bewusstsein dafür, welche Konflikte Ihr Aufschiebeproblem eigentlich in Gang halten. Oft haben sie mit einer uneindeutigen Motivation zu tun, mit hohen Ansprüchen an sich selbst und mit Gefühlen, die Sie als bedrohlich erleben. Je besser Sie sich selbst kennen, desto mehr werden Sie verstehen, wovor Sie sich schützen. Ihre Selbsterkenntnis hilft Ihnen auch dabei, sich zu akzeptieren. Damit sind Sie weniger verletzlich und brauchen weniger Schutz. Wenn Sie sich stärker fühlen und neue, bessere Strategien kennen, können Sie es sich leisten, Risiken auf sich zu nehmen. Außerdem können Sie Ihre Befürchtungen realistisch überprüfen. Möglicherweise haben Sie in Ihren Vorhaben, Entscheidungen und Aufgaben zu viel Gefährliches gewittert. Wenn Sie Ihr Aufschieben verändern oder überwinden wollen, dann hilft Ihnen schließlich auch ein Verständnis für die vielen Schliche und Nebenwege, mit denen Sie sich bislang vor dem gedrückt haben, was Sie eigentlich tun wollen. Je genauer Sie Ihre Tricks kennen, desto besser können Sie sich gegen Fallen wappnen, die auf dem Weg zu brauchbaren Lösungen für das Problem stehen.

Lösungsmöglichkeiten

Es gibt übrigens drei wesentliche Lösungen:

- Sie tun das, von dem Sie sagen, dass Sie es wollen (sich gesünder ernähren, einen Roman schreiben, den Keller aufräumen) oder von dem Sie akzeptieren, dass Sie es müssen, wenn Sie bestimmte Effekte erzielen wollen (die Diplomarbeit schreiben und abgeben, um das Studium abzuschliessen; den Auftrag erledigen, den Ihr Chef Ihnen gegeben hat, um Ihren Job zu behalten).
- Sie geben Ihre Vorhaben auf und tyrannisieren sich nicht länger mit der Vorstellung, dass Sie jene Dinge machen müssten, die Sie all die

Jahre nicht gemacht haben. Sie wechseln den Job und suchen sich einen, der Ihnen weniger Stress bereitet.

- Sie entscheiden sich dafür, weiter aufzuschieben, lernen aber, das Leid und die Selbstverachtung einzugrenzen und eventuell sogar Spaß am Aufschieben und am Spiel mit dem Feuer zu empfinden. Sie entwickeln die Bereitschaft, etwaige negative Folgen Ihres Aufschiebens in Kauf zu nehmen.

Für jede dieser Lösungen brauchen Sie Wissen, Geduld, die Bereitschaft, sich etwas mehr als bisher anzustrengen, und eine Portion Durchhaltewillen. Selbsterkenntnis ist nicht immer nur angenehm, aber das Bewusstsein dafür, an einer wichtigen Sache zu arbeiten, stellt eine Belohnung in sich selbst dar. Und wer oder was könnte wichtiger sein als Sie selbst?

Das Aufschieben und die verlorene Zeit

Apropos Durchhaltewillen: Den können Sie gleich einmal anwenden. Die folgende Beschreibung eines Aufschiebers stammt aus dem riesigen Roman *Auf der Suche nach der verlorenen Zeit* von Marcel Proust. Manche Menschen mit einem Aufschiebeproblem wollten dieses Werk schon seit langem – nun, nicht unbedingt lesen, aber doch *gelesen haben*. Sich an Prousts kunstvolle Ausdrucksweise zu gewöhnen, verlangt von Ihnen ein Quentchen Anstrengungsbereitschaft – aber Sie werden dafür auch durch gelungene Schilderungen entschädigt. Proust beschreibt einen jungen Mann, der ein literarisches Werk hervorbringen möchte. Er selbst litt lange Jahre unter einer Trägheit, die er als krankhafte Willensschwäche auffasste, die im denkbar größten Gegensatz stand zu seiner Berufung als Schriftsteller und auf die er in seinen Werken immer wieder anspielt. Sie können in Proust also durchaus einen Experten des Aufschiebens sehen:

»Wäre ich weniger entschlossen gewesen, mich endgültig an die Arbeit zu begeben, hätte ich vielleicht einen Vorstoß gemacht, gleich damit anzufangen. Da aber mein Entschluss in aller Form gefasst war und noch vor Ablauf von vierundzwanzig Stunden in dem leeren Rahmen des morgigen Tages meine guten Vorsätze leichthin sich verwirklichen würden, war es besser, nicht einen Abend, an dem ich weniger gut aufgelegt war, für den Beginn zu wählen, dem die folgenden Tage, ach! sich jedoch leider ebenfalls nicht günstiger zeigen sollten. Aber ich riet mir selbst zur Vernunft. Von dem, der Jahre gewartet hatte, wäre es kindisch gewesen, wenn er nicht noch einen Aufschub von drei Tagen ertrüge. In der Gewissheit, dass ich am übernächsten Tag bereits ein paar Seiten geschrieben haben würde, sagte ich meinen Eltern nichts von meinem Entschluss; ich wollte mich lieber noch ein paar Stunden gedulden und dann meiner getrösteten und überzeugten Großmutter das im Fluss befindliche Werk vorweisen. Unglücklicherweise war der folgende Tag auch nicht der den Dingen zugewendete, aufnahmebereite, auf den ich fieberhaft harrte. Als er zu Ende gegangen war, hatten meine Trägheit und mein mühevoller Kampf gegen gewisse innere Widerstände nur vierundzwanzig Stunden länger gedauert. Und als dann nach mehreren Tagen meine Pläne nicht weiter gediehen waren, hatte ich nicht mehr die gleiche Hoffnung auf baldige Erfüllung, aber daraufhin auch weniger das Herz, dieser Erfüllung alles andere hintanzustellen: Ich fing wieder an, nachts lange aufzubleiben, da ich nicht mehr, um mich des Abends zu frühem Schlafengehen zu zwingen, die feste Voraussicht des am folgenden Morgen begonnenen Werkes in mir fand. Ich brauchte, bevor mein Schwung wiederkehrte, mehrere Tage der Entspannung, und das einzige Mal, als meine Großmutter in sanftem, traurig enttäuschten Ton einen leisen Vorwurf in die Worte kleidete: »Nun? Und diese Arbeit, an die du gehen wolltest – ist davon gar keine Rede mehr?«, war ich böse auf sie, überzeugt, dass sie, in Unwissenheit darüber, dass mein Entschluss unwiderruflich gefasst war, seine Ausführung noch einmal und diesmal auf lange Zeit vertagt habe infolge der enervierenden Wirkung, die ihre Verkennung auf mich ausübte und in deren Zeichen ich mein Werk nicht beginnen wollte. Sie spürte, dass sie mit ihrer Skepsis unbewusst einen Entschluss empfindlich getroffen hatte. Sie entschuldigte sich und küsste mich mit den Worten: »Verzeih mir, ich sage bestimmt nichts mehr.« Damit ich den Mut nicht verlöre, versicherte sie mir, sobald ich mich richtig wohl fühle, werde sich die Arbeitslust ganz von allein einstellen.« (Proust, III, S. 202-203)

Proust schildert einige wesentliche Bestandteile des hartnäckigen Aufschiebens:

- träumerische Selbstüberschätzung statt eines Beginns im Hier und Jetzt,
- Beschönigungen statt bewusster Wahrnehmung der Probleme,
- Kampf gegen innere Widerstände, statt sich ihnen zu stellen – wir erfahren nichts darüber, was der Erzähler fürchtet,
- das Abgleiten in Selbstaufgabe, Resignation und Schlendrian,
- das Gefühl der Demütigung bei der Konfrontation mit dem eigenen Verhalten,
- Trotz und Wut als Reaktion auf das Gefühl der Demütigung, womit dann weiteres Aufschieben begründet wird.

Über das Aufschieben vergeht die Zeit und der so fest gefasste Entschluss, sich ans Schreiben zu setzen, erweist sich als verschiebbar:

»Ich machte es wie bisher, und wie ich es immer schon gemacht hatte seit meinem alten Entschluss, mich ans Schreiben zu begeben, der so weit zurücklag, mir aber von gestern zu stammen schien, weil ich ihn immer von einem Tag zum anderen als noch nicht gefasst betrachtet hatte. Ich machte es ebenso auch an diesem Tag und ließ wieder, ohne irgendetwas zu tun, seine Regenschauer und hellen Durchblicke zwischen Wolken vorüberziehen, während ich den festen Vorsatz fasste, mit der Arbeit am nächsten Tag zu beginnen.« (Proust, IX, S. 109)

Das Ergebnis ist ein Leben im Wartestand. Der Erzähler löst sich nicht von seinem Vorhaben, aber er verwirklicht es auch nicht. Alle Wünsche, die er mit der Realisierung seines literarischen Projekts verknüpft hatte, bleiben unerfüllt. Die Absicht, etwas Neues hervorzubringen, schöpferisch tätig zu sein, wandelt sich zum Wunsch, sich dieser alten Absicht wenigstens zu erinnern:

»Vielleicht lag es an der Gewohnheit, die ich angenommen hatte, in meinem Innern gewisse Wünsche aufzubewahren, ... diese Gewohnheit, sie alle in mir zu bewahren ohne Erfüllung, mit einem Genügen einzig in dem Versprechen, das ich mir selber gab, ich wolle nicht vergessen, sie eines Tages dennoch zu befriedigen; diese nun schon so viele Jahre alte Gewohnheit war vielleicht an dem ewigen Wiederaufschieben schuld, das Monsieur de Charlus geringschätzig mit dem Namen ›Prokrastination‹ belegte ...« (Proust, IX, S. 113)

Das lateinische Wort *crastinus* heißt: morgig; *pro* heißt: vorwärts; *rem in crastinum differe* heißt: eine Sache auf morgen verschieben. Der Franzose, der aufschiebt, frönt der *procrastination*, unter der das französische Wörterbuch die Tendenz versteht, alles auf morgen zu verlegen. Im angloamerikanischen Sprachraum heißt der Sachverhalt ebenso.

Das amerikanische Wörterbuch versteht unter *procrastination*: »Es aufschieben, etwas zu tun, besonders aus gewohnheitsmäßiger Sorglosigkeit oder Faulheit; etwas unnötigerweise zurückstellen oder auf später verschieben.«

Mit Faulheit hat ernsthaftes Aufschieben allerdings kaum etwas zu tun. Wenn Sie faul sind, schätzen Sie es, sich nicht anstrengen zu müssen. Sie haben eine Abneigung gegenüber Aktivität und eine Neigung zu Tatenlosigkeit und Trägheit. Sie werden sich bestimmte Ziele – außer dem, Ihre Ruhe haben zu wollen, gar nicht erst stecken. Möglicherweise gefallen Ihnen Ihre Lebenssituation und Ihre Faulheit nicht. Aber wenn Sie richtig faul sind, werden Sie nicht ernsthaft an eine Änderung denken, weil sie Aktivität erfordert.

Wenn Sie bequem sind, werden Sie mit dem Erreichten zufrieden sein und nicht danach streben, in Ihrer persönlichen oder beruflichen Entwicklung weiterzukommen. Sicher, manchmal werden Sie Tagträumen von mehr Erfolg, mehr Geld oder einem interessanteren Leben nachhängen, aber Sie werden sich nicht ernsthaft anstrengen, um diese Ziele zu erreichen.

Anders verhält es sich beim Aufschieben. Es ist ein höchst aktives Vermeiden, bei dem Sie sich oft ausdauernd und angestrengt mit etwas Anderem beschäftigen. Wenn Sie damit erfolgreich waren, sind Sie aber auch nicht zufrieden, sondern ärgern sich darüber, das aufgeschoben zu haben, was eigentlich wichtig war. Sie spüren, wieviel Energie in Ihnen steckt, die Sie leider mit Aktionismus vergeuden, der Sie Ihren Zielen nicht näher bringt.

Sie werden in diesem Buch das *BAR*-Programm kennenlernen, das Ihnen eine praktische Anleitung gibt, wie Sie das Aufschieben überwinden können. Bewusstheit, Aktionen und Rechenschaftslegung sind die entscheidenden Schritte dazu, auf vernünftige Art in angemessener Zeit die für Sie sinnvollen Vorhaben zu erledigen. Auf die Frage, was »sinnvoll« für Sie bedeutet, werden Sie mit Hilfe dieses Buches Antwort finden.

Sich selber besser kennenzulernen ist eine Grundvoraussetzung, um effektiv gegen das Problem des Aufschiebens angehen zu können.

Zusammenfassung

Nicht mehr aufzuschieben ist dann möglich, wenn Sie sich besser als bisher kennen gelernt haben. Wenn Sie Ihre Neigung zu Selbstzweifeln, Ihre Angst vor unangenehmen Gefühlen und Ihre Selbstwertprobleme mehr als bisher akzeptieren, wird es Ihnen möglich werden, sich für die Vorhaben zu entscheiden, die Ihnen wichtig sind. Akzeptieren heißt zugestehen, dass diese Probleme da sind, ohne dass Sie sich schämen oder verurteilen. Damit gewinnen Sie die Kraft, die Sie brauchen, um neue Ideen auszuprobieren, von denen Sie sich Hilfe versprechen. So wird es Ihnen auch leichter fallen, sich anders zu organisieren und hilfreiche Arbeitstechniken anzuwenden. Mit den Erfolgen, die Sie dadurch haben werden, können Sie Ihre Selbstzweifel und Ihre Angst vor unkomfortablen Gefühlen überwinden und ein positives Selbstwertgefühl aufbauen. Fangen Sie heute an, damit Sie sich morgen besser fühlen!

3.

Die lange Bank ist des Teufels liebstes Möbelstück – drei Beispiele

In diesem Kapitel lernen Sie Beate, Helmut und Anja kennen, die große Probleme mit dem Aufschieben haben, und die Sie durch dieses Buch begleiten werden. In einem ersten Überblick geht es um die hauptsächlichen Erscheinungsweisen und die wichtigsten Ursachen des Aufschiebens: die Vermeidung von Angst, Scham und Unlust, perfektionistische Haltungen und den Schutz Ihres Selbstwertgefühls. Sie erfahren etwas über die Mechanismen des Aufschiebens, zu denen vor allem Impulsivität, Unachtsamkeit und Pessimismus gehören, aber auch eine Fixierung auf Ergebnisse. Die negativen Folgen des Aufschiebens sind bekannt. Hier aber können Sie schließlich noch einen Blick auf die heimlichen Freuden werfen, die es Ihnen gestattet.

Beate ist jetzt seit zwei Jahren im Verlag. Sie ist ehrgeizig und möchte Karriere machen. Gerne würde sie die Verlagsleitung mit einem neuen Marketingkonzept für den Bereich Kinderbücher beeindrucken. Im Verlagsalltag ist sie zu sehr eingespannt und kommt nicht dazu, ihre Vorschläge zu formulieren. Also setzt sich Beate an diesem Samstag zu Hause an den Schreibtisch. In zwei Wochen tritt der Vorstand zusammen und könnte über ihr Konzept beraten, wenn es vorläge. Zwar hat Beate schon einen Stapel von Notizen und Aufzeichnungen, inzwischen 16 Seiten, aber ausformuliert ist das alles noch nicht. Sie hat hohe Ansprüche an sich und sie möchte ihren Chef, der große Stücke auf sie hält, nicht enttäuschen. Eigentlich möchte sie ein Konzept vorlegen, das ihn einfach vom Stuhl haut. Und deswegen muss sie sich jetzt ganz besondere Mühe geben. Das muss sie übrigens bei allem, was sie tut. Beate ist nicht nur perfektionistisch, sondern zu allem Überfluss auch noch überbeschäftigt. Sie hat in den 14 Semestern ihres Wirtschaftsstudiums eine Menge geleistet, vor allem für andere. So war sie hochschul-

politisch aktiv, hat bei einer Bürgerinitiative gegen Kahlschlagsanie-
rung mitgemacht, bei einer anderen gegen Ausländerfeindlichkeit auch.
Zusätzlich hat sie sich in ein paar Dritte-Welt-Gruppen engagiert.
Überall hat sie sich um perfekte Ergebnisse bemüht, was dazu geführt
hat, dass sie als aktives Mitglied immer wieder angesprochen wurde,
wenn es um Sonderaktionen ging, wie zum Beispiel frühmorgens Flug-
blätter zu verteilen. Manchmal hätte sie gerne nein gesagt, aber das hat
sie sich nicht getraut. Irgendwie ist sie dann einfach zu spät gekommen.
Manche Termine dieser Gruppentreffen hat sie auch verschusselt. Mit
einigen der Aufgaben, die sie übernommen hatte, ist sie immer noch be-
schäftigt. Sie hat so viel zu tun, dass sie leider oft zu erschöpft ist, um
ihre Zusagen einzuhalten. Außerdem ist über all diese Aktivität ihr Pri-
vatleben zu kurz gekommen. Öfter haben Freunde Schluss gemacht,
weil sie sich vernachlässigt fühlten. Beate ist daher meistens solo, so
auch jetzt wieder.

Helmut, Sachbearbeiter in einem großen Versicherungsunternehmen,
sitzt im Büro und ärgert sich. Im Eingangskorb stapelt sich die Post,
und dabei ist er mit der Beantwortung von Kundenanfragen aus der
letzten Woche noch nicht fertig. Missmutig fischt Helmut die Post aus
dem Korb und sortiert sie. Die großen Umschläge aufeinander, dann
die normalen kleinen, die länglichen getrennt von den kurzen. Er sta-
pelt sie der Höhe nach am linken Rand des Schreibtisches. So, jetzt
den Brieföffner her und schon kann es los gehen. Kurz denkt er an die
Stapel rechts, die Post der vergangenen Tage. Oder Wochen? Und vor
ihm liegt der Vermerk, den sein Chef ihm gab: Er soll ihm am Freitag
einen Bericht abliefern über die Schadensentwicklung des letzten Jah-
res, mit Vorschlägen für tarifliche Anpassungen. Heute ist Dienstag,
und noch hat Helmut keine Zeile zu Papier gebracht. Kurz packt ihn
Panik, aber dann beruhigt er sich innerlich und denkt an seinen Na-
mensvetter und großes Vorbild, den ehemaligen Bundeskanzler, der
ein Meister im Aussitzen war. Und ausgerechnet in Helmuts Bereich
fallen so viele junge männliche Versicherungskunden, die ja am häu-
figsten Unfälle bauen. Andere betreuen die Hausfrauen, die immer
schön vorsichtig fahren, mit ihren Lady-Tarifen. Dabei fällt Helmut
seine Frau ein, die neulich mit Blick auf ihr gemeinsames Auto mein-
te, das müsse auch wieder einmal gewaschen werden. Soll sie sich
doch selbst drum kümmern. Helmut mag es nicht, wenn man ihm et-
was sagt. Er lässt sich doch nicht rumkommandieren. Nicht mit ihm!

Entschlossen schlitzt Helmut den ersten Brief von heute auf, den, der ganz oben liegt.

Nach dem Mittagessen in der Kantine beschleichen ihn andere Gefühle. Ein Kollege hat Helmut geraten, seine Versetzung zu beantragen. Es gäbe da eine freie Gruppenleiterstelle in der Personalabteilung. Schon seit Jahren schlägt Helmut sich mit dem Gedanken herum, sich woanders zu bewerben. Aber er kann einfach keinen Entschluss fassen. Auf seiner jetzigen Stelle ist er zwar nicht zufrieden, aber er weiß wenigstens, was er hat. Was ihn woanders erwartet, kennt er nicht, und Unbekanntes mag er nicht. Über seine Veränderungswünsche hat Helmut immer wieder mit seiner Frau und seinem besten Freund gesprochen, die ihm zurieten. Aber der Schritt heraus aus seiner Abteilung, wo er nun schon seit zehn Jahren ist, erscheint ihm als ein zu großes Risiko.

Anja liegt im Wohnzimmer auf der Couch und schluchzt. Ihre beste Freundin Jutta ist gerade eingetroffen und tröstet sie. Anja kann einfach nicht mehr. Von morgens bis abends ist sie auf den Beinen und sorgt für Alexander, den Vierjährigen und die zweijährige Steffi. Diese verdammte Routine, immer dasselbe: aufstehen, Kinder fertigmachen, um neun in den Kindergarten bringen, nach Hause, aufräumen, einkaufen, wieder nach Hause, Einkäufe einsortieren, Wäsche waschen, Staub saugen, Badezimmer putzen, überhaupt das ewige Saubermachen. Und Horst, ihr Mann, weigert sich einfach, eine Putzfrau einzustellen. Wie fies er neulich erst sagte: »Was willst du denn dann den ganzen Tag lang machen?« Anja hat oft so eine Wut. Horst hält sich fein raus, verschanzt sich hinter seiner Rechtsanwaltskanzlei, seinen Mandanten und seinen Terminen. »Sei doch froh, dass du nicht arbeiten musst!«, hat er neulich tatsächlich gesagt. Typische Männersprüche! Dabei hat sie so viele Ideen! Sie könnte groß rauskommen, wenn sie nur wollte. Sie müsste endlich eine Mappe mit ihren Fotos und Zeichnungen zusammenstellen, um sich für das Studium an der Kunsthochschule zu bewerben. Oder sich bei der Modelagentur melden, deren Anzeige sie vor einiger Zeit aus der Zeitung ausgeschnitten hatte. Mit ihrer Figur könnte sie den Supermodels Paroli bieten! Anja wäre auch gerne Besitzerin einer chicen Modeboutique. Statt dessen muss sie sich von morgens bis abends um die Familie kümmern!

Jutta kennt Anjas Klagen, die sie seit der Geburt der Kinder vorbringt, bis zum Überdruss. Nichts hat sich seitdem verändert. Wie oft *hat sie ihrer Freundin schon vorgeschlagen, wieder in ihrem Beruf zu arbeiten, wenigstens stundenweise. Als Apothekenhelferin wäre das möglich, und ihre ehemalige Chefin habe ihr das doch sogar schon angeboten. Von dem Geld könnte sie dann selbst eine Putzfrau bezahlen und in ihrer Freizeit an ihren Fotos oder Zeichnungen für die Bewerbungsmappe arbeiten. Aber Anja findet immer Argumente, warum das nicht in Frage kommt: Horst würde das nie erlauben, dann gäbe es jeden Tag Ärger, die Beziehung würde sich noch weiter verschlechtern. Und außerdem sei sie über die Apotheke hinausgewachsen, sie würde jetzt lieber kreativ arbeiten. Horst würde sie dieser Pläne wegen auslachen, überhaupt sei er ein richtiger Spießer. Anja rastet förmlich aus vor Wut, wenn sie nur an ihn denkt. Für ihn ist es selbstverständlich, dass sie die Parties für seine blöden Geschäftsfreunde ausrichtet. Und wie er sich aufführt, wenn was schiefgeht, wie neulich, als sie die Einladungskarten zu spät abgeschickt hatte.*

Jutta hat angeregt, dass beide einmal zu einer Paarberatung gehen, aber auch das lehnt Anja ab: Das würde Horst nicht mitmachen. Seit einiger Zeit nimmt sie Tabletten, um dem Stress gewachsen zu sein und ihm zu zeigen, wie fertig das alles sie macht. Jutta hat ihr besorgt geraten, doch lieber autogenes Training zu lernen, aber Anja hat gekontert: Solche Kurse gäbe es nur abends, und da könne sie nicht weggehen, das wäre Horst nicht recht und die Kinder seien noch so klein und bräuchten sie.

»Ja«, sagt Anja auf Juttas Vorhaltungen, »du hast ja Recht, ich müsste wirklich mal mit Horst reden und meine Träume endlich realisieren, aber jetzt hat er gerade so viel um die Ohren, da kann ich ihn nicht auch noch damit belasten.«

In der Art, wie Beate, Helmut und Anja aufschieben, finden sich viele Ähnlichkeiten: Alle drei verbringen zu viel Zeit um die eigentlichen Aufgaben herum, anstatt sie direkt anzugehen. Sie haben sich unzählige Male vorgenommen, nicht mehr aufzuschieben, aber es scheint, als zwinge eine innere Kraft sie dazu, ihre Vorhaben zu verschieben oder gänzlich zu meiden, auch wenn sie wissen, dass unangenehme Folgen drohen. Weil sie immer wieder aufschieben, leiden sie an Selbstzweifeln: Werden sie es jemals schaffen, sich zu ändern? Sie suchen noch nach Ausreden, Entschuldigungen und Rechtfertigungen und verschleiern damit die Erkenntnis, dass sie ein Aufschiebeproblem haben. Gleichzeitig kreisen sie besessen darum, was sie eigentlich tun sollten oder müssten. Wie alle ernsthaften Aufschieber erleben sie Reue und fühlen sich schuldig, womit sie ihre Lebensfreude beeinträchtigen und sich seelisch eher ab- als aufbauen. Sie verlieren ihren Optimismus, ihren Schwung und die Lust an kreativen Herausforderungen.

Beate ist eine Idealistin mit unrealistischen Vorstellungen darüber, wieviel Zeit und Energie ein Projekt wie das Anfertigen eines neuen Marketingkonzepts braucht. Sie ist perfektionistisch und chronisch überlastet. Ihren Freunden erscheint sie geradezu als Workaholic, denn ständig hetzt sie zu irgendwelchen Terminen. Die vielen Verpflichtungen bilden ein Bollwerk gegen Intimität und Nähe. Ihre Ängste vor Versagen und Hilflosigkeit versucht sie durch unendliche Aufmerksamkeit für die kleinsten Details zu bannen.

Helmut wandelt seine Gefühle von Unzuverlässigkeit und Unkontrollierbarkeit in Ärger und Wut auf andere und auf seine Arbeits- und Lebenssituation um. Im Hintergrund lauert seine Entschlusslosigkeit, mit der er seit Jahren jede berufliche Veränderung sabotiert: Er kann sich einfach nicht entscheiden, das Risiko eines Wechsels auf sich zu nehmen. Er erstickt an seinen Sorgen und ist auch deswegen oft unleidlich und verärgert, weil er sich selbst nicht versteht und ablehnt.

Anja fühlt sich als Ehefrau und Mutter in der Falle von kleinbürgerlicher Langeweile und Routine gefangen. Sie träumt von einem ganz anderen Leben, tut aber nichts dafür, weil sie die Konflikte fürchtet, die sie dann mit ihrem Mann austragen müsste. Außerdem ist sie sich doch nicht so sicher, ob sie das Zeug hat, ihre Träume auch wirklich umzusetzen. Dem Test in der Wirklichkeit kann sie ausweichen, indem sie sich hinter ihrem Mann versteckt, den sie für den Stillstand in ihrem Leben verantwortlich macht. Das Risiko, Ängste und unbequeme Auseinandersetzungen auf sich nehmen zu müssen, scheut sie.

Die bisherigen Erfolge, die alle drei zu verzeichnen haben, spielen für sie keine Rolle mehr. Beate hat viele altruistische Aktivitäten, ihr Studium und die zwei Jahre im Beruf trotz Perfektionismus gut bewältigt, doch das zählt nicht, weil sie auf das vor ihr liegende Vorhaben fixiert ist. Gleiches gilt für Anja, die keinen Stolz darauf empfindet, die schwierige Situation der Umstellung vom begehrten und umschwärmten Partygirl zur Ehefrau und zweifachen Mutter bewältigt zu haben, sondern ihren idealisierten Träumen nachhängt.

Auch Helmut geht von strengen Idealvorstellungen aus, insbesondere der Idee, dass es gerecht zugehen und er völlige Sicherheit haben müsse, bevor er eine Entscheidung treffen kann. Dass Kollegen ihm einen beruflichen Aufstieg zutrauen, den er durch seine provokative Strategie des Aufschiebens gefährdet, fällt ihm gar nicht auf. Mit anderen Worten: Gutes halten Aufschieber für selbstverständlich und beachten es nicht weiter. Voll konzentriert darauf, wie es eigentlich sein müsste, verbergen sie hinter dem Herauszögern übertrieben strenge Anforderungen an sich selbst, an andere Menschen und an das ganze Leben. Dies führt dazu, dass sie sich zwangsläufig oft mit inneren Konflikten herumschlagen.

Konflikt heißt, dass Sie das Bedürfnis spüren, etwas tun zu wollen oder tun zu müssen, um bestimmte Ziele, die Sie haben, zu erreichen – und gleichzeitig fühlen Sie ein Widerstreben dagegen. Sie erleben sich als festgefahren, bis der Konflikt sich irgendwie löst. Im Fall des Aufschiebens geschieht das meistens ohne große Bewusstheit. Sie schlagen sich eine Zeitlang mit Ihrem Vorhaben und einer spürbaren Unlust herum, dann folgen Sie einem ablenkenden Impuls, geben dem Widerstand nach und sind für heute weg vom Fenster. Dabei gerät auch in den Hintergrund, dass Sie vielleicht gar nicht so richtig wussten, wie Sie Ihr Vorhaben optimal planen und angehen konnten.

Wer viel aufschiebt weiß, wie man das Schwierigere zugunsten der unmittelbaren Entlastung von Spannungen vertagen kann. Er weiß nicht, wie man geduldig, konzentriert und mit einer optimistischen Konzentration auf den Vorgang der Entscheidung oder Erledigung des Vorhabens, also mit einer Prozessorientierung, vorgeht. Prozessorientierung heißt, mehr auf die Vorgänge des Arbeitens selbst, auf die Tätigkeit der Aufgabenerledigung zu achten als auf die Ergebnisse. Doch auch dies kann erlernt werden.

Gründe für das Aufschieben

In den vorgestellten Beispielen sind bestimmte Gründe für das Aufschieben erkennbar. An dieser Stelle sollen sie nur kurz angerissen werden, im Kapitel *Jede Menge Stress* werden die Ursachen dann ausführlicher dargestellt.

Generell werden Entscheidungen, Aufgaben, Vorhaben und Pläne aufgeschoben, die Angst und Unlust auslösen. Dies ist häufig eine automatisch ablaufende Vermeidungsreaktion, die sich besonders zu Beginn oder bei dem Abschluss von Vorhaben einstellt, vorausgesetzt, Sie haben einen zeitlichen Spielraum. Motor des Aufschiebens ist hier die Furcht, Ängste und andere negative Gefühle aushalten zu müssen.

Darüber hinaus soll das Aufschieben gefürchtete Fremd- oder Selbstverurteilungen verhindern. Aus Angst, die geforderte Leistung nicht gut genug erbringen zu können und Schwächen zu zeigen, wird das Projekt gar nicht erst in Angriff genommen – ein Abwehrmechanismus, der das Selbstwertgefühl schützen und vor Beschämung sichern soll. Perfektionisten sind besonders gefährdet, da ihr Anspruch, vollkommene Ergebnisse produzieren zu müssen, auf unmittelbarem Weg Aufschieben erzeugt.

Die Mechanismen des Aufschiebens

Beate, die am Samstag bei schönstem Sommerwetter arbeiten will, merkt, dass sie noch nicht in Stimmung ist, und beschließt, richtig zu beginnen, nachdem sie die Zeitung gelesen hat. Nach der Zeitungslektüre fällt ihr Blick auf den Abwasch, der seit Tagen auf sie wartet. Den wird sie jetzt erst einmal erledigen, danach geht es bestimmt besser voran. Einer leisen kritischen Stimme in ihrem Inneren hält sie rechthaberisch entgegen: Ordnung zu schaffen kann doch nicht verkehrt sein!

Kaum wieder am Schreibtisch, klingelt das Telefon. Beate führt ein längeres Gespräch mit ihrer Freundin Heike. Wenn Heike doch nur endlich zum Ende käme! Als sie den Hörer auflegt und auf die Uhr schaut, packt sie leichte Panik: Schon sind mehr als zwei Stunden ungenutzt vergangen, dabei hätte sie schon lange an ihrem Konzept sitzen sollen. Nun muss es aber endlich losgehen, doch Beate fühlt sich noch immer nicht zu 100 Prozent energiegeladen. Vielleicht kommt die große Lust, wenn sie erst einmal den Schreibtisch aufräumt und ihre Papiere sortiert und sichtet. Nachdem sie das erledigt hat, liest sie ihre Notizen erneut durch. Ein Buch, aus dem sie etwas über Kundenbindung zitieren will, steht im Regal, sie sucht passende Stellen heraus und notiert die Seitenzahlen. Dabei fällt ihr ein, dass es neulich einen Artikel in einer Marketingfachzeitschrift gegeben hat, da standen doch auch so ein paar tolle Sachen drin über neue Verkaufsstrategien. Den müsste sie doch unbedingt in ihr Konzept einbauen. Wie lautete da bloß der Titel? Beate wirft den Computer an und begibt sich ins Internet, zur Literaturrecherche. Mehr als eine Stunden sucht sie in Online-

Datenbanken, bis ihr die Augen brennen. Dann schaut sie noch einmal auf ein paar andere Websites – und bleibt im Internet hängen.

Am späten Nachmittag ist Beate unzufrieden, der Tag hat es echt nicht gebracht, ihr Arbeitszimmer ist ihr inzwischen zuwider, sie greift nach ihren Badesachen: Wenn sie sich beeilt, schafft sie es noch ins Schwimmbad, bevor die schliessen ...

Beate schämt sich am Abend dafür, dass sie wieder nicht zu Potte gekommen ist. Als sie Freunden in der Kneipe davon berichtet, brechen die in Lachen aus: Ach was, so wild ist das doch nicht. Und dann erzählen die anderen, wie sie auf den letzten Drücker die unglaublichsten Arbeiten noch hingekriegt haben. Schöpferische Kopfarbeiter sind eben keine Beamten mit Dienstplan oder Fließbandarbeiter mit Taktzeiten, so lautet die Devise. Kreatives Chaos, lange Zeit nichts, dann der große Wurf. Beate schöpft neue Hoffnung. Morgen, am Sonntag, klappt es ja vielleicht besser. Bevor sie gegen zwei Uhr ins Bett sinkt, sie hat leider etwas zu viel getrunken, stellt sie den Wecker auf sieben. Beim Einschlafen denkt sie noch: Wenn sie wirklich nicht ausgeschlafen sein sollte, kann sie ja noch ein Stündchen dranhängen.

Beates Samstag zeigt einen zentralen Mechanismus des Aufschiebens: Das Sich-von-Entscheidung-zu-Entscheidung-Hangeln. Es beginnt mit Ihrem Entschluss, eine Aufgabe anzupacken, die auch unangenehme Aspekte hat. Die nächste Entscheidung betrifft die Frage, wann Sie anfangen werden. Sie vertagen den Start, geraten nach einiger Zeit aber unter inneren Druck und fangen dann doch an. Bald fühlen Sie sich jedoch müde oder abgelenkt und beschließen, dass Sie nach einem Ruhepäuschen erfrischt weiter machen werden. Wenn Sie dann wieder an Ihr Vorhaben gehen, müssen Sie eventuell Ihre Notizen noch einmal durchgehen oder sich in anderer Weise Ihre früheren Ergebnisse erneut vergegenwärtigen. Nicht alles gefällt Ihnen, manches scheint nicht gelungen. Sie nehmen sich vor, die schon vorhandenen Sachen zu überarbeiten. Sie fangen damit an und schieben es nach einer Weile wieder auf. Wenn Sie unter zeitlichen Druck geraten, werden Sie sich spätestens jetzt in einem unfreundlichen Monolog Vorwürfe machen, womit Sie Ihre Anspannung vergrößern und Ärger erzeugen. Weil Sie sich frustriert fühlen, empfinden Sie immer mehr Vorbehalte gegen Ihr Vorhaben. Wenn es nicht anders geht, reißen Sie sich schließlich zusammen, legen ein paar Nachtschichten ein und erledigen die Sache. Anschließend geloben Sie sich, dass Ihnen das nicht noch einmal passieren werde. Beim nächsten Mal aber machen Sie es genauso. Wiederholt sich das einige Male, dann fangen Sie an, sich als *Aufschieber* zu betrachten, der seine Sachen einfach nicht auf die Reihe kriegt. Sie beginnen, sich zu schämen, beschließen, das Aufschieben zu bekämpfen und verzetteln sich in hektischer Aktivität. Mit dieser Tarnung decken Sie allerdings Ihre Probleme nur zu.

Wenn man Menschen, die aufschieben, beobachtet oder sie selbst beschreiben lässt, wie sie in konkreten Situationen mit prioritären Vorhaben umgehen, erhält man ein Röntgenbild des Aufschiebens. Es zeigt die folgenden Kernmerkmale:

- *Geschäftigkeit und plötzlicher Wechsel zu anderen Tätigkeiten*
Als Aufschiebe-Profi sind Sie dauernd unter Strom. Sie klagen meistens zu Recht über das Gefühl, viel um die Ohren zu haben. Sie sind eher aktiv und rennen herum. Wenn Sie an einer Sache dran sind, beschäftigen Sie sich oft zu lange hintereinander damit und arbeiten mit überlangen Arbeitseinheiten (mehr als 90 Minuten ohne Pause). Besonders kennzeichnend ist Ihr abrupter Wechsel von einer Aufgabe mit hoher Priorität zu einer anderen mit geringerer, den Sie oft ohne vorherige Planung, völlig unvermittelt, vornehmen.

- *Fixierung auf Arbeitsergebnisse*
Wer aufschiebt, vernachlässigt die konkreten Arbeitsschritte. Sobald es bei der Erledigung einer wichtigen Sache schwierig wird, denken Sie weniger an die Art der aufgetretenen Probleme, die abzustellen wären, sondern vermehrt an das Ergebnis, das Sie gefährdet sehen. Statt größere Genauigkeit aufzuwenden, steigern Sie in solchen Situationen Ihr Arbeitstempo. Schließlich wenden Sie sich Aufgaben mit geringerer Priorität zu, die aber ein schnelles Ergebnis versprechen.

- *Angst vor Handlungen, die zur Beachtung durch andere führen können*
Vorhaben, die möglicherweise eine Bewertung durch andere nach sich ziehen, werden Sie besonders häufig aufschieben. Die weniger wichtigen Dinge, auf die Sie ausweichen, sind wahrscheinlich nicht mit diesem Risiko behaftet. Wenn Sie beispielsweise an einem Vortrag arbeiten, den Sie demnächst halten sollen, so brechen Sie die Arbeit am Redetext ab und räumen erst einmal Ihr Büro auf.

- *Unrealistische Ansichten*

Als jemand, der aufschiebt, haben Sie unrealistische Ansichten darüber, wie prioritäre Aufgaben erledigt werden müssten. Sie glauben, dass Sie »inspiriert« sein müssten und nur in der richtigen Stimmung anfangen könnten, dass »Augen zu und durch« der angemessene Umgang mit Schwierigkeiten sei, und Sie sind überzeugt von der segensreichen Wirkung von Marathon-Arbeitssitzungen. Forderungen nach Ordnung und Pünktlichkeit beantworten Sie mit Feindseligkeit; Deadlines und Fristen lehnen Sie ab.

Diese Kernmerkmale paaren sich mit Impulsivität, Unachtsamkeit und Pessimismus. Ihre Impulsivität veranlasst Sie dazu, jedem ablenkenden Reiz, der aus ihrem Inneren oder aus der Umgebung kommt, nachzugeben. Die Neigung zu impulsiven Handlungen verstärkt sich, wenn prioritäre schwierige Aufgaben zu erledigen sind, und Sie sich in der Klemme zwischen selbstauferlegten Einschränkungen und dem ungeduldigen Verlangen nach Befreiung von Spannungen befinden. Sie fliehen oder vermeiden impulsiv die schwierigen, aber wichtigen Sachen, indem Sie sich schnell und achtlos einfacheren, weniger prioritären Aufgaben zuwenden, die plötzlich als überaus dringlich erscheinen und auf kurze Sicht ein besseres Feeling versprechen. Einen wesentlichen Beitrag dazu leisten ungenügende Selbstmanagement-Fertigkeiten. Die meisten Aufschieber haben keine Ahnung, was sie tun können, wenn ein scheinbar unwiderstehlicher Impuls sie ergreift. Helfen kann Ihnen eine kontinuierliche Selbstüberwachung, mit der Sie Ihre Aufmerksamkeit auf die Gegenwart lenken.

Hinzu kommt die Unachtsamkeit. Sie haben Schwierigkeiten, ein konsequentes Aufgabenmanagement anzuwenden, das heißt, die anstehenden Aufgaben in der richtigen Art zu bearbeiten. Wer unachtsam ist, beginnt seinen Arbeitsprozess ohne klare Arbeitsziele, die richtunggebend und belohnend sind, arbeitet ohne Zeitgeber für Start, Pausen und Schluss, hat keine kleinen, regelmäßigen und zeitlich begrenzte Arbeitseinheiten und macht keine Pausen, in denen neu geplant und nachgedacht werden kann. Unachtsamkeit führt auch dazu, sich keine angemessenen Hilfen zu organisieren und sich keine Strategien für die Bewältigung von Fehlschlägen zurechtzulegen. Wenn Entscheidungsprozesse aufgeschoben werden, zeigen sich ähnliche Defizite. Verantwortlich für diese geringe Sorgfalt in der Planung und Steuerung von komplizierten Arbeits- und Entscheidungsprozessen ist die Ergebnisorientierung. Sind Sie zu sehr auf das Ergebnis fixiert, dann wird die aufmerksame Konzentration auf Arbeits- oder Entscheidungsprozesse vernachlässigt. Wenn Sie auf Ergebnisse fixiert sind und bei einem Arbeitsvorhaben in Schwierigkeiten geraten, ist die Wahrscheinlichkeit groß, dass Sie auf etwas Einfacheres ausweichen und somit die falschen Probleme lösen.

Menschen, die aufschieben, sind häufig Pessimisten, die weder von den Umständen noch von sich selbst etwas Gutes erwarten. Negative Erwartungen in Bezug auf sich selbst (»Ich werde es nicht schaffen!«) oder eine Aufgabe zu haben (»Ist unlösbar!«), ist wie ein Garantieschein für niedrige Effizienz. Mit dieser Einstellung werden Sie auch bei einem Maximum an Einsatz nur einen geringen Ertrag an Leistung und Zufriedenheit haben. Gelingt Ihnen doch einmal etwas, schreiben Sie es womöglich dem Zufall zu. Geht aber etwas schief, dann scheint sich Ihre negative Prognose über die Umwelt oder Sie selbst bestätigt zu haben. Meistens geben Sie sich für das Problem ohnehin selbst die Schuld. In diesem Fall ist Ihr Sozialmanagement gestört, die geeignete Zuschreibung von Ursachen und Verantwortlichkeit für Gelingen oder Scheitern funktioniert nicht.

Die Folgen des Aufschiebens

Frust

Sie schieben Dinge auf, bei denen Sie sich unbehaglich und unsicher fühlen, weil Sie nicht wissen, wie Sie anfangen sollen, wenn Sie nicht schon von vornherein motiviert sind. Wenn Sie in der Vergangenheit mit ähnlichen Aufgaben Misserfolge hatten oder unter den Vorhaben gelitten haben, fällt es Ihnen besonders schwer, sich ihnen zu widmen. Nach der ersten Verzögerung setzen Sie sich selbst unter Druck, indem Sie die Messlatte höher legen: Wenn Sie schon aufgeschoben haben, dann müssen Sie das durch ein besonders gutes Ergebnis rechtfertigen. So denken Sie besonders dann, wenn Sie ganz auf das Ergebnis fixiert und nicht prozessorientiert sind. Dazu können noch unrealistische Überzeugungen von Talent kommen und darüber, wie ein talentierter Mensch arbeitet. Sich Hilfe zu holen, schließen Sie aus, denn Ihre Devise ist: Ich muss es allein schaffen! Innerlich können Sie gegenüber denjenigen, die Ihnen die Aufgabe gestellt haben, vorwurfsvoll sein. Anteilnahme anderer können Sie als Überwachung oder bedrängende Kritik erleben. Weil Sie nicht gelernt haben, Stress zu reduzieren, fressen Sie immer mehr Spannung in sich hinein.

Allmählich müssen Sie loslegen, aber dann gehen Sie mit einem Maximum an Aufmerksamkeit für Ihre negativen Gefühle ans Werk. Wegen Ihrer Gewohnheit, auf den letzten Drücker zu arbeiten, haben Sie kein Gefühl dafür entwickeln können, wie lange Arbeitsvorgänge dauern, wenn Sie sie mit Augenmaß und Sorgfalt, verteilt auf einen angemessenen Zeitraum, erledigen. Außerdem sind Sie daran gewöhnt, sich auf die begleitenden Gefühle von Angst vor Versagen, Hilflosigkeit, Vermeidung, Zeitdruck, und auf die Anforderungen des sozialen Umfelds zu konzentrieren. Schließlich wird Ihnen alles zu viel, scheint Sie zu überwältigen, Sie geraten unter Druck, fürchten Versagen und Scheitern und versuchen es mit mehr und härterer Arbeit, mit Verzicht auf Vergnügen und Freizeit, kurz mit Selbstkasteiung und Selbstbestrafung. Natürlich steigern sich dadurch Ihre schlechte Laune und Anspannung, Sie verlieren die Motivation und schieben auf. Auch wenn Sie (noch) keine negativen Folgen der Außenwelt zu spüren bekommen haben, sind Sie doch sehr wahrscheinlich mit Ihrem eigenen Verhalten unzufrieden.

Die schlimmste Konsequenz des Aufschiebens besteht darin, dass Sie lernen, immer mehr und hartnäckiger aufzuschieben. Da sich die herausgezögerten Aufgaben vor Ihnen auftürmen, haben Sie immer mehr Angst und Unlust, also immer mehr Spannung zu vermeiden. Auch Ihre freie Zeit wird vom schlechten Gewissen vergiftet. Sie leben im Wartestand, schauen zurück auf die schon vergangene Zeit und entwickeln im günstigeren Fall nur ein elegisches Lebensgefühl:

»...das Leben floss nutzlos dahin, ohne jegliches Vergnügen, sinnlos war es vertan, für nichts und wieder nichts; für die Zukunft blieb nichts mehr zu hoffen, und blickte man zurück, so gab es nichts als Verluste ... Warum taten die Menschen immer gerade das nicht, was nötig war?« (Tschechow, 1998, S. 56)

Wenn Sie aber Pech haben, geht es Ihnen schließlich so wie Helmut:

Manchmal packt Helmut die Verzweiflung. Die Stapel mit Kundenanfragen wachsen unaufhaltsam. Dazu kommt dieser Bericht, auf den der Chef wartet. Die Arbeitssituation ist verfahren. Helmut hat das Gefühl, zu stagnieren. Sollte er nicht doch in die Personalabteilung wechseln?

Ob er einen Neuanfang packen würde? Diese Gedanken verfolgen ihn regelrecht. *Er joggt, um Abstand zu gewinnen. Aber selbst beim Laufen kann er nicht abschalten. Und nun auch noch die Schlafstörungen! Helmut grübelt beim Einschlafen darüber nach, dass er diese Stapel endlich abtragen und sich zwingen muss, den Bericht bis zum Freitag abzugeben – oder sollte er sich krank melden? Dann hätte er noch das Wochenende, um sich irgendwelche Vorschläge für die geforderten Tarifanpassungen auszudenken.*

Wenn Sie immer wieder aufschieben, verändert sich allmählich auch Ihre Selbstwahrnehmung und irgendwann gelangen Sie zu dem Schluss: Ich bin ein *Aufschieber*. Vielleicht ist das für Sie ein sehr herabsetzender Begriff und Sie empfinden sich als minderwertig und inkompetent. Menschen, die sich als ewige Aufschieber erleben, beschreiben ihre Defizite so: Sie halten sich für ängstlich, depressiv und lahm. Ihr Selbstvertrauen und ihre Selbstachtung sind herabgesetzt, was sie jedoch häufig hinter einer selbstsicheren Fassade verstecken.

Diese negativen Selbsteinschätzungen stellen ein eigenes Problem dar. Sie steigern die Ängste und damit auch die Vermeidungstendenzen und verstärken somit den Hang zum Aufschieben. Auch können sie zu neuen emotionalen Belastungen führen, wie Aggressionen und Schamgefühlen. Diese Gefühle, die aus dem Aufschieben heraus entstehen können, machen häufig Anstrengungen erforderlich, sich gegen sie zu wehren oder sie zu unterdrücken. Das kostet Kraft, die Ihnen dann wieder an anderer Stelle fehlt. Im Kapitel *Jede Menge Stress* erfahren Sie mehr über die emotionalen Strapazen, die durch das Aufschieben ausgelöst werden.

Außer den seelischen Folgen kann das Aufschieben natürlich eine Fülle von körperlichen, sozialen und materiellen Konsequenzen haben, die dann wiederum auf Ihr seelisches Befinden zurückwirken. Sie können ernsthaft krank werden, wenn Sie fällige Untersuchungen oder vorbeugende Impfungen außer acht lassen. Sie können in soziale Isolation geraten, wenn Sie es aufschieben, mit Ihren Bekannten und Freunden den Kontakt zu pflegen. Man bittet Sie nicht mehr um einen Beitrag für eine Zeitschrift, wenn Sie sich den Ruf erworben haben, immer erst vier Wochen nach der Deadline zu liefern. Sie können Ihren Job verlieren, wenn Sie dauernd zu spät kommen und daran trotz Abmahnung nichts ändern. Und die Versicherungsgesellschaften profitieren davon, dass viele von uns es aufschieben zu prüfen, ob wir die Policen überhaupt noch brauchen oder Kündigungsfristen verstreichen lassen.

Horst, Anjas Ehemann, der Rechtsanwalt ist, erzählt ihr von einem seiner Mandanten, der vor fünf Jahren die letzte Einkommenssteuererklärung abgegeben hat. Danach kam er nicht mehr klar damit, seine Belege zu sammeln und seine Unterlagen aufzubereiten. Seinen Steuerberater, der ihn jahrelang mahnte, mied er, Schreiben des Finanzamts ignorierte er. Auch als seine wirtschaftliche Lage sich verschlechterte, machte er dem Amt keine Meldung davon. Schließlich wurden seine Einkünfte geschätzt. Fassungslos suchte er Horst auf, mit dem Bescheid, 250 000 DM Steuerschulden nachzahlen zu müssen.

In solchen Fällen wird die selbstschädigende Wirkung des Aufschiebens überdeutlich. Sie hängt mit einer Verleugnung der Wirklichkeit zusammen, die in ihrer Unerbittlichkeit als so überwältigend wahrgenommen wird, dass das Abtauchen vor ihr, das Ausblenden von Wahrnehmungen erforderlich wird. Dass Menschen sich selbst Schaden zufügen, wird traditionell mit Schuldgefühlen erklärt, die dadurch ausgelöst werden, dass jemand eine ungeheure Aggressivität mit sich herumträgt, für die er sich unbewusst bestraft. Die negativen Folgen des Aufschiebens wären so eine Art Selbstbestrafung für inneren Zorn, die Seelenqual eine Bußleistung. Sicher gibt es Menschen, bei denen diese Erklärung zutrifft.

Sich als Aufschieber selbstschädigend zu verhalten heißt, in unangenehmen Gefühlslagen und mit der Aussicht auf schnelle Erleichterung eine schlechte Wahl zu treffen. Sie treffen eine schlechte Wahl, wenn Sie unwichtigere Aufgaben mit größerer unmittelbarer Erfolgsaussicht erledigen und Umstände schaffen, die zukünftige Probleme verursachen. Als Student ist es beispielsweise keine gute Entscheidung, wenn Sie es ewig aufschieben, den Hochschullehrer, der Sie prüfen soll, einmal in der Sprechstunde aufzusuchen und sich bekannt zu machen. Sie könnten sich beschnuppern und einen Eindruck vom jeweiligen Gesprächsstil gewinnen. Wenn Sie ihm in der Prüfung zum ersten Mal gegenüberstehen, sind Sie beide einander fremd, was das Risiko von Missverständnissen und Kommunikationsproblemen steigert.

Die eindrucksvollsten Beispiele für selbstschädigende Wirkungen sind dort zu finden, wo von Krankheit bedrohte oder bereits erkrankte Personen die erforderlichen Untersuchungen aufschieben bzw. sich nicht an die Anweisungen der Ärzte halten. Die *Noncompliance*, also die mangelnde Bereitschaft, einsehbar vernünftige und verbal bejahte ärztliche Anordnungen zu befolgen, stellt ein großes Problem dar. Viele

Menschen nehmen die ihnen verordneten Medikamente gar nicht, nur über zu kurze Zeit oder kombinieren sie mit anderen, selbstverordneten. Die Folgen bestehen dann häufig in einer Verschlimmerung der Erkrankungen oder einer Gefährdung der bereits erreichten Heilungserfolge.

Wenn Sie Ihr Aufschieben durch Selbsthilfe verändern möchten, ist es wichtig, dass Sie sich selbst gegenüber ein möglichst hohes Maß an *Compliance* entwickeln. Ihre Bereitschaft, bei der Überwindung des Aufschiebens Einsatz zu zeigen, ist dann am größten,

- wenn Sie an einer Verbesserung Ihrer Leistungsfähigkeit ebenso interessiert sind wie an einer Steigerung Ihres Wohlbefindens;
- wenn Sie die Bereitschaft haben, Vorschläge auszuprobieren, von denen Sie glauben, dass Sie vernünftig sind und Ihnen möglicherweise helfen können;
- wenn Sie eher seit drei oder dreizehn Jahren und nicht schon seit dreißig Jahren aufschieben;
- wenn Sie sich darauf einstellen können, dass Ihre negativen Gefühle langsam, aber sicher, nicht jedoch auf einen Schlag verschwinden werden;
- wenn Sie bereit sind, ein paar Ihrer Gewohnheiten zu verändern und neue zu erwerben.

Die negativen Folgen des Aufschiebens bestehen in materiellen, sozialen oder seelischen Risiken. Sie können Geld verlieren, Ihre Freunde verprellen und ein zunehmend geringer werdendes Selbstwertgefühl beklagen. Der kurzfristige Gewinn, sich von unangenehmen Spannungen zu entlasten, hat leider einen Pferdefuß. Langfristig führt Ihr Vermeidungsverhalten dazu, dass Sie nicht nur keine neuen Kenntnisse und Bewältigungsfertigkeiten erwerben, sondern die vorhandenen auch noch verlieren. Sie schädigen sich selbst. Mit der Bereitschaft, eingefahrene Gewohnheiten zu modifizieren und Neues auszuprobieren, können Sie jedoch der Mañana-Falle entrinnen.

Lust

Ihre Unzufriedenheit verstellt Ihnen eventuell den Blick auf die Befriedigungen, die das Aufschieben Ihnen vermittelt, und die Sie sich vielleicht noch nicht so bewusst gemacht haben. »Welche Befriedigungen?«, wundern Sie sich vielleicht. Ihnen geht es doch schlecht und es kommt überhaupt nichts raus beim Aufschieben. Wenn das nur so wäre, würden Sie es dann nicht vielleicht doch schon aufgegeben haben? Aber Aufschieben kann ein Symptom sein, und in einem Symptom verbinden sich immer beides, die verbotene Lust und die offene Last.

In den vielen Workshops und Seminaren, die ich mit Aufschiebern durchgeführt habe, klagen sich die meisten Teilnehmer zunächst an: Wie langsam sie seien, wie weit zurück mit lächerlich einfachen Aufgaben, wie wenig in der Lage, den inneren Schweinehund zu überwinden. Disziplinlos, haltlos, unverantwortlich! Mir ist dann immer wieder aufgefallen, dass sich eine gute Stimmung ausbreitet, wenn die Gruppenteilnehmer beschreiben, *wie* sie aufschieben. Das Ergebnis des Aufschiebens ist zwar oft traurig bis trostlos, aber der Vorgang der Vermeidung, wie man sich selbst austrickst, überlistet und sich in den Schlendrian wegsacken lässt, das wird häufig mit Spaß und Genuss geschildert. Manche Aufschieber beeindrucken durch ungeahnten Wortwitz und launige Pointen. Gut, manches ist Galgenhumor und es werden auch Schamgefühle weggelacht. Aber neben allem Leid und Selbstvorwürfen sind offenbar auch Befriedigungen im Spiel, die von den anderen Teilnehmern in der Gruppe, die ja alle Experten im Aufschieben sind, meist auch schnell aufgespießt werden. Der Psychotherapeut C. G. Jung hat diesen Sachverhalt so beschrieben:

»Ich anerkenne, dass ein psychischer Faktor in mir tätig ist, der sich meinem bewussten Willen in der unglaublichsten Weise entziehen kann. Er kann mir außerordentliche Ideen in den Kopf setzen, mir ungewollte und unwillkommene Launen und Affekte verursachen, mich zu erstaunlichen Handlungen, für die ich keine Verantwortung übernehmen kann, veranlassen, meine Beziehungen zu anderen Menschen in irritierender Weise stören und so weiter. Ich fühle mich ohnmächtig dieser Tatsache gegenüber, *und was das Allerschlimmste ist: ich bin in sie verliebt, so dass ich sie erst noch bewundern muss.*« (Jung, 1990, S. 112, Hervorhebung H. W. R.)

Wenn Sie diese Verliebtheit in etwas Subversives in Ihnen, das sich Ihren bewussten Zielen entgegenstellt, erkennen, kann Ihnen das helfen, die wirklichen Gründe für Ihr Aufschieben besser zu verstehen und sie zu verändern.

Womöglich erleben Sie Ihre Vorhaben, Aufgaben und Pläne nur noch als Verpflichtungen. Sie müssen sie nicht einmal als lästige Pflichten empfinden, so dass Sie erwarten könnten, dass Sie sich drücken wollen, sondern es sind Pflichten, die auch aus Ihrer Sicht erledigt werden müssen. Sie verhalten sich dann wie ein Auftraggeber, der auf rasche und pünktliche Erledigung pocht. In dieser Rolle schimpfen Sie über sich, der Sie in Verzug sind, die Sachen nicht ordentlich erledigt haben und überhaupt unzuverlässig sind. Genauso würden Sie sich auch in der Autowerkstatt verhalten, wo Ihr Wagen nun schon seit Wochen zur Reparatur steht und Sie vom einen auf den andern Tag vertröstet würden. Allerdings sind Sie als Aufschiebeexperte auch der Auftragnehmer, also einer aus der Werkstatt. Für den sind unter Umständen Ihre Eile, Ihr Drängen, ja Ihr ganzes Auto wirklich nicht so wichtig. Und je mehr Sie drängen, desto mehr schaltet er auf stur. Druck erzeugt Gegendruck. Sie sind der Arbeitgeberverband und die Gewerkschaft in einer Person. Moderne Methoden der Konfliktlösung sind Ihnen in beiden Rollen unbekannt, deswegen versuchen Sie es mit Autorität einerseits (»Klappe halten und arbeiten! Rund um die Uhr, sonst gibt's Ärger!«) und einer Art Sitzstreik andererseits. In der verschärften Form sperren Sie sich gleichzeitig aus und demonstrieren vor Ihrem Werkstor gegen sich. Was Ihnen fehlt, ist ein Vermittler.

In der Sprache der Psychoanalyse sagt man, dass Sie sich mit Ihrem Über-Ich (der Ort, in dem die Gebote und Verbote stecken) identifiziert haben und gleichzeitig vom Es (Ihrer triebhaften Seite) her unter ständigem Sperrfeuer liegen. Wenn Sie über kein starkes Ich verfügen, das beide Seiten wahrnehmen kann, ohne ihnen gleich zu folgen, dann werden Sie zum Diener mal der einen, mal der anderen Seite. Um es sich mit keiner endgültig zu verderben, schieben Sie auf. Das Über-Ich kommandiert, dass dieses und jenes gemacht werden müsse und droht Ihnen ein paar saftige Strafen an. Sie knallen verängstigt und gehorsam die Hacken zusammen und wollen loslegen, aber da kommt so ein verführerischer kleiner Triebimpuls: Man könnte doch erst einmal ein bisschen trödeln, fernsehen, ausweichen, und lächelnd folgen Sie ihm. Das Über-Ich aber sinnt auf Rache und setzt Sie das nächste Mal noch mehr unter Druck. Und umso leichter gehen Sie jetzt auf die geringste Verlockung ein, weil Sie ja noch viel geängstigter sind, also schneller und dringender eine unmittelbare Entlastung von der Angst und dem Unbehagen brauchen. Und vielleicht haben Sie auch ein subversives Vergnügen daran, den Befehlshabern ein Schnippchen zu schlagen und ein bisschen herumzusumpfen. Im anderen Fall werden Sie zum Workaholic, sind unentwegt beschäftigt, gaukeln Ihrem Über-Ich vor, dass Sie allen Anforderungen nachkommen und signalisieren Ihrem Es, dass Sie kein Lustfeind, sondern nur leider zu beschäftigt sind, um Vergnügen zu suchen.

Ein starkes Ich ist wie ein Vermittler, ein Schlichter oder Unternehmensberater, der beide Parteien erst einmal anhört und befragt, bevor er Vorschläge macht, wer in welchem Fall recht bekommt. Solange das Verfahren dauert, kann sich keine Seite durchsetzen, der Fall ist noch nicht entschieden. Ein guter Berater würde Sie fragen, wie Ihr Verhältnis zu den vielen Muss-Projekten ist, die Sie wegen Verzugs anklagen. Und er würde Sie fragen, welche angenehmen Befriedigungen Sie sich dauerhaft wünschen, sich aber viel zu selten gönnen.

Beate träumt seit langem davon, mehr Zeit für sich zu haben. Wie gerne würde sie einmal Ferien machen, richtig ausspannen und irgendwo im Süden in der Sonne liegen. Im Alltag hat sie den Eindruck, nie Zeit zu haben. Die Freiräume, die sie sich durch das Aufschieben nimmt, erlebt sie gar nicht mehr positiv als freie Zeit, die sie selbst gestalten könnte, sondern als zusätzliche Belastung zwischen Terminen und Verpflichtungen.

Helmut wäre gerne irgendwo Chef und würde in seinem Bereich herrschen wie ein kleiner König. Nur er würde bestimmen, die anderen hätten nichts zu melden. Stattdessen jedoch empfindet er ständige Fremdbestimmung, vom Chef bis zu seiner Frau. Seine heimliche Befriedigung besteht in einer entstellten Form der Selbstbestimmung, indem er sich trotzig den vermeintlichen oder tatsächlichen Vorgaben der anderen widersetzt. Nur führt dieser Widerstand nicht zu dem ersehnten Genuss daran, selbst auch Macht auszuüben.

Anja sehnt sich nach mehr öffentlicher Beachtung, als ihre Rolle als Ehefrau und Mutter hergibt. Ihre Szenen, ihre regelmäßigen Zusammenbrüche sind Möglichkeiten, sich etwas von diesen Wünschen zu erfüllen: Immerhin dreht sich dann eine Zeitlang alles um sie. Zwar erreicht sie so nur einen kleinen Teil dessen, was sie sich wünscht, aber dennoch gibt es ihr etwas, wenn ihre Freundinnen sorgenschwer herbeieilen, oder ihr Mann, statt über mitgebrachten Akten zu brüten, mit ihr sprechen muss – und sei es vorwurfsvoll.

Natürlich sind diese Befriedigungen ein schaler Ersatz für das eigentlich Ersehnte. Es direkt anzustreben, trauen sich weder Beate noch Helmut und Anja zu – warum nicht, werden wir später sehen. Sie ahnen allerdings auch, dass sie ihre gewohnten Verhaltensweisen, die ihnen wenigstens »die halbe Miete« des Erwünschten verschaffen, aufgeben müssten, wenn sie sich verändern wollten. Und das ist nicht leicht, denn hier folgt die Seele oft dem Prinzip »Der Spatz in der Hand ist besser als die Taube auf dem Dach«.

Erschwert wird eine Veränderung auch durch weniger deutliche Befriedigungen. Wer sich in die Gewohnheit des Aufschiebens geflüchtet hat, genießt beispielsweise Möglichkeiten, aus Konventionen auszubrechen, in die er sich ansonsten eingesperrt fühlt. Aufschieben bietet Nervenkitzel und Spannung, man kann andere subtil ärgern und bestrafen, man kann sich Alibis dafür holen, richtig schlecht gelaunt zu sein und es auch zu zeigen. Wer aufschiebt, ist oft insgeheim von seiner besonderen Bedeutung überzeugt. Manchmal hat sich diese heimliche Selbsteinschätzung entwickelt als Versuch, Unpünktlichkeit, Unzuverlässigkeit und geringer Leistung etwas kompensatorisch entgegenzusetzen, also ein Minderwertigkeitsgefühl auszubügeln. In anderen Fällen ist das Gefühl der Überlegenheit, die zu besonderen Privilegien berechtigt, von Anfang an da, aber durch die Anpassung an die Spielregeln der Gemeinschaft oberflächlich gehemmt.

Beate ist nicht wirklich von ihrer Leistungsfähigkeit und Großartigkeit überzeugt. Ihre vielen Verpflichtungen und die Tatsache, dass sie dabei ernst genommen wird, zerstreuen jedoch ihre grundsätzlichen Zweifel immer ein wenig. Wenn diese wiederkommen, schiebt sie einen neuen Termin ein.

Helmut, der stets der Jüngste und Kleinste war, fühlte sich zurückgesetzt und ist darüber noch heute voller Zorn. Als Kind hing er oft Rachephantasien nach. Jetzt hat er einen klammheimlichen Weg gefunden, tatsächlich an anderen Rache zu üben.

Anja war das begabte Wunderkind und ist in der Überzeugung aufgewachsen, dass ihr außerordentliche Beachtung zustünde. Als Kind bekam sie diese wegen ihrer vielversprechenden Talente auch. Jetzt aber müsste sie sich eine Position, die ihr nicht einfach in den Schoß fällt, erarbeiten – aber sie hat nie gelernt, das zu tun. Sie weiß einfach nicht, wie sie es machen soll. Ihre schlechte Laune, die sie als perfekte Ehefrau ihrer Meinung nach natürlich auch nicht haben dürfte, kann sie in Szenen und Zusammenbrüchen ausleben, ebenso ihren Ärger auf ihren Mann. Wenn sie dann – wie bei der wichtigen Party für die Geschäfts-

freunde neulich – etwas »vergisst« (nämlich die Getränke zu besorgen),
hat sie eine Möglichkeit gefunden, ungestraft aus der Rolle zu fallen.
Denn wer kann von einer so kreativen und durch die Kinder strapazier-
ten Frau verlangen, solchen »Kleinigkeiten« Wichtigkeit beizumessen?

Alle Gewohnheiten geben Sicherheit. Auch die Gewohnheit des Aufschiebens erzeugt Gefühle, die Ihnen eventuell zutiefst vertraut sind:
Von Chaos umgeben zu sein, in Hektik zu leben, unter einer Bedrohung
zu stehen, *high pressure living.* Unter Hochdruck in letzter Minute eine
wichtige Arbeit zu erledigen und dabei eine bestimmte Portion Angst
zu erleben, gibt Ihnen einen Kick, den ersehnten Adrenalinstoß des
Abenteuers. Das Aufschieben bringt Aufregung in Ihr Leben, die Sie
sonst eventuell vermissen. Es geht Ihnen wie einem Spieler im Kasino,
und es steht ja tatsächlich oft viel auf dem Spiel. Ihr Einsatz ist Alles
oder Nichts, Gewinn oder Versagen. Ihr Erfolg verschafft Ihnen Bewunderung bei denjenigen, die miterlebt haben, wie Sie im allerletzten
Moment doch noch die Kurve gekriegt haben. Ihr Scheitern verschafft
Ihnen einen Opferbonus, denn mit Ihrem Gasgeben in letzter Minute
sind Sie jedenfalls spektakulär aus der Kurve getragen und nicht einfach nur in einem ganz normalen Rennen abgehängt worden. Ihre
wirklichen Gefühle bleiben maskiert und mögliche Lösungen verborgen.

Zusammenfassung

Sicherlich sind Ihnen die Nachteile des Aufschiebens wohlbekannt: Immer wieder konkreter Frust und die Selbstachtung im Sinkflug! Dennoch haben Sie bislang weiter die Dinge vor sich her geschoben, von
denen Sie behaupten, dass Sie sie erledigen müssen. Durch Ihr Aufschieben beweisen Sie jedoch, dass Sie einen Handlungsspielraum haben
und dem Befehl in Ihrem Kopf nicht gehorchen müssen.

Entscheidend ist, dass Sie sich erst einmal zum Anfangen entscheiden,
was bereits eine Quelle von Problemen sein kann. Pessimistische Erwartungen machen Ihnen den Beginn schwer, Impulsivität und Unachtsamkeit stören Sie bei der Erledigung Ihrer Vorhaben. Wenn es nicht auf An-
hieb klappt, können Sie sich ungeduldig einengen auf die negativen
Seiten der Arbeit und sich schließlich durch kopflose Handlungen von

Spannungen erleichtern. Wenn Sie das Aufschieben anschließend durch Bildung guter Vorsätze verdrängen, statt eine Fehleranalyse zu machen, zeigt sich erneut, dass Ihre Einstellungen zur Durchführung von Entscheidungen und Vorhaben verbesserungsbedürftig sind. Wenn Sie das erkannt haben, können Sie Ihr Aufschiebeproblem anpacken!

4.

Null Bock – Motivationslöcher und Frustrationserfahrungen

»Ich bin einfach nicht motiviert«, das ist häufig die erste Erklärung, die Aufschiebern zu ihrem Verhalten einfällt. Was unterscheidet motiviertes Handeln vom Zaudern, Zögern und Zweifeln des Aufschiebens? Was hat es damit auf sich, wenn Aufgaben als zu langweilig oder zu anspruchsvoll empfunden werden? Oder wenn »es nicht klappt«, wenn Beate, Helmut oder Anja das Gefühl haben, als seien nicht sie, sondern anonyme Kräfte, über die sie ohnehin keine Kontrolle haben, verantwortlich für ihr Verhalten. Wie viele Aufschieber haben auch sie zudem Probleme damit, schnell entmutigt zu sein beziehungsweise Durststrecken mit unangenehmen Gefühlen schlecht ertragen zu können. Sie leiden unter einer geringen Frustrationstoleranz.

Die eingehende Post zu sortieren und sie der Größe nach aufzustapeln bereitet Helmut eine kleine Freude. Er schaut sich gerne die Briefmarken an und macht sich über die Handschriften auf den Umschlägen seine Gedanken. Graphologie hat ihn schon immer interessiert. Hingegen hat Helmut festgestellt, dass er alles, was mit Versicherungspolicen, Schadensregulierungen und Tarifanpassungen zusammenhängt, zunehmend hasst. Die verschiedenen Anliegen der Versicherungskunden sind entweder immer dieselben Routinefragen oder aber komplizierte Einzelfälle. Weder mag er ständig die gleichen Formulare versenden noch die komplizierten Berechnungen von wahrscheinlichen Schadensverläufen ausführen, um Vorschläge für neue Tarife zu entwickeln. »Das ist einfach nicht mein Ding!«, teilt er seinem Kollegen mit. »Ich fühle mich nicht motiviert, wenn ich immer dieselben Fragen beantworten soll oder mich mit höherer Versicherungsmathematik beschäftigen muss.«

Was meint Helmut damit eigentlich genau? Vielfach wird das Wort »Motivation« gleichbedeutend verwendet mit dem Wort »Lust«. »Ich bin nicht motiviert« heißt dann nichts anderes als: »Ich habe keine Lust.« Wenn Sie keine Lust haben, dann fehlt Ihnen der Schwung zu einer Handlung. Sie sehen zudem kein lockendes Ziel, an das Sie sich lustvoll heranpirschen möchten. Und schließlich scheinen Sie sich auch nichts davon zu versprechen, Ihr Trägheitsmoment zu überwinden, sich in Bewegung zu setzen und sich Mühe zu geben. Lust zu haben steht also in Verbindung mit

• Ihren Bedürfnissen,
• Ihren Zielen und
• Aspekten der Aufgabe.

Grundlegende primäre (physiologische) Motive wie Hunger, Durst, Sex werden als Bedürfnisse bezeichnet und als triebhaft-drängend erlebt. Ihre Befriedigung ist lustvoll und Sie können sie nur mehr oder weniger aufschieben. Lust aus Arbeit und Aufgabenerledigung zu beziehen und diese daher anzustreben, ist grundsätzlich keine Selbstverständlichkeit. »Wer Arbeit kennt und sich nicht drückt, der ist verrückt« gilt für viele, aber beileibe nicht für alle Menschen. Ganz offenbar sind also irgendwelche für eine Person spezifischen Faktoren bei der Motivation entscheidend.

Motivation

Es beginnt schon damit, dass Menschen sich hinsichtlich ihres üblichen Aktivitätspegels stark unterscheiden. Diese grundlegende Temperamentsausstattung spielt generell eine Rolle bei der Frage, mit welchem Nachdruck Sie sich Herausforderungen suchen und wie gern Sie es haben, aktiv sein zu können. Sie entscheidet im Allgemeinen darüber, ob Sie Ihre Handlungen energiegeladen oder eher gebremst ausführen. Manche packen alles, was ihnen begegnet, enthusiastisch an. Anderen kann man im Laufen die Schuhe besohlen, wie der Volksmund das nennt, was in der Psychologie als eine unterdurchschnittliche Energetisierung des Verhaltens bezeichnet wird. Extravertierte, also nach außen gerichtete Menschen, neigen eher zu Handlungen als introvertierte, mehr in sich gekehrte, die sich in Gedanken mehr mit der gegenwärtigen oder zukünftigen Lage beschäftigen.

Vor dem Hintergrund Ihres allgemeinen Energieeinsatzes kommt es in speziellen Situationen jedoch entscheidend auf Ihre persönlichen Erwartungen darüber an, was Handeln überhaupt bringen könnte. Wenn Sie Entscheidungsfreiheit haben, etwas anzupacken oder es aufzuschieben, dann werden Sie sich überlegen:

- wie die Situation ohne Ihr eigenes Handeln ausgehen wird (Devise: Abwarten und Tee trinken),
- wie der Ausgang der Situation sein wird, falls Sie handeln,
- welche kurz- und langfristigen Folgen das Ergebnis Ihres Handelns haben wird.

Erwartung, Wert und Gelegenheit für Erfolg

Sie werden sich immer dann zum Handeln motiviert fühlen, wenn Ihre Erwartung, ein bestimmtes Ergebnis zu erzielen, und dessen kurz- und langfristige Folgen, also der subjektive Wert, maximal sind. Wenn Sie sich umgekehrt eine geringe Erfolgswahrscheinlichkeit ausrechnen und die Konsequenzen eines Erfolgs auch noch als negativ einschätzen, warum sollten Sie dann überhaupt etwas tun?

Anja ist nicht motiviert, das schon längst fällige Gespräch mit Horst, ihrem Mann, zu führen. Sie verschanzt sich hinter seiner Überlastung. Tatsächlich aber erwartet sie nicht, dass er auf ihr Anliegen eingehen und endlich eine Putzfrau einstellen wird. Obwohl sie diese Forderung immer wieder erhebt, ist der subjektive Wert eines Erfolgs (sie setzt ihren Wunsch bei Horst durch) für sie eher negativ, denn dann wäre ein Hindernis auf dem Weg zu ihrer angestrebten Selbstverwirklichung beseitigt – und sie wäre verstärkt mit ihren eigenen Ängsten vor Misserfolg konfrontiert und hätte eine Ausrede weniger.

Entschlossenes, motiviertes Handeln wird also bestimmt durch

- das Ausmaß Ihrer allgemeinen Energie, Ihrer Tatkraft,
- Ihre Einschätzungen über die Wahrscheinlichkeit, dass Sie Erfolg haben werden,

- Ihre Einschätzung, welchen Wert ein Erfolg für Sie hat.

Damit Sie in einer konkreten Situation auch wirklich aktiv werden, muss noch eins hinzukommen:

- Ihre Einschätzung, dass die Situation eine Gelegenheit darstellt, in der für Sie persönlich wichtige Motive angeregt werden.

Bitte beachten Sie, dass jetzt nicht mehr von Motivation im allgemeinen die Rede ist, sondern dass es um spezielle Motive als Beweggründe für Verhalten geht.

Beate sieht die Gelegenheit als günstig an, sich im Job mit ihrem neuen Konzept zu profilieren. Helmut sieht in seiner Situation überhaupt keine Gelegenheit, für ihn wichtige positive Motive zum Tragen zu bringen, wohl aber jede Menge Anlässe, um seine Widerborstigkeit, also eine Art negatives Machtmotiv, auszuleben. Anja nutzt die Umstände, um bei jeder Gelegenheit das Motiv, sich als Opfer zu fühlen, in Szene zu setzen und aus dieser Position heraus Wirkung zu entfalten.

Motive

Viele Ihrer Motive sind Ihnen voll bewusst. Andere können Sie erschließen aus den Vorlieben, die sich in Ihrem Verhalten zeigen, oder aus den für Sie spezifischen (Vor-)Urteilen, mit denen Sie sich oder Ihre Umwelt bewerten. Wenn Sie sich gerne in Gesellschaft aufhalten, in mehreren Vereinen aktiv sind und Parties gut finden, dann haben Sie ein starkes positives Anschlussmotiv. Bleiben Sie schüchtern daheim, dann ist dieses Motiv negativ ausgeprägt und Sie fürchten Zurückweisung. Dominieren Sie Gespräche, sind Sie in einer Partei engagiert, übernehmen Sie Verantwortung, wenn Ihr Reisebus nachts mit einer Panne liegen bleibt, dann haben Sie ein ausgeprägteres Machtmotiv und streben Kontrolle an. Scheuen Sie vor solchen Gelegenheiten zurück, dann leiden Sie unter einer negativen Ausprägung des Machtmotivs und fürchten den Kontrollverlust, also Machtlosigkeit. Bei meinem Mitreisenden im Zugabteil, der Druckfahnen korrigiert, statt die Fahrt zu geniessen, vermute ich ein positives Leistungsmotiv, er lächelt und scheint auf einen Erfolg zu hoffen. Die andere Richtung dieses Motivs bestünde in Furcht vor Misserfolg.

Wichtige Motive für das Aufschieben können verschiedene Ausprägungen annehmen:

- das Machtmotiv, mit den Extremausprägungen Hoffnung auf Kontrolle/Furcht vor Kontrollverlust;
- das Anschlussmotiv, mit den beiden Polen Hoffnung auf Anschluss/Furcht vor Zurückweisung;
- das Leistungsmotiv, mit den Extremen Hoffnung auf Erfolg/Furcht vor Misserfolg.

Weitere wichtige Motive sind die Wünsche nach

- Aufrechterhaltung eines inneren Gleichgewichts,
- Sicherheit und Vertrautheit (Familiarität),
- Neugier und Abwechslung und
- Selbstverwirklichung.

Diese und andere Motive können sich in bestimmter Weise bündeln und bilden dann Ihre Motivstruktur. Mit ihr unterscheiden Sie sich von anderen Menschen. Im Laufe Ihrer Lebensgeschichte sind Sie durch Ihre Motive in verschiedener Weise geformt worden. Der eine will nach oben kommen und hat ein Aufstiegsmotiv. Ob er aber bereit sein wird, sich anzustrengen, um sein Ziel zu erreichen, ist damit noch nicht gesagt. Das ist eine Frage der Leistungsmotivation. Leistungsmotivation heißt, dass jemand bereit ist, Einsatz zu bringen. Ihr Leistungsmotiv wird in Situationen angeregt, bei denen Erfolg oder Misserfolg bei Aufgaben möglich ist, wenn es dafür einen Gütemaßstab gibt, den Sie akzeptieren und wenn Sie Rückmeldungen über Ihre Fähigkeiten erhalten. Je nach dem Verlauf Ihrer eigenen Lerngeschichte sind Sie entweder erfolgs- oder misserfolgsmotiviert.

In der Konkurrenz mit den anderen im Verlag sieht Beate eine Gelegenheit, sich zu profilieren. Sie will dabei nicht irgendwie auf sich aufmerksam machen, sondern mit einem besonders qualitätsvollen Konzept. Ihr Leistungsmotiv ist kräftig angesprochen, denn sie ist überzeugt, dass es für die Qualität einen verbindlichen Gütemaßstab gibt, sie erwartet dazu die Beurteilung des Vorstands und hofft auf einen Erfolg, aber mehr noch fürchtet sie einen Reinfall.

Ihre Motive können auch in Widerspruch zueinander geraten, was zum Aufschieben führen kann. Wenn Sie ein starkes Anschlussmotiv haben, sind Sie gerne im geselligen Kreis mit Ihren Kollegen zusammen. Wenn Sie die andererseits überflügeln und aufsteigen wollen, können Sie in Konflikte geraten. Als Kollegen vertrauen Ihnen die anderen auch einmal ihre Schwächen an, in der Hoffnung auf Ihr Verständnis. Für die zukünftige Führungskraft in Ihnen sind das jedoch Insiderinformationen, die Sie vielleicht benutzen möchten, um Konkurrenten auszustechen.

Spezielle Motive lenken das Verhalten in bestimmte Richtungen. Misserfolgsmotivierte neigen eher dazu, die Finger von Aufgaben zu lassen, mit denen sie in der Vergangenheit Schiffbruch erlitten haben und suchen sich, wenn sie eine Wahl haben, extrem leichte Aufgaben heraus – oder extrem schwierige. Erfolgsmotivierte bevorzugen hingegen mittlere Aufgabenschwierigkeiten.

Wie ausgeprägt Ihre Motive sind, ist an bestimmten Kenngrößen ablesbar. Dazu gehören zum Beispiel:

- die Bedürfnisse, die Sie für wichtig halten,
- die Ziele, die Sie sich setzen,
- die Tätigkeiten, die Sie zur Erreichung dieser Ziele ausführen und
- Ihr Umgang mit Hindernissen.

Menschen, die öfter etwas aufschieben, finden es schwierig, positive Bedürfnisse klar zu benennen. Sie wissen sehr genau, was sie nicht wollen, können häufig aber keine positiven Ziele benennen. Beim Nachdenken über sie mischt sich störend *ein* übergeordnetes Ziel ein: emotionale Belastungen zu vermeiden. An ihm gemessen (und an dem dahinter stehenden Bedürfnis, sich vor Bedrohungen ihres Selbstwertgefühls zu schützen), verhalten sie sich beim Ausweichen vor Hindernissen und dem Herauszögern absolut motiviert und stimmig.

Eine gegebene Situation kann zu Ihrer Motivstruktur passen oder nicht. Wenn Sie unter der Furcht vor Zurückweisung leiden, aber eine leitende Position haben, wo Sie einige gesellschaftliche Verpflichtungen haben, wird es schwierig. Noch schwieriger kann es dann werden, wenn Sie gleichzeitig auf Erfolg hoffen, aber Angst vor Kontrollverlust haben. Sie geraten dann in einen Gefühlswirrwarr und wissen nicht, wie Sie sich verhalten sollen. Ihre Motivstruktur und die Situation passen nicht zusammen. Was dann geschieht – ob Sie beispielsweise Ihre Teilnahme an beruflich wichtigen Parties aufschieben –, hängt davon ab, welche Emotionen bei Ihnen in dieser Lage angeregt werden.

Emotionen

Bei motiviertem Handeln spielen Ihre Emotionen eine große Rolle. Emotionen sind die überdauernden, für Sie charakteristischen Gefühlslagen, die sich von kurzfristigen Stimmungen und Affekten unterscheiden lassen. Emotionen, wie Freude, Lust, Angst, Ekel, Scham, Wut und so weiter wirken wie Bewertungen, die Sie über die Beziehungen zwischen sich und Ihrer Umwelt machen. Nur dass Sie diese Bewertungen in der sehr körpernahen, intensiven Sprache der Gefühle vornehmen, vom Bauch her und nicht vom Kopf. In Ihrem Gedächtnis haben Sie früher erlebte Emotionen und deren auslösende Umstände gespeichert. Geraten Sie in der Gegenwart in ähnliche Situationen wie seinerzeit, dann stellen sich die damaligen Gefühle wieder ein. Sie können von ihnen überwältigt werden, aber Sie können sie potentiell auch steuern – als Aufschieber allerdings meistens nicht.

Beate hat ein großes Aufstiegsmotiv. Sie kommt aus einer Handwerkerdynastie und ist das erste Familienmitglied, das studiert hat. Ihr Elternhaus konnte sie nicht darauf vorbereiten, wie es an der Universität zugeht, und die Universität hat sie nicht damit vertraut gemacht, in einem Verlag mit anderen Akademikern zusammenzuarbeiten. Von Anfang an hat sie sich zu viel aufgeladen. Ihr Aufstiegsmotiv ist zwar eine mächtige Triebfeder, aber zu wenig durch Kenntnisse über die Lebensumwelt Studium und akademische Berufe ausbalanciert. Ihre Emotionen passen nicht zu den Situationen, in denen sie sich befindet. Sie fühlte sich an der Universität oft ängstlich und versuchte stets, sich durch besonders gute Leistungen mehr Sicherheit zu verschaffen, allerdings ohne Erfolg. Kein Wunder, dass sie sich all jenen nichtintellektuellen Aktivitäten so intensiv gewidmet hat, die ihr einen kleineren, überschaubareren Rahmen geboten haben, wie früher in der Schule. Außerdem konnte sie so ihr Anschlussmotiv befriedigen, was ihr Freude bereitete. Jetzt, zwei Jahre nach dem Studienabschluss, ist Beate wieder in einer ähnlichen Situation: Ihr Aufstiegsmotiv ist erneut mächtig angeregt, aber zu der erforderlichen Planung ihres Projekts, der kontinuierlichen Kleinarbeit mit einer gewissen Einsamkeit, Unüberschaubarkeit und Selbständigkeit ist sie (immer noch nicht) motiviert. Ihre intellektuell wirkenden Kolleginnen und Kollegen erlebt sie häufig wieder mit Angst. Und erneut sucht sie Sicherheit im Perfektionismus.

Weil nun schon drei Komponenten im Spiel sind, liegt es auf der Hand, dass es bei den Wechselwirkungen zwischen Situationen und den in ihnen angeregten Motiven und Emotionen zu Konflikten kommen kann, wenn diese drei nicht zueinander passen.

Helmut hat ein Motiv, das in seiner beruflichen, aber auch in seiner privaten Lage fast unentwegt angeregt wird: sich ja nicht unterkriegen zu lassen! Diese Einstellung ist die Kehrseite eines Machtmotivs. Wie oft hat Helmut davon geträumt, es allen durch ganz unerhörte Leistungen einmal so richtig zu zeigen! Heute noch fühlt er sich gelegentlich motiviert, mit anderen zu konkurrieren, die er so ähnlich wie seine älteren Geschwister erlebt, aber dann reicht seine Leistungsmotivation doch nicht aus. Außerdem wird er schnell wütend. Die Wut passt nicht zu seinem Machtmotiv, denn wer nach oben will, um Macht auszuüben, braucht Menschenkenntnis und Geschick. Er langweilt sich in seiner gegenwärtigen Arbeitssituation, sucht sich selbst aber auch nur extrem wenig herausfordernde Aufgaben und orientiert sich weniger an inneren Standards als vielmehr am Stapel vor ihm und dem Brief, der ganz oben liegt. Er ist misserfolgsmotiviert, seine Gefühlslage ist pessimistisch und er hat Null Bock! Außerdem findet er, dass man ihn schlecht behandelt, dass er etwas Besseres verdient hätte und ist daher voller Groll.

Fähigkeiten, Fertigkeiten, Interessen, Werte

Um die Sache vollends kompliziert zu machen, ist es so, dass außer Ihren Motiven und Emotionen, die durch eine bestimmte Situation oder Aufgabe angeregt werden, noch weitere, in Ihrer Person liegende Faktoren eine erhebliche Bedeutung haben, wenn es darum geht, ob Sie ein Vorhaben aufschieben werden, nämlich:

- Ihre Fähigkeiten,
- Ihre Fertigkeiten (*skills*),
- Ihre persönlichen Interessen und Werte.

Fähigkeiten sind das, was man meistens mit Begabung oder Talent bezeichnet (und dann als angeboren ansieht), aber sie können auch erlernt und durch Übung erworben sein. Sie bilden eine Gesamtheit von psychischen Bedingungen, die alle gegeben sein müssen, um eine bestimmte Tätigkeit auszuführen. Allgemeine Fähigkeiten sind zum Beispiel Gedächtnisleistungen, Aufmerksamkeit und motorisches Geschick. Spezielle Fähigkeiten können die Handgeschicklichkeit oder die Ausdrucksfähigkeit sein.

Fertigkeiten sind die Kompetenzen, die Sie sich erworben haben: Sie können gut organisieren, Sie sind ausdauernd, Sie behalten auch in kritischen Situationen den Überblick. Mit solchen Fertigkeiten haben Sie es leichter, Ihrem Leistungsmotiv zu folgen.

Ihre persönlichen Interessen und Werthaltungen sind für motiviertes Handeln schließlich besonders wichtige Einflussgrößen. Ihr Interesse ist dann hilfreich, wenn es Sie zu Handlungen motiviert. Ein Erkenntnisinteresse, aus dem keine Lektüre oder kein Wissenserwerb folgt, ist nur eine Fata Morgana. Bei Werten stellt sich ebenfalls die Frage, ob sie eine motivierende Kraft entfalten, oder lediglich abstrakt von Ihnen bejaht werden.

Es ist klar, dass Ihre Fähigkeiten, Fertigkeiten, Interessen und Werte ebenfalls mehr oder weniger gut zu Ihrer Motivstruktur passen können, die bei einzelnen Gelegenheiten angeregt wird. Fügt sich alles gedeihlich zusammen, dann haben Sie wirklich Lust etwas anzupacken und die Sache läuft wie von selbst.

Hochmotiviert zu sein bedeutet also Folgendes: Sie sehen ein lohnendes Ziel. Ihre inneren Triebfedern spannen sich, das heißt ein oder mehrere Motive sind angesprochen. Sie denken zum wiederholten Mal daran, jetzt zu handeln. Sie überprüfen nochmals Ihre Zielbestimmung, die Tätigkeiten, die Sie ausführen müssen, um es zu erreichen, und auch, ob die jetzige Situation eine gute Gelegenheit darstellt. Sie prüfen weiterhin, ob Ihr geplantes Handeln im Einklang steht mit der für Sie spezifischen Motivstruktur. Bei all dem regen sich positive Gefühle: Lust stellt sich ein oder Vorfreude. Wenn die geplante Aktion und die dazu erforderlichen Tätigkeiten mit Ihrer spezifischen Motivation im Einklang sind, dann führen Sie die passenden Handlungen ohne Probleme aus. Die stimulierten Affekte geben Ihrem Handeln den erforderlichen Schwung. Sie haben das Gefühl: Ich will wirklich.

Was aber, wenn Sie sich mit einer Aufgabe abquälen, die mit Ihren Motiven wenig zu tun hat und bei der Sie keine Neigung zu spontanem Handeln verspüren? Die typische Pflichtübung also, die Ihnen jemand aufgedrückt hat. Und bei der Sie spüren: Sie haben echt keinen Bock darauf! Nun, wenn das so ist, dann sind Sie eben nicht motiviert und können keine schwungvollen begeisterten Aktionen von sich erwarten.

Aber aufgeschmissen müssen Sie noch lange nicht sein: Sie schalten um auf die Steuerung durch den Willen. Ob es Ihnen gelingt, die erforderlichen Handlungen willentlich durchzuziehen, hängt von Ihren Fähigkeiten und Fertigkeiten zur Selbstkontrolle ab. Auf die müssen Sie auch dann zurückgreifen, wenn innere Hemmnisse auftreten, wenn Sie beispielsweise Unlust oder Angst überwinden müssen. Selbstkontrolle heißt dann: bewusste Kontrolle Ihrer Emotionen. Je präziser Sie wahrnehmen können, welche Motive oder Motivbündel eigentlich angesprochen worden sind und je genauer Sie die beteiligten Emotionen differenzieren können, desto bessere Karten haben Sie bei der Selbststeuerung. Hier profitieren Sie von Ihrer emotionalen Intelligenz.

Anja hat ein großes Geltungsmotiv: Sie möchte auffallen, fühlt sich aber unbeachtet, in den Schatten ihres Mannes geraten. Die Szenen, die sie ihm macht, sichern ihr wenigstens ein bisschen Aufmerksamkeit und befriedigen auf ungesunde Weise das Geltungsmotiv. Sie hat außerdem ein mächtiges Motiv zum Träumen. Ihre Leistungsmotivation ist demgegenüber geringer ausgeprägt. Es kommt eigentlich nie so weit, dass Anja wirklich über ihre Leistungsbereitschaft nachdenkt. Was sie macht und erledigt, ist nicht im Einklang mit ihrer Motivstruktur und auch nicht mit ihrer Emotionalität, denn sie fühlt sich frustriert und hilflos. Sie ist sozusagen im falschen Film erfolgreich und nimmt deswegen ihren Erfolg und wie sie ihn erreicht gar nicht wahr. Zu ihren glanzvollen Träumen passt wiederum die depressiv getönte Anhänglichkeit nicht, mit der sie sich an ihre Situation klammert. Anja sitzt, was ihre Motivation anlangt, in einer echten Klemme.

Ist einfach nicht mein Ding: Schwierigkeiten mit Aufgaben und Vorhaben

Aufgeschoben werden häufig schwierige und wichtige Aufgaben oder Entscheidungen, bei denen der Erfolg oder die Belohnungen erst in der Zukunft eintreten werden, zugunsten von Tätigkeiten, die einfacher, schneller oder weniger angstauslösend sind. Wer aufschiebt, sucht die Gründe dafür häufig in der Art der Aufgaben: Mal werden sie als zu langweilig, als öde Routine bezeichnet, dann wieder als Überforderung empfunden. Das gleiche gilt für Entscheidungen, die zu fällen sind: Mal erscheinen sie als dermaßen schwergewichtig, dass Sie gar nicht über sie nachdenken mögen, dann wieder als zu einfach und bedeutungslos, so dass Sie sich ihnen auch nicht zu widmen brauchen.

Spannungsgeladene Gefühle wie Angst oder Unlust treten besonders bei wichtigen Angelegenheiten auf, nicht bei überschaubaren Banalitäten. Wollen Sie sich beispielsweise ein gebrauchtes Auto kaufen, so wird sich erst in Zukunft zeigen, ob Sie für Ihr Geld einen guten Gegenwert bekommen haben. Diese Einsicht kann bereits in der Gegenwart Unlust erzeugen, so dass Sie die ganze Angelegenheit aufschieben. Solange Sie noch den Gebrauchtwagenmarkt sondieren, sich nur leider nicht zum Kauf durchringen können, stehen Sie allerdings noch unter Konfliktspannung, zumal wenn beispielsweise Ihre Familie Sie drängt. Der Urlaub steht bevor und für die Reise wird ein neues Auto benötigt. Ihre negativen Gefühle können Sie wesentlich vollständiger abbauen, wenn Sie jetzt etwas ganz anderes machen, bei dem Sie schneller einen Erfolg haben. Das ist bei einfachen, überschaubaren Aktivitäten der Fall, die deswegen auch weniger Angst auslösen. Sie beschließen: die Wohnung wird neu tapeziert, die Reise fällt aus, der Autokauf kann auf später verschoben werden. Nun haben Sie ein neues Ziel, die Renovierung wird jetzt Ihr Ding.

Unterforderung

Durch Aufgaben werden Gefühle ausgelöst. Sie spielen wieder einmal eine wichtige Rolle bei der Frage, ob aufgeschoben wird oder nicht.

Helmut findet, dass seine Aufgaben ihn unterfordern. Wenn er sich mit der Beantwortung von Kundenanfragen beschäftigt, wird ihm schnell langweilig: immer dieselben Fragen, immer dieselben Antworten. Wenn er sich langweilt, schweifen seine Gedanken ab, in farbigere Gefilde.

Tatsächlich ist Unterforderung eine Belastung, die möglichst bald abgestellt werden sollte. Wenn hochbegabte Kinder nicht mit Herausforderungen konfrontiert werden, die ihrem Niveau entsprechen, sondern sich beispielsweise in der Schule mit dem normalen Lernstoff und dem üblichen Tempo begnügen müssen, dann werden sie zunehmend teilnahmsloser, entwickeln Verhaltensauffälligkeiten, verweigern sich und können auf die Weise ebenso zu Schulversagern werden wie diejenigen, die überfordert sind.

Überforderung

Helmut denkt aber auch mit Schrecken an die Herausforderungen, die ihn bei einer neuen Tätigkeit erwarten würden. Darauf hat er erst recht keine Lust, sich wieder neu einzuarbeiten, ganz von vorn anzufangen, als derjenige, der überhaupt keine Ahnung hat. Dann lieber der vertraute Trott. Das unbekannte Neue schüchtert ihn ein, noch bevor er überhaupt eine konkrete Vorstellung davon hat.

Selbstverständlich gibt es reale Überforderungen. Überall, im Sport wie im Handwerklichen, bei geistiger Arbeit wie auch bei seelischer Anspannung können Sie an Ihre Leistungsgrenzen stoßen. Natürlich gilt das auch für Entscheidungsprozesse und ebenfalls für Aufgaben, die Sie in Ihrem Beruf möglicherweise überfordern. Wenn Sie bei wiederholtem Durcharbeiten einer Gebrauchsanweisung für den Selbstzusammenbau eines Computers nicht verstehen, was zu tun ist, dann sind Sie mit dieser Aufgabe überfordert. Mit Ihrem technischen Verständnis oder Ihrem räumlichen Vorstellungsvermögen können Sie genauso an Grenzen stoßen, als wenn Sie sich im Gewichtheben versuchen. Irgendwann schaffen Sie keine weiteren fünf Kilogramm mehr. Sogar ein bekanntes schwedisches Möbelhaus mit der Philosophie, dass seine Kunden alles Gekaufte selbst zusammenbauen sollen, räumt ein, dass nicht alle dazu in der Lage sind.

Tipp: Überprüfen Sie die Aufgaben, die Sie vor sich herschieben. Fühlen Sie sich eher gelangweilt und unterfordert? Oder haben Sie Mühe, die Aufgaben zu verstehen, sind Sie also eher überfordert? Bei welcher Art von Vorhaben fühlen Sie sich am wohlsten, weder bedroht, noch gelangweilt? Können Sie diese Art von Aufgaben mit Ihren beruflichen Pflichten in Einklang bringen?

Für das Aufschieben von Aufgaben, die grundsätzlich im Bereich des für Sie Machbaren und Möglichen liegen, spielt allerdings etwas Anderes die größte Rolle: Das Umdefinieren von schwierigen Aufgaben in *zu* schwierige, also die selbstdefinierte Überforderung. Solange Sie lediglich feststellen, dass ein Vorhaben kompliziert, unübersichtlich und anstrengend ist, hilft Ihnen diese Wahrnehmung dabei, die richtige Vorgehensweise auszuwählen. So werden Sie beispielsweise komplizierte Aufgaben in einfache Teilschritte zerlegen, sie durch Zeichnungen, Ablaufpläne und ähnliches übersichtlicher machen und die erforderliche Anstrengung durch notwendige Erholungsphasen abpuffern. Auf all das können Sie jedoch in dem Moment verzichten, in dem Sie das Vorhaben als *zu* kompliziert, *zu* unübersichtlich und *zu* anstrengend einstufen. Dann ist es so, als ob Sie zu sich sagten: Weil die Sache zu schwierig ist, kann ich sowieso nur scheitern, also brauche ich auch gar nicht erst anzufangen. Aber ob Ihr Projekt wirklich zu hart für Sie ist, können Sie nur herausfinden, indem Sie sich an ihm abrackern, und nicht, indem Sie es als zu strapaziös definieren und ihm dann aus dem Weg gehen. Eine schwierige Aufgabe von vornherein als zu schwierig zu erklären, bedeutet, noch vor dem Start aufzugeben.

Manchmal werden Sie Aufgaben, die Sie als zu schwierig erklärt haben, schließlich doch erledigen. Das Ergebnis wird vermutlich nicht optimal sein. Ausführung wie Resultate sind bei aufgeschobenen und auf den letzten Drücker doch noch fertiggestellten Aufgaben weniger gut, richtig, befriedigend und erfolgreich als bei zeitgerechter Ausführung. Indem Sie sich eingeredet haben, die Sache wäre zu schwierig, haben Sie sich innerlich eher entmutigt, so dass Sie am Ende auch kein Erfolgserlebnis haben.

Es klappt nicht: Verantwortung und Kontrolle

»Ich habe alles versucht, aber nichts klappt!« – Eine typische Aufschieberäußerung. Sie ist global (»alles-nichts«), statt spezifisch zu benennen, was denn probiert wurde. Das Wort »versucht« signalisiert zudem eine weit geöffnete Hintertür: Was soll »Ich habe es versucht« genau heißen? Wenn Sie sich zum Beispiel vorgenommen haben, den Rasen zu mähen, was entspricht dann dem Versuch dazu? Den Rasenmäher aus der Garage zu holen, oder ihn zu starten, um dann gleich wieder etwas anderes zu machen? »Nichts klappt« bringt Sie als handelnde Person zum Verschwinden: *Es* klappt nicht, was am Weltgeist liegen könnte. Mit solchen Begründungen für das Aufschieben wälzen Sie die Verantwortung ab auf nebulöse dämonische Kräfte außerhalb Ihrer Person.

Zwar mag das momentan zu Ihrer Entlastung beitragen, langfristig aber hindern Sie sich mit solchen Wahrnehmungen daran, eigene Veränderungsprozesse einzuleiten und optimistisch durchzuhalten. »Es« wird dann zu einer Art Kismet, einem Fluch des Schicksals, dem Sie ohnehin nicht entrinnen können. Damit gibt es aber auch keine für Sie erkennbare Verantwortlichkeit für das Problem mehr. Sie können dann nicht mehr herausfinden, welche Aspekte der Aufgabe Sie möglicherweise über- oder unterfordern und welche Faktoren sonst noch eine Rolle spielen. Damit verzichten Sie auf die Möglichkeit, an der Situation etwas zu verändern. Und ebenso wenig können Sie dann noch Ihren eigenen Anteil am Aufschieben wahrnehmen und verändern.

Ursachenzuschreibung

Wie Sie oben gesehen haben, sind jedoch alle Schwierigkeiten bei der prompten Aufgabenerledigung mit Ihnen als Person, mit der Situation und der Art der Vorhaben verknüpft. Es ist also klüger, die Ursachen für Verhaltensweisen bei sich (intern) oder den Umständen (extern) zu suchen, als das Schicksal zu bemühen. Außerdem haben Sie natürlich eine Wahrnehmung dafür, ob Ereignisse wie Erfolg oder Misserfolg immer bzw. nie auftreten (stabil) oder aber manchmal (variabel). Daraus ergibt sich das folgende Schema für die Zuschreibung von Ursachen für Ereignisse:

	Intern	Extern
Stabil	Ihre Fähigkeiten	Schwierigkeit der Situation
Variabel	Ihre Anstrengung	Zufall

Sie können Erfolg oder Misserfolg entweder stabil Ihren eigenen Fähigkeiten oder stabil der Schwierigkeit der Aufgabe zuschreiben. Dann werden Sie sagen, dass Sie stark genug seien, um 50 kg immer spielend zu heben, oder dass Sie das Kreuzworträtsel in Ihrer Tageszeitung nie lösen können, weil es immer zu schwierig sei. Die variablen Zuschreibungen führen Erfolg oder Misserfolg zurück auf Ihre eigenen Anstrengungen oder auf das Walten des Zufalls: Sie haben sich besondere Mühe gegeben und dann doch noch die 60 kg stemmen können, und gestern war das Rätsel überraschenderweise einmal lösbar.

Außerdem können Sie noch die Kontrollierbarkeit der jeweiligen

Gründe für das Verhalten beurteilen: Entweder ist es absichtlich steuerbar oder aber unkontrollierbar. Unkontrollierbar per definitionem ist der Zufall bzw. das Glück. Als kontrollierbar gilt das investierte Maß an Anstrengung. »Es geht nicht« bedeutet also, dass etwas an der Sache selbst nicht geht, dass etwas mit Ihnen nicht geht und die Gründe dafür außerhalb Ihrer Kontrolle liegen.

Wenn Sie als jemand, der aufschiebt, Erfolg haben, so schreiben Sie ihn bevorzugt extern-variabel dem Zufall (Glück) zu, Ihre Misserfolge hingegen intern-stabil Ihrer Unfähigkeit. Beides erleben Sie als unkontrollierbar. Mit dieser Verteilung der Verantwortung haben Sie also schon die Weichen dafür gestellt, durch Erfolg nicht lernen zu können.

Natürlich wirkt es sich katastrophal aus, wenn Sie Fähigkeit als unkontrollierbar erleben, denn dadurch verbauen Sie sich die Möglichkeit, aus Schaden klug zu werden. Die entscheidende negative Einflussgröße ist aber die Stabilität, mit der Sie die Ursachen für Pleiten, Pech und Pannen in Ihren Unfähigkeiten suchen. Ernsthafte Aufschieber tun das letztlich stets, auch wenn sie zuvor viele Ausreden ins Feld führen. Eine angemessene Selbstkritik wird zwar auch Fähigkeiten bzw. Schwächen in Erwägung ziehen, aber nicht als die *alleinigen* Gründe für ein Scheitern. Wer es gut mit sich meint, schiebt einiges auf die Umstände, allerdings ohne das Gefühl, eine Ausrede zu benutzen, sondern überzeugt davon, dass auch externe Faktoren eine Rolle spielen: Man war nicht ausgeschlafen, das Wetter war ohnehin trüb, der Streit mit dem Liebsten steckte einem noch in den Knochen, das Unbewusste spielte nicht richtig mit, der Prüfer hatte einen schlechten Tag und so fiel man eben durch die Fahrprüfung. »Ich war unfähig, ich habe total versagt« ist gnadenlos und zeigt wieder den heimlichen Perfektionismus: Wäre ich perfekt fähig, dann dürften Schlafdefizit, Wetter, das Unbewusste und andere Menschen keine Rolle spielen. Ein grandioser Egotrip!

Ursachenzuschreibung und Gefühle

Die Art, wie Sie die Ursachen für Erfolg oder Misserfolg zuschreiben, löst bei Ihnen unterschiedliche Gefühle aus:

- Freude bzw. Enttäuschung bei der Wahrnehmung, ob Sie Ihr Ziel erreicht haben oder nicht.

- Stolz, wenn Sie einen Erfolg intern Ihren Fähigkeiten und Ihrer Anstrengung zuschreiben, bzw. Scham bei einem Misserfolgs; Dankbarkeit, wenn Sie einen Erfolg extern auf die günstigen Umstände der geringen Schwierigkeit und der Hilfe des Zufalls zurückführen, bzw. Wut bei einem Misserfolg.
- Selbstzufriedenheit, wenn Sie stabil oder variabel intern einen Erfolg durch Ihre Fähigkeit oder Ihre Tagesform begründen, bzw. Selbstzweifel im Falle eines Flops.

Der Optimismus oder die Verzagtheit, mit der Sie an neue Vorhaben herangehen, ist durch Ihre Lerngeschichte bestimmt. Dabei spielt es eine Rolle, ob Sie in der Vergangenheit Ihre eigenen Vorstellungen über Ihre Fähigkeiten schon ein- oder mehrmals revidieren mussten und ob Sie dazu durch Misserfolge bei persönlich wichtigen Vorhaben veranlasst wurden. Wenn Sie eine frühere Pleite Ihrer Unfähigkeit zugeschrieben haben, dann tauchen die damaligen Gefühle bei gegenwärtigen Vorhaben möglicherweise wieder auf. Enttäuschung, Scham, Wut und Selbstzweifel sind die emotionalen Ergebnisse ungeeigneter Zuschreibung von Verantwortung. Kein Wunder, dass dieses infernalische Quartett versteckt wird hinter wolkigen Formulierungen wie »Es klappt nicht!«.

Wie Sie mit Gefühlen, die durch Aufgaben, Situationen, Motive und Konflikte ausgelöst werden, umgehen, ist für Ihr Aufschieben von ganz zentraler Bedeutung. Auf diesen Sachverhalt werden Sie immer wieder stoßen, wohin Sie in diesem Buch auch schauen. In späteren Kapiteln können Sie Techniken erlernen, Ihre Emotionen besser als bisher zu erkennen und zu beeinflussen.

Ein extremes Beispiel für den Verzicht auf Handlung stellt die gelernte Hilflosigkeit dar. Wenn Sie wiederholt die Erfahrung gemacht haben, keine Kontrolle über extern ausgelöste Ereignisse zu haben, so kann dies dazu führen, dass Sie selbst in späteren Situationen, wo Kontroll- und Einflussmöglichkeiten vorhanden sind, diese nicht wahrnehmen.

Helmut hat das Gefühl, hilflos einem Strom von Kundenzuschriften ausgesetzt zu sein, der sich unaufhaltsam auf seinen Schreibtisch ergießt. Angstvoll schaut er jeden Morgen in den Postkorb: Wieviel wird es diesmal sein? Er fühlt sich vollkommen machtlos. Später, in unseren Gesprächen, ergab sich, dass er als Kind über längere Zeit ein ähnliches Gefühl der Hilflosigkeit gehabt hatte. Seine Mutter hatte jahrelang un-

ter intensiven Stimmungsschwankungen gelitten, bevor sie schließlich sehr depressiv wurde. Helmut hatte immer wieder versucht, sie aufzuheitern und ihr mit Aufmerksamkeiten und kleinen Geschenken eine Freude zu machen. Manchmal gelang das, doch oft wandte sie sich unter Tränen ab, wenn er ihr ein selbstgemaltes Bild oder eine andere mitgebrachte Aufmerksamkeit überreichte. Für Helmut war nie vorhersehbar, wie sie reagieren würde, er merkte nur eines: Es hing ganz sicher nicht von seinem Verhalten ab, er konnte die Situation nicht kontrollieren.

Heute fühlt sich Helmut ähnlich hilflos wie damals, obwohl seine Lage gänzlich anders ist. Er bräuchte nur mit seinem Vorgesetzten zu sprechen und um eine andere Verteilung der Post, und sei es nur für die Zeit, bis er seine Rückstände aufgearbeitet hat, zu bitten. Oder Kollegen fragen, ob die ihn nicht eine Zeitlang entlasten könnten. Auf diese und andere Möglichkeiten, die Helmut hat, kommt er jedoch überhaupt nicht.

Ungeeignete Überzeugungen

Ein paar gefühlshaltige kognitive Einstellungen tragen zur Verlängerung des Aufschiebens besonders bei:

- Der Glaube daran, dass sich »der folgende Tag den Vorhaben geneigter zeigen« könnte, wie Proust beschreibt. Mit dieser Selbsttäuschung können Sie sich das Eingeständnis des Aufschiebens ersparen und guter Hoffnung bleiben. Gelegentlich mag diese Selbsttröstung hilfreich sein. Aber wenn 365 Tage Ihren Plänen keine Zuneigung entgegenbringen, dann sollten Sie Ihre Auffassung überprüfen. Auf diese Art zu verschieben führt geradewegs zum Letzte-Minute-Marathon, an dessen Ende dann, getreu nach Murphy's Law (»Alles was schiefgehen kann, wird schiefgehen!«), der Computer abstürzt, die Druckerpatrone leer ist und das Papier ausgeht.
- Die Auffassung, dass Sie erst eine weniger wichtige Sache erledigen müssen, bevor Sie mit der wichtigeren beginnen können. Immerhin stellt dieses Konzept der Vorbereitungen die Endhandlung noch in Aussicht. Andererseits lenkt die dauernde Beschäftigung mit Präliminarien vom Aufschieben ab. In diese Kategorie gehört auch das Aufschieben der sexuellen Begegnung, für die die richtigen Umstän-

de erst geschaffen werden müssen. Die passende Kleidung anzulegen und die richtige Beleuchtung und Stimmung herzustellen kann jedoch so viel Zeit kosten, dass die ursprüngliche sexuelle Motivation auf der Strecke bleibt.

- Catch 22-Haltungen: Im berühmt gewordenen Buch *Catch 22* von Joseph Heller versucht ein amerikanischer Flieger im Zweiten Weltkrieg sich dem Fronteinsatz dadurch zu entziehen, dass er vorgibt, verrückt zu sein. Sein bizarres Verhalten, mit dem er diesen Eindruck erzielen will, beeindruckt die Ärzte jedoch nicht, denn in Kriegszeiten als Frontflieger verrückt zu erscheinen, ist normal. Unauffällig zu sein, normal zu wirken, führt zum gleichen Effekt, er muss fliegen. Das ist Catch 22: Es gibt keinen Ausweg und Sie können nicht gewinnen. Einer meiner Patienten suchte eine Partnerin. Für ihn kam nur eine sehr schöne, auffallende, junge Frau in Frage, eine unscheinbarere Partnerin hätte sein Bedürfnis nach Bewunderung gekränkt. Tatsächlich hatte er die Gelegenheit, durch seinen Beruf häufig mit solchen Frauen in Kontakt zu kommen. Allerdings machte er dann keine Anstalten, sich ihnen zu nähern. Eine solche Frau würde die Aufmerksamkeit aller möglichen Männer auf sich ziehen und ihn schließlich verlassen, erklärte er mir, also könne er auch gleich auf sie verzichten. Und weil er sich so passiv einstellte, dachten all die jungen Frauen, die er traf, dass er einfach eine Vorliebe für ältere Frauen hätte.

- Die Suche nach einer Erklärung des Problems statt nach seiner Lösung: In diese Falle tappen Sie dann, wenn Sie endlos nach Ursachen für Ihr Aufschieben fahnden. Natürlich ist die Einsicht in Zusammenhänge zwischen lebensgeschichtlichen Schlüsselsituationen und gegenwärtigen Problemen hilfreich. Vor allem, wenn sich dabei die Erkenntnis einstellt, dass Sie vieles von dem, was Ihnen früher angetan und zugemutet wurde, nun ohne Not unter ganz anderen Umständen sich selbst erneut oder immer noch zufügen. Dabei können Sie mit emotionaler Beteiligung erleben, wie Sie sich selbst in der Gegenwart sabotieren und behindern. Ein bloßes Herumwühlen in vergangenen Schmerzen bringt hingegen nichts.

Wenn alles nervt: Probleme mit dem Ertragen von Frustration

Manche Menschen haben schon allein gegen Wörter wie »Aufgabe«, »Vorhaben«, »Entscheidung« und so weiter eine panische Abneigung entwickelt. Sie zu denken, löst bereits ein unangenehmes Gefühl aus. Wer meint, dass das Leben ohnehin schon unerträglich hart ist und durch Aufgaben, Vorhaben und Entscheidungen endgültig zu hart wird, hängt an dem Wunsch nach Behaglichkeit wie der Junkie an der Nadel. Wer der Auffassung ist, dass negative Spannungs- und Gefühlszustände unbedingt vermieden werden müssen, sieht oft auch bei lohnenden Vorhaben die kleinen unerfreulichen Aspekte und gibt dann die Sache auf: So gerne man auch ins Kino geht, Schlange stehen nach einer Eintrittskarte schreckt ab, deshalb bleibt manch einer lieber zu Hause. Sich selbst als machtlos einzuschätzen, so als könne man keine Kontrolle ausüben über sein Leben und dessen Umstände, steht ebenfalls mit dem Aufschieben von Vorhaben in Verbindung, weil auch hier negative Gefühle auftauchen. Wer von sich glaubt, effektiv und entschlussfreudig zu sein, wird sich auch so verhalten. Wer von sich glaubt, schüchtern zu sein, lässt sich davon auch durch noch so viele Kontakte nicht abbringen. Wer glaubt, negative Gefühle und das Erleben von Anstrengung nicht ertragen zu können, leidet an einer neurotischen Angst vor Arbeit. Hier sollten Sie sich bewusst machen, dass Arbeit ohne das Erleben von Anstrengung keine Arbeit ist.

Anstrengungen

Das Gefühl, sich anstrengen zu müssen, hängt damit zusammen, dass Widerstände auftreten, die zu überwinden Kraft, Konzentration, Aufmerksamkeit oder eben auch die Bereitschaft erfordert, negative Gefühle auszuhalten. Nun sind wir alle von Kindesbeinen an daran gewöhnt, negative Gefühle zu ertragen. Haben Sie jemals gesehen, wie ein Kind laufen lernt? Es fällt x-mal hin und man kann Ärger, Schmerz und manchmal sogar Verzweiflung an ihm wahrnehmen. Aber es steht immer wieder auf und versucht es erneut, trotz aller negativen Gefühle. Das Kind, das laufen lernt, hat dadurch, dass es sich aufrichtet, gänzlich neue Möglichkeiten: Es kann Dinge sehen und an sie herankommen, die ihm vorher nicht zugänglich waren. Es übt sich in einer neuen Form der Körperbeherrschung. Die Momente des Gelingens lösen ein Hochgefühl aus, das zwar durch das Hinfallen unterbrochen, nicht aber völlig aus der Erinnerung gelöscht wird. Es wieder zu versuchen, mit der Option, es erneut schaffen zu können, vielleicht etwas länger und mit Glück noch etwas weiter zu kommen als beim Mal davor, bildet eine starke Motivation, die auch vorübergehendes Scheitern ertragen lässt. Das Kind hat eine recht hohe angeborene Toleranz gegenüber der Frustration des Hinfallens. Auch Sie haben sich damals durch Schmerzen nicht abhalten lassen.

Warum schiebt das Kind sein Vorhaben nicht auf? Vermutlich deswegen, weil sein Gehirn um das Ende des ersten Lebensjahres herum, wenn das Laufenlernen ansteht, zu bestimmten Operationen noch nicht fähig ist. Insbesondere sieht sich das Kind nicht mit den Augen der anderen, von außen: Es sieht sich nicht fallen und schämt sich nicht vor den anderen, geschweige denn vor sich selbst. Es hat auch noch nicht die perfektionistische Einstellung, nichts lernen, aber alles bereits können zu müssen und kann noch nicht einschätzen, wie hart zu hart ist.

Too much!

Anders hingegen verhält es sich bei jugendlichen oder erwachsenen Aufschiebern. Wenn Sie ein Problem haben mit dem Ertragen unvermeidlicher Frustration beim Üben, wenn es Ihnen schwerfällt, immer wieder bei Null anzufangen, dann deswegen, weil Ihr nun entwickeltes Gehirn die Ereignisse nicht mehr nur registriert, sondern bewertet. Wer aufschiebt, bewertet Frustrationen mit der Schlussfolgerung: Das ist mehr, als ich ertragen kann! Andererseits wissen wir aus all den Belastungen des Lebens, aus den Erfahrungen von Krankheit oder im Extrem von Folteropfern, dass die prinzipielle Fähigkeit der Menschen, Leid zu ertragen, unbegrenzt groß ist. Es liegt an Ihnen! Sobald Sie definieren, dass Sie ein bestimmtes Maß an negativen Gefühlen nicht ertragen können, programmieren Sie sich auf Weggehen und Aufschieben. Auch pauschale Etikettierungen wie »ich fühle mich furchtbar!«, »es ist entsetzlich«, »das hab ich nicht verdient«, »alles an dieser Sache ist widerlich« und so weiter haben denselben Effekt. Sie dramatisieren und erklären etwas Unangenehmes zu etwas Unerträglichem. Das Wort »unerträglich« lenkt davon ab, dass *Sie* bestimmte unangenehme Gefühle nicht ertragen wollen. Es impliziert stattdessen: Niemand kann so unangenehme Gefühle ertragen, als sei das ein Gesetz des Universums. Die Unerträglichkeit ist aber eine Definition, die Sie vornehmen, nicht eine Eigenschaft der Situation, der Aufgabe oder der Gefühle.

Der Unterschied ist erheblich. Er liegt auf derselben Ebene wie die berühmte Übersteigerung einer Kritik (»Dein Verhalten passt mir nicht!«) zu einem verwirrenden paradoxen Sonderfall der Natur (»Du bist unmöglich!«). Unmöglich heißt: Kann gar nicht vorkommen. Das Verhalten, das Anlass zur Kritik gegeben hat, ist aber vorgekommen, war also offenkundig möglich. Solange Sie beim »Das passt mir nicht!« bleiben, existiert ein Konflikt, der ausgetragen werden kann. Sobald Sie zum »Ist doch unmöglich!« übergehen, konstruieren Sie eine andere Wirklichkeit, in der es keinen Sinn macht, sich mit »unmöglichen« Menschen, die nicht vorkommen dürften, auseinanderzusetzen. Und »unerträgliche« Gefühle ertragen zu wollen, scheint ebenso wenig Sinn zu ergeben.

Wenn Sie das Aufschieben beenden wollen, werden Sie diese Tendenz, das Unangenehme zu etwas Unerträglichem umzudeuten, überwinden müssen. Falls Sie sich einem bereits aufgeschobenen Vorhaben erneut nähern, werden Sie eher mehr als weniger Unlust bemerken, Ihre Stimmung ändert sich, etwas im Bauch krampft sich zusammen. Sie schließen daraus zu Recht, dass Sie keine Lust haben, den schon lange fälligen Anruf zu tätigen, die Akten zu bearbeiten, Ihr Zimmer aufzuräumen und so weiter. Deswegen haben Sie beim letzten Mal diese Aktivitäten ja aufgeschoben. Nun zeigt sich: Nur durch Abwarten allein bekommen Sie auch keine größere Motivation. Um die gegenwärtige Unlust zu überwinden, machen Sie sich Druck und sagen zu sich: »Nun komm' schon, stell dich nicht so an«. Die unangenehme Spannung steigt, Druck erzeugt wieder einmal Gegendruck. Ihre Gedanken kreisen nun um diesen spannungsgeladenen inneren Kampf zwischen Annäherung und Vermeidung. Sie sagen sich, dass Sie erst einmal eine Tasse Kaffee brauchen und gehen aus dem Feld. Diese Aktion nützt Ihnen leider nichts, da geringfügige Veränderungen diesen Konflikt nur aufschieben, wie Sie ja bestens wissen.

Aus dem Gleichgewicht geraten

Vor dem Beginn des Vorhabens befanden Sie sich in einem inneren Gleichgewichtszustand. Alle Lebewesen sind bestrebt, solche Gleichgewichtszustände aufrechtzuerhalten, das ist eine primäre Motivation. Halt, werden Sie sagen, aber ich bin doch mit meiner Trägheit nicht zufrieden und will meine Sachen doch machen. Nun, Sie dürfen einen Gleichgewichtszustand nicht verwechseln mit einem zufriedenen Zustand. Ein Gleichgewicht stellt sich auch ein zwischen Spannungen (wie zum Beispiel einer Angst vor einer peinlichen Beschämung, wenn man Sie bei der Erledigung des aufgeschobenen Anrufs fragt, wieso Sie sich erst jetzt melden) und aktiven Kräften mit hoher Intensität (zum Beispiel dem Wunsch, die Sache endlich vom Tisch zu bekommen). Das Vorhaben (Ihr Anruf) hat für Sie eine bestimmte Bedeutung und einen Aufforderungscharakter. Je nachdem, wie stark sich das Vorhaben mit der Befriedigung von Bedürfnissen verknüpft (oder gar damit identisch ist), desto spürbarer wird für Sie der Wunsch nach Annäherung oder Vermeidung. Sind beide gleich stark ausgeprägt, entsteht ein Konflikt. Dieser endet, wenn eine Tendenz sich durchsetzt oder Sie sich durch Flucht der Situation entziehen.

Was Sie mit Ihrem Entschluss, das aufgeschobene Vorhaben auszuführen, bewirkt haben, ist eine Änderung des vorher bestehenden Gleichgewichts (in dem Ihre unangenehmen Gefühle über das Aufschieben ihren festen Platz hatten). Durch Ihren Entschluss wird der Konflikt zwischen Annäherung und Vermeidung neu belebt und erfüllt Sie mit Konfliktspannung. Wenn Sie jetzt nicht aufpassen, setzt sich die Tendenz durch, diesen unangenehmen Zustand erneut durch Flucht zu beenden. Die Aufgabe zu erledigen, wäre eine andere Möglichkeit.

Wenn Sie Ihr Aufschieben nachhaltig überwinden wollen, dann werden Sie sich für eine bestimmte Zeit vorübergehend *schlechter fühlen* als vorher. Das wird ein Zeichen dafür sein, dass es anfängt Ihnen *besser zu gehen,* denn Sie werden Ihre Energie dann nicht mehr der weniger wichtigen Aufgabe widmen, Unlust zu vermeiden, sondern sich darin trainieren, Unlust in kleinen Portionen zu ertragen und zu überwinden. Die Strategien und Tipps im dritten Teil des Buches werden Ihnen dabei helfen, die Unlust von Anfang an eher unter dem Pegel zu halten, den Sie gewohnt sind oder befürchten. Außerdem können Sie mit neuem Schwung und neuen Fertigkeiten der Konfliktspannung besser entgegentreten.

Zusammenfassung

Motivationslosigkeit wird häufig als Grund für das Aufschieben genannt. Damit Sie motiviert handeln, müssen Sie durch für Sie wichtige Motive dazu angeregt werden, relevante persönliche Ziele zu erreichen. Weiterhin ist es erforderlich, dass sich bei Ihnen positive Gefühle hinsichtlich Ihrer Aufgabe einstellen, sich eine günstige Situation zum Handeln bietet und Sie sich von Ihrem Vorhaben auch Erfolg versprechen. Falls Sie dann auch noch die erforderlichen Fähigkeiten und Fertigkeiten zur Erledigung eben dieser Aufgabe mitbringen – sich also weder über- noch unterfordert fühlen – ist Ihre Motivation eigentlich perfekt. Ihren Erfolg werden Sie auf Ihre Kompetenz oder Ihren Einsatz zurückführen.

Als jemand, der aufschiebt, haben Sie bislang Ihre Motivation zu wenig entwickelt, sind zwischen verschiedenen Motiven im Konflikt, haben sich die falschen Aufgaben gesucht und es bislang nicht gelernt, Misserfolg realitätsgerecht einzuschätzen. Sie finden, dass das Leben zu hart und dass es unerträglich ist, immer wieder frustriert zu werden. Das *BAR*-Programm zeigt Ihnen, wie Sie diese Haltungen verändern können.

5.

Eines Tages komm' ich groß raus

Solange Sie aufschieben, kommen Sie nicht in dem Maße voran, wie Sie es sich wünschen. Sie liegen in der seelischen Gosse, blicken aber auf den Himmel. Dort, in den Sternen, zeichnet sich Ihr Idealbild ab. Ein Abglanz davon fällt schon jetzt auf Sie und nährt Ihre Selbstachtung ein wenig: Es klappt zwar nicht, aber Sie geben wenigstens Ihre hohen Ansprüche nicht auf. Und auch nicht die Hoffnung, Ihrem Idealbild eines fernen Tages doch noch zu entsprechen. In der Gegenwart fürchten Sie jedoch die Wahrnehmung, wie weit Sie noch von ihm entfernt sind. Ihre Selbstachtung ist durch diese Diskrepanz bedroht. Auch Beate, Helmut und Anja schützen sich davor,

- sich schämen zu müssen, weil sie dem eigenen Idealbild nicht entsprechen,
- von anderen negativ bewertet zu werden,
- von unkontrollierbaren Gefühlen überflutet zu werden.

Diese Befürchtungen werden durch irrationale Überzeugungen gestützt, nämlich:

- die Auffassung, jederzeit kompetent und kontrolliert sein zu müssen,
- die Auffassung, sich nur akzeptieren zu können, wenn man einem Ideal entspricht,
- die Auffassung, dass andere Menschen einen fair behandeln und beurteilen müssen.

Solche Einstellungen führen zu Lernhemmungen. Als Folge davon hoffen Sie darauf, eines Tages perfekt zu sein, kontrolliert und respektiert, tun aber zu wenig, um Ihre Kompetenzen zu verbessern oder sich mehr Anerkennung zu verschaffen.

Manche Aufschieber sind unglaublich hartnäckig. Sie geben ihre

Vorhaben nicht auf. Und ab und zu kommt dann am Ende, nach langer Zeit des Abwartens, tatsächlich ein Ergebnis heraus, das alle Erwartungen übertrifft. So war es bei Proust, den nach langer Trägheit ein schweres Asthma zum Rückzug aus der Gesellschaft des Fin de Siècle zwang. Dadurch steigerte sich jedoch das Motiv, seiner begrenzten Lebenszeit das lange aufgeschobene Werk noch abzuringen, maximal:

»Ja, die Idee vom Wesen der Zeit, die ich mir gebildet hatte, sagte mir, es sei an der Zeit, mich an dies Werk zu begeben. Es war höchste Zeit; aber, und das rechtfertigt die Angst, die sich meiner gleich beim Eintreten in den Salon bemächtigt hatte, als die geschminkten Gesichter mir den Begriff der verlorenen Zeit vermittelten, war es wirklich noch Zeit, und war ich selbst noch imstande dazu?« (Proust, VII, S. 489)

»Ich fragte mich nicht nur: ›Ist noch Zeit dafür?‹, sondern auch: ›Bin ich selbst noch dazu imstande?‹ Die Krankheit hatte mir, als sie mich wie ein strenger geistlicher Berater der Welt absterben hieß, einen Dienst erwiesen ... Die Krankheit, die mich vielleicht, nachdem die Trägheit mich vor allzu leichtem Schreiben geschützt hatte, gegen die Trägheit abschirmen würde, diese Krankheit hatte meine Kräfte ... verbraucht.« (Proust, VII, S. 502)

Die lange Zeit des Abwartens hat den Proustschen Ich-Erzähler geschwächt, ihn aber auch dazu bewegt, viele lähmende Idealisierungen aufzugeben, die darum kreisten, in der mondänen Welt des Adels einen wichtigen Platz einzunehmen. Er konnte sowohl seine eigene Bedeutung wie die der maßlos überschätzten Blaublütigen immer mehr relativieren.

Leider hat die vergehende Zeit nicht immer diesen wohltätigen Effekt. Manche Menschen, die aufschieben, fixieren sich oft gerade umgekehrt immer mehr auf ihre idealisierten Vorstellungen von sich, ihrem schon überfälligen Erfolg und der damit verbundenen Anerkennung. Ihr inneres Bewertungssystem registriert ständig die Abweichungen vom Sollzustand und macht Druck in Form von Selbstvorwürfen und Selbstverurteilungen. Zu der Angst vor äußeren Pleiten kommt die Furcht vor dem inneren Richter und seiner Unerbittlichkeit. Wenn Sie versuchen, den Teufel Ihrer Trägheit mit dem Beelzebub der Selbstverurteilung auszutreiben, dann haben Sie bald gleich zwei scheinbar gute Gründe, noch mehr als bisher aufzuschieben. Sie werden dann glauben, sich unter Inkaufnahme negativer Gefühle und unangenehmer Folgen vor *vermeintlich* noch Schlimmerem zu schützen. Denn wenn Sie sich bereits Ihre Ängste vor Aufgaben und Ihr ständiges Ausweichen so krumm nehmen, was werden Sie dann erst bei einem richtigen Versagen machen?

Aufschieben als Selbstschutz

Wenn Sie sich freundlich gegenüber stehen und sich gerne dabei zuschauen, wie Sie Ihr Leben gestalten, dann haben Sie in sich einen wohlmeinenden Beobachter. Er wird Ihnen signalisieren, was Sie machen und wie Sie es machen. Aus diesen Informationen können Sie lernen und Ihre Sache das nächste Mal noch verbessern. Wenn Sie aufschieben, dann haben Sie in sich jedoch einen nörglerischen Beobachter, dessen Aufmerksamkeit nicht hilfsbereit, sondern herabsetzend auf Sie gerichtet ist. Seine Mitteilungen schmerzen Sie, und Sie werden danach trachten, sich vor seiner negativen Kritik zu schützen. Viele der Verhaltensweisen, die mit dem Aufschieben verbunden sind, haben genau diese Funktion. Sie lenken sich ab, Sie machen etwas anderes, Sie vermeiden die Wahrnehmung dessen, was eigentlich Sache ist. Natürlich tun Sie das besonders dann, wenn Sie ohnehin wenig von sich halten und eine Bestätigung Ihres vermeintlichen Unwertes fürchten. Ihr niedriges Selbstwertgefühl lässt Sie fürchten, sich wegen eines Misserfolgs zu blamieren. Zu dessen Vermeidung setzen Sie Strategien der Selbstbehinderung ein, wie das Aufschieben, Trödeln, Vergessen. Durch sie vergrößert sich das Risiko eines Misserfolgs, so dass eine abwärts führende Spirale in Gang gesetzt wird.

Hat Ihr innerer Beobachter hingegen eine rosarote Brille auf, dann werden Sie ein übertrieben positives Bild von sich selbst haben. Auch das hat seine Tücken. Um es gegen Kritik zu immunisieren, werden Sie beispielsweise nicht zugeben wollen, dass Sie bei irgendeiner wichtigen Sache nicht weiter kommen. Sie werden sich verbeißen, Ihrem Image nachrennen und hektisch, verzweifelt und irrational versuchen, die Bedrohung Ihres beschönigten Selbstbildes abzuwenden.

Sie werden dann vor allem jene Vorhaben aufschieben, die mit sehr wichtigen Aspekten Ihres Selbstbildes und seiner Beziehung zu Personen, die Ihnen etwas bedeuten, zusammenhängen. Sie haben Ihrer Tante ein selbstgetischlertes Schränkchen zu Weihnachten versprochen, Ihre Fans erwarten ungeduldig die Veröffentlichung Ihres ersten Essays in einer großen Wochenzeitung, Ihre Freunde rechnen auf Ihre Hilfe bei der Neuanlage des Gartens, seitdem Sie sich als talentierter Hobbygartenarchitekt zu erkennen gegeben haben. Aber leider warten alle vergebens, das Aufschieben kam Ihnen dazwischen. Für diese allzu menschliche Schwäche werden Sie vielleicht kritisiert werden. Diese Kritik trifft Sie jedoch bei weitem nicht so sehr wie jene, die Sie dann erwarten, wenn Sie ein windschiefes Kommödchen geliefert hätten, Ihr Artikel abgelehnt worden wäre oder Sie sich als inkompetenter Landschaftsplaner erwiesen hätten. Ihr handwerkliches Geschick, Ihre Formulierungskunst und Ihre außerordentliche Hilfsbereitschaft sind nicht in Frage gestellt worden. Ihr Image hat keinen Schaden erlitten.

Durch das Aufschieben sind Sie daran gehindert, die volle Leistung zu bringen. Der große Vorteil liegt darin, dass Sie mit Ihren Vorhaben noch nicht wirklich gescheitert sind, Sie könnten noch groß rauskommen. Sie schützen durch das Aufschieben also den Mythos Ihres Potentials.

Gefahren, die Ihnen drohen

Welche Situationen fürchten Menschen, die ein Vorhaben, eine Entscheidung oder die Erledigung einer Aufgabe vor sich her schieben? Die hauptsächlichen Ängste betreffen:

- öffentliche Beachtung,
- Bewertung durch andere,
- Vergleich mit dem Idealbild, das Sie von sich selbst haben.

Öffentliche Beachtung

Die Beachtung durch andere Menschen löst in Ihnen Ängste aus. Diese Ängste haben einerseits zu tun mit der Furcht, negativ aufzufallen, kritisiert oder beschämt zu werden, andererseits kann die Aufmerksamkeit anderer aber auch Furcht davor auslösen, in ihrer Gegenwart von Gefühlen überwältigt zu werden, die nicht in den Rahmen der Situation passen.

Helmut ist von seinen Geschwistern gebeten worden, anlässlich des 70. Geburtstags seiner Mutter, der groß im Familienkreis gefeiert werden soll, eine Rede zu halten. An dieser Rede arbeitet er nun schon ewig. Der Tag der Feier rückt näher, und Helmut schreibt sein Manuskript immer wieder um. Er streicht manches und arbeitet neue Passagen ein. Irgendwie klingt die Rede nicht gut, findet er. Mit innerem Wi-

derstreben zeigt er seiner Frau den Text. Sie findet auch, dass einiges daneben ist. Manche Passagen, die Helmut, der stets der Liebling seiner Mutter war, geschrieben hat, sind zu intim, um sie vor den Verwandten zu äußern. An anderen Stellen trifft Helmut auch nicht den richtigen Ton, findet seine Frau: Er biedert sich bei den Zuhörern an und wird pathetisch. Helmut ist über die Kritik verärgert, wie üblich, obwohl er zugeben muss, dass seine Frau Recht hat: Er hat selbst Angst, von Rührung überwältigt zu werden, während er spricht, und er spürt, dass er seiner Mutter und den Verwandten gefallen möchte. Mit immer neuen Anekdoten, die er aneinanderreiht, möchte er von allen witzig gefunden werden.

Helmut gehört zu denjenigen, für die es eine unbewusste Versuchungssituation bedeutet, vor anderen Menschen aufzutreten. Er möchte seiner Mutter seine Liebe zeigen, ahnt aber, dass eine Ansprache vor allen Verwandten dafür nicht der richtige Rahmen ist. Seine kindlichen Gefühle von Anhänglichkeit melden sich, zusammen mit Dankbarkeit, die er seiner Mutter gegenüber empfindet. Ihm kommen die Tränen, während er an seinem Text feilt, und er befürchtet, dass ihn die Rührung auch während der Rede überwältigen könnte. Er möchte aber von den Zuhörern anerkannt und respektiert werden. Dazu passen keine Tränen, findet er. Außerdem kennt er noch aus der Schulzeit seine Tendenz, sich anzubiedern und als Clown zu geben. Damit will er sich jedoch heutzutage, als gereifter Mann, schon gar keine Blöße mehr geben.

Sie können auch bei anderen Gefühlen fürchten, dass diese in der Situation öffentlicher Beachtung unkontrollierbar aus Ihnen herausbrechen. Solche Gefahren können von sexueller Erregung ebenso drohen wie von Wut und Ärger, von Wünschen, sich oder andere zu erniedrigen oder sich ihnen hinzugeben. Besonders Prüfungen sind Gelegenheiten, an denen sich diese unbewussten Phantasien entzünden können, und die deshalb häufig aufgeschoben werden. Insbesondere dann, wenn Prüfern der Ruf vorauseilt, die Kandidaten hart in die Zange zu nehmen, können diese fürchten, sich entweder ängstlich demütigen zu lassen oder aufsässig dagegen zu halten. Im ersten Fall können die Ängste bis dahin gehen, die Fassung zu verlieren oder dem gefürchteten Blackout zum Opfer zu fallen. Im zweiten Fall wird befürchtet, zum rasenden Rächer früherer und jetziger Demütigungen zu werden, die eigene Wut nicht mehr steuern zu können und – per Racheakt des Prüfers – durchzufallen.

Manchmal stellt Anja sich vor, dass sie wirklich den Schritt zu einer Modelkarriere geschafft hätte. Sie versucht, in Phantasien zu schwelgen, wie sie all diese tollen Kleider vorführt und sich wiegenden Schrittes auf dem Laufsteg präsentiert. Immer wieder mischt sich in diese Vorstellung ein seltsames Gefühl: Sie sieht dann die gierigen Augen der Betrachter, zumeist Männer, die sie in Gedanken ausziehen und alle etwas von ihr wollen. An dieser Stelle bricht Anja ihre Vorstellung, die sie jetzt mehr verwirrt als erfreut, stets ab. Sie denkt an die Zeit, bevor sie Horst traf. Damals war sie auf jeder Party zu finden und hatte eine Vielzahl von Beziehungen. Manchmal hatte sie Angst, den Halt zu verlieren und abzurutschen in eine Schickeriaszene, in der jeder Drogen zu nehmen schien, um immer gut drauf zu sein. Sie war damals promiskuitiv und hing ganz schön an der Flasche, findet Anja heute.

Mit der Erfüllung ihres Wunsches danach, im Scheinwerferlicht zu stehen und von allen begehrt zu werden, verbinden sich für Anja irritierende Gefühle, zum Beispiel Ängste vor Männern, aber auch die diffuse Bedrohung, wie damals ohne den Halt, den die Ehe mit Horst ihr gegeben hat, dazustehen und abzurutschen in eine gierige Sucht nach Leben und Erregung. Ihre Furcht, erneut von unkontrollierbaren Gefühlen überwältigt zu werden, bezieht sich zwar auf die Zukunft, bewirkt jedoch, dass Anja in der Gegenwart alle Schritte zu ihrer ersehnten Karriere aufschiebt.

Die Angst davor, von Gefühlen überwältigt zu werden, sorgt auch für das Aufschieben von gesundheitlichen Check-ups und Vorsorgeuntersuchungen. Die rationalen Argumente, warum sie zu solchen präventiven Arztbesuchen gehen sollten, leuchten vielen Menschen durchaus ein. Bei der Untersuchung könnte allerdings etwas gefunden werden, was weitere, womöglich unangenehme und schmerzhafte Diagnostik oder gar eine Operation erforderlich macht. Diese Möglichkeit gefährdet das Gleichgewicht, in dem sie sich befinden und bringt zudem die Drohung mit sich, in einem solchen Fall mit unkontrollierbaren Emotionen überschwemmt zu werden. Und wer sich nicht zutraut, die gefühlsmäßigen Folgen eines Befundes bei einer Vorsorgeuntersuchung auch bewältigen zu können, schiebt eben das Hingehen auf.

Die Furcht, die Kontrolle über Ihre Gefühle zu verlieren, haben Sie bereits im vorigen Kapitel kennengelernt, als negativen Pol des Machtmotivs. Ihre innerliche Einstellung verlangt von Ihnen, in allen Situationen gefasst und beherrscht zu sein. Wenn Sie dafür nicht die Hand ins Feuer legen können, schieben Sie auf.

Bewertung durch andere

Viele von uns haben Situationen öffentlicher Bewertung negativ kennengelernt. Die Schulzeit ist hier von besonderer Bedeutung. In ihrem Verlauf haben wir die nachhaltigsten und oftmals auch die unangenehmsten Erfahrungen mit Kritik gemacht. Nur wenige haben das Glück gehabt, mit überwiegend konstruktiven kritischen Hinweise unterrichtet und erzogen worden zu sein. Für viele ist die Schulzeit geprägt durch kränkende Herabsetzungen, demütigende Bloßstellungen und öffentliche Beschämungen. Theoretisch ist dabei gerade auch Lehrern klar: kritikwürdiges Verhalten sollte benannt und beschrieben werden. Vor allem aber sollte verdeutlicht werden, unter welchen Aspekten dieses Verhalten als unbefriedigend angesehen wird und mit welcher Art des Vorgehens in Zukunft bessere Ergebnisse erreicht werden können. Dennoch haben wir alle Bemerkungen gehört, die nicht unser *Verhalten*, sondern unsere *Person* bewerteten. »Das hätte ich von dir nicht erwartet«, »du hast es gerade nötig«, »bei dir reicht es wohl nicht zu mehr«, solche Äußerungen klingen leider vielen Menschen noch immer wohlvertraut in den Ohren.

Die Beurteilung der konkret erbrachten Leistung in einem bestimmten Schulfach wird häufig generalisiert zu einer ungerechtfertigten Bewertung der Leistungsfähigkeit insgesamt – wenn nicht gleich der ganzen Person. Wechselwirkungen zwischen Schüler, Lehrer und dem Unterrichtsstoff in ihren Effekten für die erbrachte Leistung werden oft gar nicht wahrgenommen. Stattdessen werden die Ursachen für gute, aber auch für schlechte Leistungen stabil-intern den Schülern als Fähigkeiten bzw. Unfähigkeiten zugeschrieben. Unvorteilhafte Vergleiche mit anderen, die als leistungsfähiger beurteilt werden, sollen einen Ansporn darstellen. Durch sie wird aber lediglich eine Orientierung an äußerlichen Maßstäben und der neidvolle Vergleich mit anderen gefördert, nicht die notwendige individuelle Fehleranalyse. Das Element der Beschämung wird dabei gerne übersehen. Zwar ist vergleichende Werbung in unserem Staat verboten und es wird Ihnen als Unbescheidenheit ausgelegt, wenn Sie öffentlich erklären, Sie seien besser und klüger als Ihr Kollege X. In der

Kindererziehung sind diese Methoden leider nicht verpönt. »Warum kannst Du Dich nicht so konzentrieren wie Y?« und: »Nimm' Dir ein Beispiel an Z!« haben dort noch immer ihren Platz. Die Verabsolutierung schulischer Leistung setzt sich in den Familien fort, wenn Kinder mit Lern- und Leistungsproblemen unter Druck gesetzt werden und sich selbst als defizitär erleben, statt bestimmte Aspekte ihres Verhaltens.

Der letzte Schritt wird dann gemacht, wenn die globale Beurteilung der Person gleichgesetzt wird mit der Beurteilung des Wertes der Person. Sie kennen diesen Schritt, der zum Beispiel in Arbeitszeugnissen formelhaft vorkommt: Erst wird beschrieben, welche konkreten Tätigkeiten und Funktionen Sie ausgeübt haben, dann werden Aspekte Ihrer Person beurteilt – und schließlich heißt es, das alles habe Sie zu einem wertvollen Mitarbeiter gemacht. Beachten Sie das Wort Mitarbeiter! Denn das waren Sie für den Arbeitgeber, und er legt die Logik seiner Bewertung Ihrer Person offen. Nun, in Ihrer Selbstbeurteilung müssen Sie ja nicht die Maßstäbe Ihres Vorgesetzten anwenden, denn Sie sind nicht der Mitarbeiter Ihres Lebens, sondern Ihr eigener Chef. Wenn Sie von der Fremdbestimmung und der Fremdbeurteilung zur eigenen Meinung über sich wechseln, haben Sie die Chance, neue und angemessenere Kriterien zu finden.

Später können traumatische negative Erfahrungen mit öffentlicher Bewertung Sie dazu bringen, Projekte, die das Risiko einer erneuten Demütigung in sich bergen, aufzuschieben. Noch schädlicher aber sind die dauerhaften Auswirkungen dieser Art von Beurteilung: Sie haben ein unzulängliches Beurteilungssystem verinnerlicht, das sich bis zur Definition Ihres Selbstwerts erstreckt. Was früher Eltern oder Lehrer als äußere Instanzen vertraten, wenden Sie nun auf sich selbst an, wobei Sie den damals äußeren Terror jetzt in eigener Regie fortsetzen. Kannste was, biste was, heißt es dann. Kannste was nicht, biste nix, ist der verhängnisvolle Umkehrschluss. Auch Beate hat das Beurteilungssystem der anderen verinnerlicht:

Beate hat die Phantasie, sich mit Ketten an ihren Schreibtischstuhl fesseln zu wollen. Jemand mit einer Peitsche müsste hinter ihr stehen und ihr jedes Mal, wenn sie trödelt, einen Schlag verpassen. Sie stellt sich immer wieder vor, wie sie nach Abgabe ihres Konzepts zu ihrem Chef gerufen wird. Der Vorgesetzte schaut sie streng an, schüttelt den Kopf und fragt, was sie sich denn eigentlich dabei gedacht hätte. Ihr Strate-

giepapier sei ja wohl nichts! Beate fühlt sich wie vernichtet. Soll sie ein so gefährliches Vorhaben wirklich weiter verfolgen?

Die Verinnerlichung eines ungeeigneten Beurteilungssystems hat zur Folge, dass Sie sich global statt spezifisch bewerten. Sie vergleichen sich mit anderen, denen Sie mehr Fähigkeiten zuschreiben, statt Ihre Vorgehensweisen zu verbessern. Sie glauben, dass Sie sich mit dieser Art der Selbstbeurteilung zu positiven Veränderungen motivieren können. Bedauerlicherweise klappt das nicht, weil Sie aus Ihren Fehlern nicht lernen, sondern nur unter ihnen leiden.

Ihr Idealbild und Ihre Wirklichkeit

Schon bevor Sie zum Schulkind wurden, steckte in Ihnen ein Idealbild, wie Sie sein sollten. Ihr inneres Vorbild stammt einerseits aus der Identifizierung mit Ihren Eltern und älteren Geschwistern, die Sie liebten und bewunderten. So wie die wollten Sie auch sein. Zum anderen haben Sie sich deren subtilen und oft völlig unbewussten Hinweisen angepasst, welche Art Kind sie lieben könnten. Wenn Sie sich so verhielten, wie Ihr Umfeld es wollte, bekamen Sie ein Plus an Zuwendung. Sie waren offenbar liebenswert. Dementsprechend umfasst Ihr Ideal Ihre Lieblingsvorstellungen darüber, wie Sie sein möchten, um sich mögen zu können. Ihrem Ich-Ideal möchten Sie gleichen, um Ihre Selbstliebe nicht zu verlieren. Geboten und Verboten, später verinnerlicht als Über-Ich, müssen Sie sich hingegen fügen, um Gewissensbisse zu vermeiden. Wenn Sie gegen eine Norm, die Sie für richtig halten, verstoßen, dann empfinden Sie Schuld und Reue. Weichen Sie hingegen von Ihrem Ich-Ideal erheblich ab, dann droht Ihnen der Entzug Ihrer Selbstachtung, was wesentlich dramatischer ist. Wenn Sie ein Aufschiebeproblem haben, dann enthält Ihr Ich-Ideal präzise und dogmatische Vorstellungen darüber, wie Sie sein müssten: Stets kompetent, möglicherweise sogar perfekt, immer beherrscht, gut gelaunt, souverän. Oder die Idee, dass Sie Ihrer Fähigkeiten wegen unbedingt von allen Menschen respektiert und geachtet werden müssen. Je starrer diese Forderungen an sich selbst sind, desto unbeweglicher werden Sie, sobald Sie fürchten müssen, Ihren idealisierten Maßstäben nicht zu genügen. Das Aufschieben entschärft den Vergleich zwischen Ich-Ideal und Realität. Schaffen Sie etwas wegen des Aufschiebens nicht, dann ist das letzte Wort über Ihre wirkliche Leistungsfähigkeit unter optimalen Umständen noch nicht gesprochen. Die ersehnte Verschmelzung mit Ihrem Ideal (»Ich bin genauso toll, also liebenswert, wie ich es mir vorgestellt habe«) kommt zwar aktuell nicht zustande, erscheint aber weiterhin prinzipiell möglich und wird auf später vertagt. Verschoben wird aber auch die Gefahr eines wirklichen Flops, nämlich dem, hart und an den Deadlines orientiert gearbeitet und es schließlich doch nicht geschafft zu haben.

Wenn Sie unrealistisch überhöhte Maßstäbe an sich selbst anlegen, werden Sie dazu neigen, diese Maßstäbe zu projizieren, das heißt sie anderen Menschen zu unterstellen. Wenn andere Menschen Sie beurteilen sollen, nehmen Sie an, dass deren Bewertung ebenso gnadenlos ausfallen wird wie Ihre eigene. Das ist ein weiterer Grund, öffentliche Einschätzung durch andere zu fürchten und Projekte, die dieses Risiko in sich tragen, aufzuschieben.

Manche Menschen erleben die Diskrepanz zwischen ihrem überhöhten Selbstbild und der Wirklichkeit gar nicht, weil sie nahezu alle Situationen vermeiden, in denen sie sich zeigen könnte. Sie leben dann gewissermaßen in einer narzisstischen Traumwelt, in der die Handlungen des Alltags kaum eine Rolle spielen.

Anja schützt sich wirkungsvoll vor Zweifeln an ihrer Großartigkeit. Ihr Mann hat sie ja auch gerade wegen ihrer selbstsicheren Ausstrahlung geheiratet. Die Bewährung an der Realität verlangt er ihr ebenso wenig ab wie Anja selbst: Es kommt halt immer etwas dazwischen, die Kinder mit ihren Ansprüchen, die gesellschaftlichen Verpflichtungen als Frau eines erfolgreichen Anwalts. Beide haben sich eingerichtet mit der Wahrnehmung, dass sie eine außergewöhnliche Frau sei, leider eben nervlich zur Zeit etwas labil, aber irgendwann, wenn sie weniger durch die Kinder belastet sein würde, werde sie groß rauskommen. Diese gemeinsam geteilte Illusion ist ihnen auch den Dauerstreit wert. Lieber nehmen beide die Eheprobleme in Kauf, als an einer grundlegenden Veränderung zu arbeiten. Eine Paarberatung, zu der ihre Freundin ihr immer wieder rät, birgt das Risiko, zum Ausprobieren ihrer Wünsche aufgefordert zu werden, und davor fürchtet Anja sich. Was, wenn sich zeigen sollte, dass sie doch nicht so schön oder kreativ ist? Wenn sie abwartet, kann sie sich und anderen eines Tages sagen, dass sie als Model eben schon zu alt gewesen sei.

Helmut fürchtet sich ebenfalls vor der Beschämung durch sein Ich-Ideal. Er sieht sich umstellt von Feinden und erkennt nicht, dass er selbst sein übelster Gegner ist. Durch sein Festhalten an der kindlichen Konstellation, der belächelte Kleine zu sein, der nicht ernst genommen wird, schützt er sich vor dem Risiko, bei wirklicher Übernahme von Verantwortung zu scheitern. Als heimlicher Rebell in der Versicherung mag er sich lieber sehen – haben nicht auch Kafka und Einstein in der Assekuranz bzw. auf dem Patentamt gearbeitet? Folgerichtig schlägt er die beruflichen Aufstiegsmöglichkeiten aus und provoziert sogar die Beschämung durch seine Vorgesetzten: Dann ist es wie früher, damit kennt Helmut sich aus. Wollte er wirklich mehr Macht, dann müsste er seine tatsächliche Leistungsfähigkeit beweisen. Und wenn er einfach nur seine Pflicht tut, dann fürchtet er sich heimlich davor, nur ein »langweiliger kleiner Angestellter« zu sein.

Beate schützt sich vor der Konfrontation mit ihren unrealistischen Maßstäben auf ihre Weise. Sie hält weiterhin an ihren perfektionistischen Vorstellungen fest und schiebt alles auf die Umstände. Wenn die anders wären, dann würde sie die Arbeit schlechthin abliefern. Gelegentliche Kritik an ihrem Aufschieben hat sie zwar auch getroffen, aber sie hat ja immer eine gute Entschuldigung gehabt. Die Gefahr, die sie in konzentrierter Arbeit an einem Projekt wittert, besteht darin, bei den vielen erforderlichen Einzelschritten von ihrem Perfektionismus eingeholt und aufgefressen zu werden. Ihre Erfahrungen, vom Hundertsten ins Tausendste zu kommen, bestätigen ihr ja scheinbar jedes Mal wieder dieses hohe Risiko.

Etwas nicht zu können, also einen Mangel an Fertigkeiten zu haben, ist für viele Menschen, die aufschieben, nicht vereinbar mit ihrem Ich-Ideal, das Kompetenz in allen Dingen verlangt. Zumal wenn Sie Fertigkeiten mit Fähigkeiten gleichsetzen und Fähigkeiten mit Persönlichkeit, sind Sie immer dann, wenn Sie etwas (noch) nicht können, in Gefahr, sich als entwertet zu erleben.

Hoffen auf Kompetenz

Wenn Sie nicht mit Mängeln in Ihren Vorgehensweisen konfrontiert werden wollen, dann müssen Sie Ihre Wahrnehmung von sich selbst, der Arbeitssituation und Aspekten Ihrer Aufgaben verändern. Eine penible Beobachtung Ihrer einzelnen Schritte könnte peinlich werden, also gehen Sie wahrscheinlich eher global statt spezifisch an Vorhaben heran.

Beate muss ihr Konzept endlich fertigschreiben! Sie setzt sich nicht damit auseinander, wie das »muss« in einzelne Handlungsschritte zerlegt werden kann, die dann vielleicht in einen Arbeitsplan für ein paar Tage münden könnten. »Das Konzept« ist gleichfalls ein überwältigend erlebter Begriff: Es geht nicht um einzelne Seiten, Kapitel, Abschnitte oder Absätze, die handhabbar erscheinen würden, sondern um etwas, das groß, bedeutungsvoll und kaum machbar erscheint. »Fertigschreiben« krönt diesen Horrortrip in die Welt der großen Worte: Es ruft Gedanken an ein Endergebnis hervor und gibt keine Orientierung, welche Schritte dazu erforderlich sind.

Helmut betrachtet wieder einmal missmutig die inzwischen angewachsenen Stapel mit Kundenzuschriften. Die alle soll er bearbeiten, geht ihm durch den Kopf. Er spürt Unlust, und sobald sich seine Aufmerksamkeit darauf richtet, sucht er nach unmittelbarer Entlastung. Entweder liest er in der Hauszeitschrift der Versicherung (»Man muss sich über die Interna schließlich auf dem Laufenden halten!«) oder er greift – unter dem Druck von Ängsten, vom Chef gerüffelt zu werden – zu dem Brief, der ganz oben auf dem linken Stapel liegt. Das ist der zuletzt angekommene und Helmut denkt gar nicht daran, dass er das Risiko, mit dem Vorgesetzten Ärger zu bekommen, dadurch mindern könnte, indem er einen der schon länger daliegenden Briefe beantwortet, bei denen eher zu erwarten ist, dass Kunden sich nach langer Wartezeit beschweren.

Anja träumt und sieht sich auf dem Catwalk. Oder in ihrer eigenen Boutique. Dann fällt ihr ein, dass ihr Mann heute abend noch in eine andere Stadt verreisen muss, zu einer mehrtägigen Gerichtsverhandlung. Sie packt stets seinen Koffer. Wenn es gut zwischen ihnen steht, so wie heute, dann legt sie ihm gerne eine kleine Aufmerksamkeit dazu: Ein Büchlein als entspannende Lektüre abends im Hotelbett, oder seinen silbernen Flachmann, den sie ihm zur Kanzleieröffnung geschenkt hat, gefüllt mit gutem Scotch. Sie stellt sich vor, wie er morgen Abend – erfreut und überrascht – seinen Koffer öffnen und liebe Gedanken an sie haben wird. Auch ihr wird ganz warm uns Herz. Allerdings muss sie jetzt gleich los, einkaufen, denn es gibt keine Milch mehr im Haus. Auf dem Rückweg kann sie Horsts Anzug aus der Reinigung mitbringen. Leider steht sie dann im Stau, der heute besonders ekelhaft ist. Als sie später den Koffer vor sich sieht, denkt sie noch einmal an das Buch, hat aber keine Lust, gleich wieder loszufahren. Das wird sie später erledigen. Anja macht sich auf die Suche nach dem Flachmann. Dabei fällt ihr auf, dass kein Scotch mehr da ist. Den muss sie nachher also auch noch mitbringen. Aber dann badet sie erst einmal die Kinder und spielt danach mit ihnen, telefoniert mit ihrer Mutter und Freundinnen. Als ihr das Buch wieder einfällt, haben die Geschäfte geschlossen. Den Flachmann, auf dessen Suche sie sich jetzt wieder begibt, findet sie auch nicht, dafür gibt es Streit mit Horst, der wie üblich auf den letzten Drücker kommt und verärgert darüber ist, dass sie den Koffer noch nicht gepackt hat. Sie wiederum ist enttäuscht, dass er ihr nicht um den Hals fällt, als sie ihm von ihrer geplanten Überraschung berichtet, sondern nur knurrt, er hätte lieber seine Sachen fertig vorbereitet vorgefunden. Ein Wort gibt das andere, schließlich rast er mit dem Taxi zum Bahnhof davon und lässt sie weinend zurück.

Anja konzentriert sich in ihren Gedanken viel zu sehr auf die Endergebnisse und vernachlässigt den Prozess, der zu ihnen führt. Bei ihrem liebevollen Einfall, ihren Mann zu überraschen, denkt sie nicht an den vor ihr liegenden Nachmittag mit seinen Besorgungen und überprüft nicht rechtzeitig, ob Scotch vorhanden und wo der Flachmann ist. Stattdessen begnügt sie sich mit dem guten Gefühl bei der Vorstellung, wie ihr Mann den Koffer auspacken wird. Dass sie ihn vorher packen müsste und wann sie das tun könnte, verliert sie ebenso aus dem Blick, wie Buch und Schnaps rechtzeitig zu besorgen.

Bei genauerer Betrachtung hätte Anja gemerkt, dass ihr liebevoller Einfall an diesem vollen Nachmittag für zusätzlichen Stress sorgt. Der Streit mit ihrem Mann, an den sie später nicht denken kann, ohne sich tief verletzt zu fühlen, macht eine Auseinandersetzung mit ihrem eigenen unorganisierten Verhalten vollends unmöglich. So hofft Anja halt nur, dass es in Zukunft mit ihren Überraschungen besser klappen wird.

Oft liegt es an der Ergebnisorientierung, dass Sie die einzelnen Schritte bis hin zur Schlusssituation nicht mit Sorgfalt und Genauigkeit durchgehen. Wenn Sie an das Endergebnis denken, fühlen Sie sich gut. Sich gut zu fühlen oder aber wenigstens etwas besser, ist ein wesentliches Ziel des Aufschiebens. Die Erledigung der Aufgaben steht dann zurück. Mit Hilfe einer Ergebnisorientierung können Sie sich möglicherweise zu einem Start motivieren. Zum Durchhalten brauchen Sie jedoch den klaren Blick auf die erforderlichen Handlungsschritte und Arbeitsabläufe. Im Extremfall können Sie sich mit der Ausrichtung am Endzustand eine Art Wunscherfüllung durch Vorstellungskraft gönnen. Manche Menschen träumen davon, kein Aufschieber mehr zu sein und sehen sich in Gedanken zukünftig überall pünktlich sein. Diese schöne Idee mag Ihnen helfen, den Motor zu Ihrer Veränderung anzuwerfen, aber um ans Ziel zu kommen, brauchen Sie viel Treibstoff.

Zusammenfassung

Wenn Sie groß rauskommen wollen, haben Sie sich ein hohes Ziel gesteckt. Sie möchten Ihre Realität mit Ihrem Idealbild zur Deckung bringen. Sie werden dann Situationen meiden müssen, in denen sich zeigen könnte, dass Sie noch nicht so vollkommen sind, wie Sie es von sich verlangen. Ihre Tendenz zu einer unangemessenen globalen Selbstbewertung macht es Ihnen schwer, Kompetenzlücken zu bemerken und sie zu beseitigen. Immer dann, wenn sich solche Defizite zeigen, neigen Sie dazu, etwas zu tun, was Sie besser beherrschen. Und das sind dann genau die Dinge, mit denen Sie sich anstelle der wirklich anstehenden Aufgaben beschäftigen. Bei all dem nähren Sie die Hoffnung, eines Tages auf magische Weise Ihren Idealvorstellungen doch noch zu entsprechen. Bis dahin fürchten Sie öffentliche Beachtung und ängstigen sich vor Beurteilungen durch andere Menschen. Sie werden mit Hilfe des *BAR*-Programms diese Hemmungen überwinden und den Schutz durch Aufschieben nicht mehr nötig haben.

6.
Jede Menge Stress: Gefühle und Konflikte

Menschen wie Beate, Helmut und Anja wollen verschiedenen Konflikten und emotionalen Problemen durch das Aufschieben entkommen. Aber leider werden ihre Konflikte dadurch nicht weniger, sondern eher zahlreicher und bedrückender. Auch für belastende Gefühle wie Angst, Abhängigkeit und Ärger, die durch das Aufschieben gebannt werden sollen, gilt: Hinterher ist der Stress größer als vorher. Weil der Umgang mit Konflikten und negativen Gefühlen immer auch eine Bedeutung für das Selbstwertgefühl hat, führt chronisches Aufschieben zu einer sinkenden Selbstachtung. Sind Mut und Zuversicht erst einmal unter einen kritischen Wert abgesackt, scheint das Aufschieben noch unvermeidlicher zu sein.

Konflikte spielen eine zentrale Rolle für das Aufschieben. Wie Sie bereits wissen, bedeutet ein Konflikt einen bewussten oder unbewussten seelischen Kampf, der auftritt, wenn Impulse, Wünsche und Neigungen sich gegenseitig blockieren oder einander ausschließen. Es gibt Annäherungs-Annäherungskonflikte (Sie können sich nicht zwischen zwei Partnern entscheiden), Annäherungs-Vermeidungskonflikte (Sie möchten Erfolg haben, sich aber nicht anstrengen) und Vermeidungs-Vermeidungskonflikte (Sie wollen Ihre Stellung nicht verlieren, aber die Ihnen verhasste Arbeit wollen Sie auch nicht machen). In all diesen Fällen sind Sie mit Situationen konfrontiert, die zwei oder mehr gleich starke Reaktionen bei Ihnen auslösen. Ein Ergebnis kann dann sein, dass Sie es aufschieben zu handeln.

Die meisten Konflikte werden durch gegensätzliche Gefühle ausgelöst: Sie wollen etwas und fürchten es gleichzeitig. Wenn Sie, wie Sie im vorigen Kapitel gesehen haben, groß rauskommen wollen, aber fürchten, sich durch einen Misserfolg unendlich zu blamieren, dann haben Sie einen Konflikt. Er löst weitere Gefühle aus: Sie können sich deprimiert fühlen darüber, dass Sie diesen Konflikt überhaupt haben, Sie können eine Wut auf sich oder andere entwickeln oder sich erschöpft und ausgelaugt durch den Stillstand, in den Sie konfliktbedingt geraten, zurückziehen. Die Gefühle, die überhaupt erst durch den Konflikt entstanden sind, motivieren zu weiterem Aufschieben. Wer sich depressiv niedergedrückt vorwirft, keine Entscheidung zu treffen, raubt sich noch mehr Kraft, die dann für konstruktives Handeln nicht mehr zur Verfügung steht. Dabei ist Aktivität eines der besten Mittel gegen die meisten Arten von depressiven Verstimmungen.

Sie können auch versuchen, das entgegenstehende Gefühl zu unterdrücken, um handlungsfähig zu bleiben oder es wieder zu werden. Ihre Depressionen, Ängste und andere negativ besetzte Gefühle sollen aus Ihrem Bewusstsein verschwinden. Verdrängung kostet Kraft, und die verdrängten Gefühle binden weitere Energien, da Sie gewissermaßen Wachtposten um die Orte aufstellen müssen, an die Sie die unerwünschten Emotionen verbannt haben. Auf die Dauer ist es, als hätten Sie Schwarze Löcher in der Seele, die Energie aufsaugen. So, wie ein Schwarzes Loch an seinen Rändern jedoch auch Energie ins System zurückschickt, so kommen nach dem Prinzip der Wiederkehr des Verdrängten immer wieder Reste der weggeschobenen Gefühle zum Vorschein. Sie haben dann doch noch unter den Gefühlen zu leiden, die Sie zu beseitigen versucht haben.

Angst ist an vielen Konflikten beteiligt. Angst suggeriert: Lass' es lieber bleiben, hau' lieber ab! Wenn Sie, wie Helmut, im Konflikt sind zwischen der Notwendigkeit, Ihre Pflichten zu erledigen, und Ihrem Trotz, dann bekommen Sie zwangsläufig Angst davor, Ihren Job zu verlieren. Sie können sich bemühen, diese Angst zu verdrängen, aber dadurch machen Sie die Arbeit noch lange nicht schneller und bereitwilliger, die Stapel wachsen, Ihr Chef wird noch ärgerlicher. Diesmal belässt er es nicht bei einem einfachen Rüffel, sondern er setzt Ihnen eine Frist und droht mit einer Abmahnung. Die Angst, die Sie loswerden wollten, hält Sie jetzt erst recht im Würgegriff.

Außer der generellen Angst vor negativen Folgen (»Was wird passieren, wenn ich nie fertig werde?«) spielen bestimmte Ängste beim Aufschieben eine besondere Rolle. Vielleicht haben Sie Angst vor dem Alleinsein? Dann schieben Sie möglicherweise Vorhaben auf, die Sie nur in relativer Einsamkeit erledigen können. Dahinter steht Ihre Angst, gerade in der Situation des Alleinseins von unerwünschten Gefühlen überfallen zu werden. Sie schieben Dinge auf, bei denen Sie scheitern können, aus Angst vor dem Versagen. Sie vertagen Projekte, bei denen Sie Erfolg haben werden, weil Erfolg für Sie mit negativen Folgen verbunden ist. Sie können Angst vor mehr Nähe und Intimität haben, und aus der Furcht vor Zurückweisung oder Überforderung eine Vertiefung Ihrer Beziehung zu anderen Menschen auf den Sankt-Nimmerleinstag legen.

Bei den Ärger- und Wutproblemen macht Ihnen eine irrationale Erwartung das Leben schwer: »Andere Menschen müssen mich so behandeln, wie ich es will, die Welt sollte so sein, wie ich es verlange – und wenn nicht, dann werde ich es allen zeigen!« Mit dieser inneren Forderung erzeugen Sie zunehmende Feindseligkeit. Denn bis auf glückliche Ausnahmefälle richtet sich die Welt wahrscheinlich nicht unbedingt nach Ihnen. Wenn Sie das bemerken, können Sie ihr richtig böse sein und sie durch Aufschieben bestrafen. Falls Sie diesen Dreh gut beherrschen, gelingt es Ihnen irgendwann sogar, nahezu ausschließlich Wut und kaum noch Angst zu empfinden. Viele Menschen haben jedoch erst Wut und dann Angst, so wie Helmut, fallen von einem Gefühl in das andere und kommen nicht weiter.

Wenn Sie mit unheilbaren perfektionistischen Haltungen ausgestattet wären, hätten Sie nie bis hierher weitergelesen. Noch ist also Hoffnung. Aber Sie werden jene Forderungen, die Sie an sich richten, überprüfen müssen: Müssen Sie wirklich vollkommen sein ? Und warum? Wenn Sie von sich 100-prozentige Resultate verlangen, dann können Sie nur Sachen machen, die Sie bereits perfekt beherrschen. Das heißt, Sie können sich nicht weiterentwickeln, denn dazu brauchen Sie neue Herausforderungen. Wird Ihnen aber im alten Trott langweilig, dann können Sie das gewohnte Leistungsniveau durch Unterforderung nicht mehr halten, werden also unvollkommen – und schon schlägt die Falle zu.

Ohnmachts- und Hilflosigkeitsgefühle angesichts von Aufgaben und Entscheidungen verlangen anscheinend geradezu nach dem Aufschieben, damit sie abklingen. Mehr Kompetenz und Selbstvertrauen gewinnen Sie dadurch allerdings nicht. Sie üben sich stattdessen in der Gewohnheit, pessimistisch zu sein und Handlungen zu vermeiden. Wenn Sie es gelernt haben, mit Hilflosigkeit und einem überwältigenden Gefühl von Ohnmacht auf bestimmte Herausforderungen zu reagieren, dann sagen Sie sich, dass Sie bestimmte Dinge nicht können, was möglicherweise korrekt ist. Sie sagen aber auch, dass Sie sie nicht lernen können, weil Sie sich so hilflos fühlen, was nicht stimmt, denn im richtigen Tempo und mit den richtigen Schritten können Sie lernen, Ihre Hilflosigkeit zu überwinden. Oft ist Ohnmacht auch ein Fluchtversuch, um in einer Zwangslage keine Verantwortung übernehmen zu müssen.

Scham liegt am Ursprung vieler Aufschiebeprobleme. Wenn Sie es nicht bringen, dann werden Sie sich eventuell vor allen real vorhandenen Zeugen Ihres Scheiterns schämen. Sie können dieses Gefühl aber auch vor den verinnerlichten Eltern und Ihrem Ich-Ideal haben. Im Aufschieben von Vorhaben, die mit Beschämung enden könnten, verbindet sich eine in Gedanken vorweggenommene Demütigung mit Trotz. Sie erinnern sich an ähnlich peinliche Reinfälle, erwarten auch jetzt nichts anderes und schieben auf. Sie lassen die Sache nicht einfach fallen, was eine andere Möglichkeit wäre, sondern bleiben am Ball, jetzt aber trotzig den inneren und äußeren Beschämern gegenüber. Natürlich können Sie sich auch wegen Ihrer Ängste, wegen Ihres Ärgers, wegen Ihrer ohnmächtigen Depressivität und wegen Ihres Aufschiebens schämen.

In Ihnen gibt es eine seismografische Instanz, die Ihren Umgang mit der inneren und äußeren Welt vergleicht mit einem Repertoire an Vorstellungen darüber, wie dieser Umgang sein sollte. Aus der Bilanz dieser Vergleiche ergibt sich Ihr Selbstwertgefühl. Wenn Sie Handlungen und Entscheidungen sowie deren erfolgreichen Ausgang mit Ihrem Selbstwertgefühl verbinden, haben Sie eine schöne Möglichkeit geschaffen, sich gut zu fühlen – vorausgesetzt, alles klappt. Was aber, wenn etwas schiefgeht? Dann fällt der Misserfolg, derselben Logik folgend, als Zeichen Ihres Unwerts auf Sie zurück. Sich unwert zu fühlen gehört zu den erniedrigendsten Emotionen. Vieles wird aufgeschoben, weil ein ohnehin geringes Selbstwertgefühl nicht gefährdet werden soll. Manches aber auch, um eine aufgeblähte Selbstüberschätzung nicht wie eine Seifenblase zerplatzen zu lassen.

Alle diese Stressfaktoren stehen untereinander in Beziehung. Wenn Sie perfektionistisch sind, dann haben Sie wahrscheinlich die vollkommene Leistungserbringung auch mit Ihrem Wert verknüpft, dann werden Sie Angst erleben, Beschämung fürchten und Gefühle von Hilflosigkeit mit Wut und Ärger beantworten. So entstehen Teufelskreise, in denen sich die Dämonen die Hände reichen und fröhlich um das Fegefeuer herumtanzen, in dem Sie schmoren.

Angst

Wenn Sie Angst haben, kann es sein, dass Sie wichtige Dinge aufschieben, beispielsweise um eine Gehaltserhöhung zu bitten. Sie ersparen sich damit die Angst vor dem Chef, der Verhandlung und Ihren Gefühlen, falls Ihr Wunsch abgelehnt werden sollte. Aber als Folge Ihres Aufschiebens können Sie wiederum mit Angst konfrontiert sein, dann nämlich, wenn Sie wissen, dass Ihr jetziges Gehalt nicht ausreicht, um davon die gestiegene Miete und die Raten für Ihr neues Auto zu bezahlen. Häufig erzeugt ernsthaftes Aufschieben eine ganze Fülle von Ängsten. Sie können sich vor negativen Folgen im Privatleben ebenso fürchten wie im beruflichen Bereich. Sie können bei Ihren Freunden anecken und bei Beförderungen übergangen werden, wenn Sie durch Ihr Trödeln unangenehm aufgefallen sind. Sie können abgemahnt werden, wenn Sie als *latecomer* permanent zu spät zur Arbeit erscheinen. Selbst in den Mönchsklöstern des Mittelalters galt Unpünktlichkeit als negativ. Wer zu spät zum Gebet kam, wurde mit Weinentzug bestraft. Zu spät bedeutete: wenn der erste Psalm beendet war. »Also singe man ihn getragen« war die Devise der Mönche. Auch heute noch können Sie sich auf eine gewisse Elastizität der Verhältnisse verlassen. Wenn Sie die Toleranzgrenzen jedoch andauernd verletzen, wird es ernst und Sie haben Grund zu Befürchtungen.

Auch im privaten Leben und in der Liebe können negative Folgen drohen, beispielsweise wenn Sie laufend wichtige Angelegenheiten verschusseln, versäumen und vertagen oder sich zu keinen Entschlüssen durchringen können. Hamlet ist zweifellos die am häufigsten in diesem Zusammenhang beschworene Gestalt, deren Untätigkeit, »angekränkelt von des Gedankens Blässe«, ihn in die Falle des Königs Claudius gehen lässt. Kafkas Erzählung *Vor dem Gesetz* ist eine andere bekannte düstere Geschichte über die Variante des Aufschiebens, bei der lähmende Angst und passives Abwarten in den Untergang führen.

Die wichtigsten Ängste, die Sie zum Aufschieben bewegen können, stelle ich Ihnen im Folgenden vor. Angst motiviert zu Flucht oder Vermeidung. Vor wichtigen Vorhaben oder Aktivitäten zu fliehen, bedeutet aufzuschieben.

Angst vor Versagen

Über Pleiten, Pech und Pannen kann man zumeist nur lachen, wenn es nicht die eigenen sind. Üblicherweise hält sich die Furcht, bei einer wichtigen Sache einen Misserfolg zu erleiden, in Grenzen und wird durch positive Erwartungen übertroffen, so dass Sie motiviert bleiben. Eine gesunde Fähigkeit, auch die Umstände zu betrachten, die vielen hundert Faktoren, die zum Gelingen beitragen, macht Ihnen das Erledigen von Dingen leichter. Wer in Gefahr ist, aus einem Misserfolg zu schließen, ein Versager zu sein, reduziert einen komplexen Ursachenprozess auf eines: auf sich. Eine solche Vorstellung zeugt von Grandiosität. Sie tun so, als müsse sich die Welt, Sie eingeschlossen, nach Ihren Vorstellungen fügen und formen lassen. Sie wehren sich damit gegen die Erkenntnis, nur ein kleines (wenngleich manchmal entscheidendes) Rädchen im Getriebe der Welt zu sein. Ein Flop stellt für Sie nicht nur eine peinliche Überraschung dar, sondern eine extrem bestürzende Konfrontation mit Ihrer (relativen) Nichtigkeit, gegen die Sie sich so sehr wehren. Der deprimierende Gedanke, dass Sie ein Versager seien, enthüllt noch Ihre Größenidee. Sie grenzen sich damit von der Auffassung ab, dass Sie manchmal Glück hatten, die richtigen Einfälle, Förderung und Unterstützung, und dass die Welt in der Stimmung war, Sie gewinnen zu lassen. Stattdessen implizieren Sie bei einem Erfolg: Das waren Sie, Sie ganz allein. Umgekehrt schreiben Sie eine Pleite in einer Art negativem Größenwahn ausschließlich Ihrer Unfähigkeit zu.

Versagensängste treten auch auf, wenn Sie dazu neigen, Ihren Wert als Person mit Erfolg gleichzusetzen, sei es im privaten, sei es im geschäftlichen Bereich. Unvermeidliche Enttäuschungen und Konjunkturschwankungen werden dadurch zu einer persönlichen Katastrophendrohung. Ihre innere schnelle Eingreiftruppe weiß darauf nur eine Antwort: aufschieben.

Ihre Ängste beziehen sich natürlich auch darauf, dass andere Menschen Ihr Misslingen miterleben und Sie dann als Versager beurteilen. In den vorangegangenen Kapiteln hatten Sie bereits Ihre Überzeugung kennengelernt, dass andere Menschen mit Ihnen ebenso hart ins Gericht gehen werden, wie Sie selbst es tun. Die psychologische Forschung zeigt, dass es üblicherweise jedoch nicht so ist. Die anderen, die Sie beobachten, führen Erfolg oder Misserfolg viel eher auf äußere Umstände zurück, Sie als Handelnder hingegen bevorzugt auf Ihre Eigenschaften.

Angst vor Erfolg

Erfolg ist eine zweischneidige Sache. Sie waren gut in der Schule und konnten dadurch Probleme bekommen. Sie wurden neben den schwächsten Schüler der Klasse plaziert und als dessen Nachhilfelehrer eingesetzt. Mag sein, dass Ihnen das schmeichelte, aber Ihr eigener Lerneifer bekam dadurch keine neue Nahrung. Ihre Mitschüler hielten Sie für einen Streber und behandelten Sie entsprechend. Sie wussten: Noch eine Eins bricht Ihnen das Genick. Kreativ, wie Sie waren, schoben Sie das nächste Mal Ihre Vorbereitung auf eine Klassenarbeit auf, schrieben eine Drei und begannen damit, das Bild, das die anderen von Ihnen hatten, zu verändern. So wurden Sie aus Angst vor dem Erfolg zum *underachiever*.

Wenn Sie im Erwachsenenalter erfolgreich sind, können Ihnen unter anderem die folgenden Konsequenzen drohen:

- Sie werden vor neue, gesteigerte Anforderungen gestellt und das Risiko, zu scheitern oder an Ihre Grenzen zu geraten, vergrößert sich. Bei Tennisspielern beispielsweise wächst mit der Zahl der gewonnenen Grand Slam-Turniere der Druck exponentiell an, auch das nächste Mal Erfolg zu haben. Hier ist die Angst vor Erfolg eine vorverlegte Angst vor zukünftigem Versagen.
- Ihr Erfolg kann konkrete Nachteile haben: Sie machen Karriere und müssen in eine andere Stadt umziehen oder gar in ein anderes Land. Sind Sie weiterhin erfolgreich, müssen Sie im Interesse Ihres Marktwertes die Firma wechseln. Und jedesmal stehen Sie wieder als Anfänger da, mit allen Unsicherheiten, Unkenntnissen und Rollenproblemen.
- Sie müssen sich mehr anstrengen als vorher, haben weniger Zeit für sich und Ihre Freunde oder Ihre Familie und bekommen deswegen Ärger, den Sie bei weniger Erfolg nicht hatten.
- Sie müssen sich zwischen Erfolg und Freundschaft entscheiden, weil manche Ihrer alten Freunde Sie nicht mehr schätzen und Ihnen auch fremd werden. Ihre alten Beziehungen gehen auseinander.

Außerdem kann Ihr Erfolg Sie mit Gefühlen in Kontakt bringen, die Sie nicht mögen: mit Ihrem Ehrgeiz und Ihren geschäftlichen Killerinstinkten, mit Gier und Geiz. Sie haben es sich gerade schön eingerichtet, Ihre Freundin erwartet ein Baby, Sie wollen ein »Neuer Vater« werden, da kommt *das* Angebot Ihrer Firma: Sie können die gerade eröffnete Filiale leiten. Natürlich nicht auf halber Stelle und nicht mit der Perspektive, demnächst in den Erziehungsurlaub zu gehen. Und schon hat Ihr Erfolg Ihnen einen Konflikt beschert, um den Sie niemand beneidet.

Angst vor Alleinsein

Wenn Sie manche Projekte, die Sie aufschieben, erledigen würden, dann müssten Sie vielleicht eine gewisse Portion Einsamkeit auf sich nehmen. Ein Buch zu schreiben, über neue Lebensziele nachzudenken, aus der gewohnten Alltagsroutine auszubrechen und einmal allein zu verreisen, das sind Situationen, in denen ein Rückzug von Ihrer vertrauten Umgebung und Ihren Bezugspersonen erforderlich ist. Möglicherweise schieben Sie solche Vorhaben deswegen auf, weil Ihnen das Alleinsein Angst macht. Einsamkeit steigert das Risiko, sich nicht mehr ablenken zu können von schmerzlichen, traurigen und belastenden Gefühlen, die im Alltagstrubel übertönt werden. Aktivität ist nämlich ein guter Schutzwall. Wer 18 Stunden am Tag beschäftigt ist, hat keine Zeit mehr, zu sich zu kommen. Je weniger Sie jedoch zu sich kommen, desto mehr unbeachtete Sorgen, beiseite geschobene Ärgernisse und übersehene Traurigkeiten häufen sich an. Um die Begegnung damit zu meiden, müssen Sie unbedingt noch telefonieren, den Fernseher laufen lassen, sich Gesellschaft ins Haus holen – und die Dinge aufschieben, die nur in einer gewissen Isolation zu erledigen sind. Ironischerweise schützt das Aufschieben in einer ganz direkten Weise davor, sich total einsam und entleert fühlen zu müssen, da zu Hause oder im Büro, in der Universität, auf der Arbeit oder sonstwo immer die unerledigte Aufgabe wartet, Ihr ständiger Begleiter.

Viele Menschen sind sich der Angst vor Einsamkeit sehr bewusst und tun alles, um nicht allein zu sein. Lässt es sich nicht vermeiden, dann haben sie mit Angst und Fluchtimpulsen zu kämpfen.

Beate weiß, dass sie das Alleinsein schlecht erträgt. Sie will sich dem nun aber stellen. Wenn schon, dann aber gleich den vollen Horror, wie sie ihren Freunden verkündete. Sie hat beschlossen, dass sie eine Art Mönchsklause benötigt, um ungestört an ihrem Konzept zu arbeiten. Schluss mit dem Internet und seinen Ablenkungen, Schluss auch mit dem ewig bereitliegenden Handy. Sie stellt ihren Schreibtisch um, so dass sie nicht mehr auf die belebte Straße vor ihrem Haus schaut, son-

dern an die Wand. Das Bild, das dort bislang hing, nimmt sie ab. Dann leert sie ihren Schreibtisch. Nur ihre Notizen dürfen noch auf ihm liegen, ein Stoß leeres Papier und ein Bleistift. Ihren geliebten kleinen Kaktus verbannt sie ebenso wie ihre gesammelten Muscheln, Urlaubsfotos und die hübschen Glassachen aus Schweden. Nur Kargheit soll sie umgeben, ungestört will sie sich konzentrieren.

Leider stellt sie bald fest, dass sie noch nervöser wird als sonst. Die Angst vor dem Alleinsein weicht allmählich einem unangenehmen inneren Unruhezustand. Zwar verbietet sie es sich, zu den gewohnten Ablenkungen ihre Zuflucht zu nehmen, und manche sind ja auch nicht mehr so einfach zu erreichen, aber die weiße Wand vor ihr deprimiert sie und scheint sie zu verhöhnen, so als ob sie sagte: So leer sieht es in deinem Kopf auch aus!

Beate schüttet das Kind mit dem Bade aus. Zwar ist der Einfall löblich, besonders gefährliche Ablenkungsobjekte aus dem Weg zu räumen. Allerdings übertreibt sie und landet in einer Situation, die zu reizarm ist, so dass ihr Auge keine Anhaltspunkte mehr findet und ihr Gehirn zu wenig Anregung erhält. Unter diesen Bedingungen wird das Alleinsein gesteigert zu einer sehr unangenehmen Situation des Entzugs erforderlicher Sinnesreize, die nicht lange auszuhalten ist.

Die Angst vor dem Alleinsein ist eigentlich eine Angst vor der Begegnung mit Gefühlen, die Sie im Alltag zu sehr vernachlässigen und vielleicht aktiv vermeiden: Ihre Gesundheit, Partnerprobleme, Zukunftsängste, das Älterwerden, ein nicht ausgetragener Streit, eine ungeklärte Liebesbeziehung und so weiter. Manchmal zeigt sich diese Angst in Form von Konzentrationsstörungen. Viele Menschen leiden unter ihnen besonders dann, wenn sie sich an eine einsame Arbeit machen. Zuhause am Schreibtisch, mit dem Lehrbuch vor sich, schweifen die Gedanken ab. Es wird leer in Ihrem Kopf, und Sie wissen nicht mehr, was Sie gerade gelesen haben, oder Sie driften ab und kommen vom Hundertsten ins Tausendste. Mit angenehmen Tagträumen können Sie wenigstens ein bisschen »halluzinatorische Wunscherfüllung« betreiben, wie Freud es nannte. Wenn Sie hingegen gar nicht wissen, wohin Ihre Gedanken wandern, dann sind Sie mit hoher Wahrscheinlichkeit unbewusst mit unangenehmeren Dingen beschäftigt. Im Alltag konnten Sie diese durch Aktivität aus Ihrer Wahrnehmung fernhalten. Nun drängen sich die aufgeschobenen Themen und die zu ihnen gehörenden Gefühle und Gedanken förmlich auf. Jetzt aber, ohne äußere Ablenkungen, müssen Sie

sie mit innerem Kraftaufwand verdrängen. Um sie unbewusst zu halten, brauchen Sie genau die Energie, die sonst Ihre Aufmerksamkeit gespeist hätte. Das Ergebnis ist, dass Sie Konzentrationsstörungen bekommen.

Angst vor Nähe

Aufschieben kann ganz allgemein vor tieferen Beziehungen schützen, die das Risiko der Zurückweisung in sich tragen. Sie können mit Ihrem Aufschieben andere Leute ärgerlich machen, so dass die nichts von Ihnen wissen wollen und sich keine engere Beziehung entwickelt. Besonders dann, wenn es um das Aufschieben in Liebesdingen geht, spielt die Angst vor Nähe eine bedeutsame Rolle. Nähe ist für Sie möglicherweise gleichbedeutend mit unangenehmen Vorstellungen davon, verpflichtet und versklavt zu werden, Ihre Eigenständigkeit zu verlieren und in unüberschaubare emotionale Komplikationen verwickelt zu werden. So haben Sie es vielleicht als Jugendlicher einige Zeit aufgeschoben, der Einladung Ihrer Freundin zum ersten Treffen mit deren Eltern Folge zu leisten. »Gehe ich da nicht gleich eine viel zu große Verpflichtung ein, wird das nicht zu einengend, betrachten die mich womöglich schon als Schwiegersohn?«, haben Sie sich gefragt.

Auch in einer Partnerschaft, in der sich nach einiger Zeit ein bestimmtes Niveau an Nähe entwickelt hat, können Sie vor mehr Nähe zurückschrecken. Denken Sie an typische Konflikte im sexuellen Bereich. Sie möchten Ihr Liebesleben erweitern und ein paar neue Dinge ausprobieren. Wenn Sie Ihrer Partnerin davon erzählen, kann die entstehende Intimität Sie beängstigen, weil Sie mehr von sich gezeigt haben als vorher, also verletzlicher sind. Geht Ihre Partnerin nicht auf Ihre Phantasien ein, können Sie sich abgelehnt fühlen, geht sie aber darauf ein, können Sie Angst bekommen vor mehr Erregung, als Sie bisher gewohnt waren und vor noch mehr Nähe.

Offenheit in anderen Aspekten einer Partnerschaft kann ebenfalls Angst einflößen.

Horst, Anjas Mann, ist nicht auf den Kopf gefallen. Er hat sich selbst schon häufiger gesagt, dass Anja zu wenig ihr eigenes Leben führt. Aber er hat Angst, mit ihr darüber zu sprechen. Dann könnte ihr wildes Treiben vor der Ehe wieder Thema werden, wovon Horst nichts hören will. Er selbst ist sehr streng erzogen worden und war in sexuel-

len Dingen eher zurückhaltend, während Anja die Liebe in vollen Zügen genossen hat. Horst ahnt, dass er heimlich neidisch ist, aber es macht ihn auch eifersüchtig, sich die Reihe ihrer früheren Freunde vorzustellen. Und ängstlich: Kann er mit denen überhaupt mithalten? Er gibt sich manchmal betont machomäßig und schroff, weil er denkt, so bei Anja mehr Eindruck zu machen, als ihre Softie-Freunde von damals: als der knallharte ausgebuffte Anwalt. Dennoch hat er vor diesem Thema Angst, schneidet es nicht an und kann auch andere Dinge nicht zur Sprache bringen, wie zum Beispiel ihre Modelphantasien, die ihn nerven. Wenn sie wenigstens damit Ernst machen würde, statt immer nur davon zu reden, aber dann hätte sie mehr Eigenleben und dann ... siehe oben.

Angst vor Ablehnung

Wenn Sie befürchten müssen, für Ihre Lebensführung nicht nur negativ beurteilt, sondern sogar abgelehnt und möglicherweise ausgestoßen zu werden, dann haben Sie ein starkes Motiv Dinge aufzuschieben, die mit diesem Risiko verknüpft sind. Sie können sich beispielsweise in der Zwangslage wiederfinden, dass Ihr Studium Sie in die Gesellschaftsschichten bringen wird, die Ihre Herkunftsfamilie ablehnt. Nehmen Sie an, Sie kommen aus einer Familie mit Arbeiterbewusstsein und einer stolzen sozialistischen Vergangenheit. Zu deren Missvergnügen studieren Sie Betriebswirtschaftslehre. Nach dem Diplom möchten Sie ein Unternehmen gründen. Spätestens dann wird Ihre Familie Verrat wittern. Sie kennen deren Rigorismus und fürchten, verstoßen zu werden. In dieser Verlegenheit können Sie mit einem Aufschub Ihres Studienabschlusses oder Ihrer Unternehmensgründung die Angst vor Ablehnung bannen.

Im Alltag lässt das Risiko von Zurückweisung es Sie vor sich herschieben, Ihren sympathischen Geldberater in Ihrer Bank einmal zu einem Kaffee einzuladen oder die hübsche Mitfahrerin im Bus um ein Treffen zu bitten. Eine Fülle von sozialen Ängsten bringt Menschen dazu, Aktivitäten, Unternehmungen und Geselligkeiten, nach denen sie sich sehnen, zu meiden, weil sie fürchten, auf Ablehnung zu stoßen. Die Gefahr von Zurückweisung erscheint Ihnen besonders dann unerträglich, wenn Sie ein schlechtes Selbstwertgefühl haben. Abgewiesen zu werden, würde Ihre Selbstachtung noch mehr dämpfen, nicht aber die

Achtung vor den anderen. Sie denken nicht, dass die anderen einen Fehler machen, wenn sie Sie nicht zu schätzen wissen, sondern erleben es so, als seien die anderen damit im Recht, Sie zurückzuweisen. So bedeutet Ablehnung durch andere für Sie innerlich möglicherweise nachfolgende Selbstablehnung. Auf Nummer Sicher gehen Sie dann, wenn Sie zu Hause bleiben.

Ärger und Wut

Wenn Sie das Gefühl haben, dass Sie, Ihre Lieben oder Ihr Besitz bedroht sind, dann können Wut und Zorn entschiedene Handlungen zur Abwehr der Gefahr auslösen. Normalerweise verrauchen diese Gefühle danach bald wieder. Ungerechtigkeiten, die Ihnen zugefügt wurden, hinterlassen häufig einen länger anhaltenden Ärger. Auch er kann Ihnen noch helfen, die Kränkung abzuarbeiten oder sich angemessen zu verteidigen. Anders ist es, wenn Wut und Ärger chronisch werden, sich als Lebensgefühl verfestigen. Eine massive Enttäuschung löst Wut aus. Sie stoßen mit Ihren Vorstellungen auf Widerstand, etwas kommt Ihnen in die Quere, Sie können Ihre Ziele nicht weiter verfolgen: Frust breitet sich aus, der Aggression nach sich zieht. Vor allem dann, wenn Sie keine hohe Frustrationstoleranz haben, wenn Sie unter Zeitdruck stehen, wenn Sie intolerant sind und eine strafende innere Haltung einnehmen, werden Sie häufig mit Ärger zu tun haben. Und daraus kann allmählich Feindseligkeit werden. Der Begriff zeigt mit der ganzen Pfiffigkeit unserer Sprache, wie sehr es Sie unbewusst glücklich machen kann, wenn Sie nach Herzenslust hassen dürfen: feind-*selig*.

Am Ursprung dieser Haltung stehen irrationale Forderungen danach, dass Sie selbst, andere Menschen oder die ganze Welt sich nach den Gesetzen richten sollten, die Sie verkünden. Leider denken oft weder die anderen Menschen daran, das zu tun, geschweige denn die Welt, und Sie stellen gelegentlich fest, dass sogar Sie selbst Ihren strengen Anforderungen nicht nachkommen. All das finden Sie schrecklich, das sollte nicht so sein, und Sie versuchen, die Sache mit Strafen in Ordnung zu bringen. Damit machen Sie alles noch schlimmer und steigern die Spannung.

Ärger kann bei vielen Menschen an die Stelle der Angst treten. Manche fauchen die Polizisten, die sie in einer Straßensperre kontrollieren, sofort verärgert an, und ziehen es vor, aufsässig statt verängstigt zu sein. Eine riskante Strategie. Es ist ja nicht nur so, dass die Polizisten jetzt vielleicht erst richtig Lust bekommen, sich Ihre Papiere oder Ihr Fahrzeug einmal gründlich anzuschauen. Nein, die Beamten sind auch bewaffnet, möglicherweise übermüdet und Sie sind der 15. Autofahrer, der ihnen dumm kommt. Rein rational haben Sie also jede Menge Gründe, sich eher zu fürchten, als über die vermeintliche Einschränkung Ihrer Freiheit aus der Haut zu fahren.

Helmut ist ein Musterbeispiel für Ärger als Konfliktmotiv in Verbindung mit dem Aufschieben. Er verlangt von der Welt, nichts von ihm zu verlangen. »Warum soll ich es machen?«, so lautet bei allen Aufträgen und Vorhaben seine innere, schon empörte Frage. Wenn seine Frau sagt, das Auto müsste wieder einmal gewaschen werden, so hört er sie sagen, dass er sich darum kümmern sollte, was sie nicht gesagt und möglicherweise nicht einmal gemeint hat. Er fühlt sich immer angesprochen, immer beauftragt, daher stets als Opfer und rebelliert dagegen. Er nimmt andere Menschen grundsätzlich unter dem Aspekt wahr, was sie von ihm wollen bzw. erwarten. Was er will, braucht oder möchte, ist in seiner Selbstwahrnehmung unterrepräsentiert. Die Erwartungen der anderen bestimmen noch seine Opposition. Er ist immer dagegen, aber es ist ihm selbst nicht klar, wofür er eigentlich ist. Er denkt, er sei unabhängig; in Wirklichkeit leidet er an einer ihm unbewussten Form der Gegenabhängigkeit.

Um dieses Phänomen zu verstehen, können Sie sich einen Angler vorstellen, der vom Ufer aus seine Angelrute ins Wasser hält. Im Wasser schwimmt ein Fisch herum, der den Köder sieht. Ein naiver Fisch beißt zu, und schon zappelt er am Haken, ist abhängig. Ein gegenabhängiger Fisch hat das durchschaut und schwimmt jedesmal, wenn er den Köder sieht, aus den nahrhaften Gefilden am Flussufer weg in einen tieferen Teil des Gewässers. Er ärgert sich über den Angler und über den Köder und hat sich vorgenommen, sich nicht hereinlegen zu lassen. Aber noch seine Flucht wird durch den Köder bestimmt. Sich einen wirklich unabhängigen Fisch vorzustellen, mag nicht leicht sein, aber es ist wohl einer, der sich durch den im Wasser am Ufersaum baumelnden Köder nicht beunruhigen lässt, wenngleich er um seine Gefährlichkeit weiß.

Trotzige Aufschieber fürchten Autorität, aber sie verabscheuen sie auch und fordern sie durch Aufschieben zusätzlich heraus. Sie sind generell pessimistisch, sehen das Leben als unfair an und haben dadurch einen, wie sie meinen, guten Grund zu rebellieren. Generell kennen sie nur drei Reaktionen:

- sofortigen Gehorsam, unter Abspaltung kritischer und selbstbehauptender Impulse. Dadurch werden sie von anderen als kooperativ wahrgenommen, verlieren aber unter Umständen das Gefühl für ihre Freiheit und Individualität;
- aktiven Widerstand, ein sofortiges Gegenan, womit andere sie als schwierig und unkooperativ erleben, sie selbst aber das Gefühl großer individueller Freiheit haben – ein Eindruck, der eine Illusion darstellt, wie wir oben gesehen haben;
- passiv-aggressiven Widerstand durch Aufschieben und Trödeln, mit dem die anderen auf kürzere Sicht in Ungewissheit über die Kooperationsfähigkeit bleiben, aber auf lange Sicht den Eindruck bekommen, es mit einer raffinierten Person zu tun zu haben, die man nicht zu fassen bekommt.

Die Überschätzung anderer, von denen sie sich abhängig fühlen, führt auch dazu, dass Menschen wie Helmut selten lautstark protestieren, sondern auf der Oberfläche bestrebt sind, einen kooperativen und freundlichen Eindruck zu machen. Negative Gefühle drücken sie indirekt, in passiv-aggressiver Weise aus, und entthronen damit die Autorität, die sie zu respektieren scheinen. Was eignet sich dazu mehr als das Aufschieben?

Seine Frau hatte Helmut schon vor drei Wochen gebeten, Prospekte aus dem Reisebüro neben seiner Firma mitzubringen. Er hatte es immer »vergessen«, sich dafür entschuldigt, sie vertröstet und in den kommenden Wochen tausend Gründe vorgebracht, warum er anderes im Kopf hatte. Anstatt ihr zu sagen, dass sie sich selbst darum kümmern sollte, dass er keine Lust dazu habe und in diesem Jahr ohnehin keine Fernreise machen möchte, hielt er sie mit seinen Entschuldigungen und Erklärungen hin. Sie fühlte sich zunehmend getäuscht und behandelt, als seien ihre Wünsche für Helmut unwichtig – nichts traf weniger zu als das!

Aufschieber mit einem Ärger- oder Wutproblem tun sich besonders schwer damit, ihr Aufschieben als ein persönliches, selbstschädigendes Verhalten anzusehen, weil ihre Selbstwahrnehmung als gerechtfertigter

Rebell für ihre Selbsteinschätzung so wichtig ist. Das Aufschieben vermittelt ihnen ein Gefühl der Macht, das sie sonst nicht bekommen können. Andere zu ärgerlichen Reaktionen zu veranlassen, ist schließlich auch eine Form der Einflussnahme; mit anderen in aggressiven Auseinandersetzungen verstrickt zu sein ist besser, als gar nicht wahrgenommen zu werden, so lauten die unbewussten Gleichungen.

Perfektionismus

Perfektionisten wie Beate wollen nicht *ihr Bestes* geben, sondern das *Beste aller Zeiten*. Sie setzten ihren Wert mit dem eines Arbeitsergebnisses, zum Beispiel der Güte des Marketingkonzepts, gleich. Ihre Maßstäbe sind unrealistisch – schließlich ist nichts auf der Welt perfekt. Überall im Weltall dominiert das Chaos; Ordnung, gar perfekte Ordnung, ist die Ausnahme. Sich um perfekte statt um sehr gute oder hervorragende Ergebnisse zu bemühen, legt den Keim für eine dauernde Unzufriedenheit und endlose Überarbeitungen. Im Zuge dieser langwierigen Beschäftigung mit immer derselben Aufgabe mit immer den gleichen überhöhten Ansprüchen entsteht natürlich Versagensangst, da die hyperkritische Wahrnehmung von perfektionistischen Menschen ihnen immer wieder nur zeigt, dass sie eben nicht vollkommen waren, egal, wie gut sie ihre Sache auch gemacht haben. Das nennen sie dann Versagen. Die Angst davor führt zu einer exzessiven Kontrolle auch noch der kleinsten Details. Das Aufschieben ist eine zwangsläufige Folge dieser Haltung, mit dem Vorteil, dass es Perfektionisten schützt: vor Erfolg einerseits, der sie bedroht, weil er noch mehr perfektionistische Anforderungen mit sich bringt. Andererseits aber auch vor dem Verzicht auf die unrealistischen Maßstäbe, denn das Aufschieben lässt perfekte Ergebnisse nach wie vor als möglich erscheinen.

Wenn Sie perfektionistisch sind, dann sehen Sie wahrscheinlich alles im Leben als Last, weil für Sie alles perfekt sein muss. Sie werden Lob nicht annehmen (schließlich haben die, die Sie loben, offenbar zu geringe Anforderungen an die Qualität Ihrer Leistung) und auch keine Hilfe suchen (perfekt heißt auch: Dinge allein zu schaffen). Wenn Ihr Beruf es erfordert, Aufgaben zu delegieren, dann werden Sie gerade das schwierig finden und dazu neigen, alles selbst zu machen, womit Sie sich natürlich überlasten, was sich negativ auf Ihren Arbeitsprozess, aber auch negativ auf Ihre Resultate auswirkt. So endet Ihr Versuch, perfekte Ergebnisse zu liefern, im Gegenteil: Ihre Stimmung ist schlecht, Ihr Arbeitsprozess desorganisiert, Ihre Arbeitsergebnisse sind nicht optimal. Das ist es, was Psychoanalytiker die Wiederkehr des Verdrängten nennen. Aus Angst davor, Fehler zu machen, streben Sie nach perfekter Qualität und erzeugen gerade dadurch mehr Fehler als erforderlich.

Eine perfektionistische Erwartung liegt auch darin, nur dann sinnvoll arbeiten zu können, wenn Ihnen Energie und Lust zu 100 Prozent zur Verfügung stehen. Auf perfekte Voraussetzungen für perfekte Handlungen zu warten, vertagt die möglichen Aktionen auf den Sankt Nimmerleinstag.

Im sozialen Miteinander sind Perfektionisten häufig zu Beginn einer Beziehung angezogen von Menschen, die das ausstrahlen, was ihnen fehlt: die Fähigkeit, das Leben leichter zu nehmen, lockerer zu sein. Wird die Beziehung zu solchen Menschen enger, dann erheben sie jedoch mehr und mehr Einwände gerade gegen die ungezwungenen Haltungen der anderen, die ihren eigenen Perfektionismus in Frage stellen. Sie haben es mit Beziehungen sowieso schwer, wie mit allem, bei dem eindeutige, »richtige Vorgehensweisen« nicht gleich erkennbar sind.

Abhängigkeit und Ohnmacht

Babies und Kleinkinder sind hilflos und abhängig. Wenn keine kompetenten Erwachsenen für sie sorgen, können sie nicht überleben. Manche Erwachsene begeben sich – bewusst oder unbewusst motiviert – innerlich später zurück in die früheste Kindheit, indem sie sich ganz auf andere angewiesen fühlen. Wenn Sie Ihre eigenen Angelegenheiten nicht mehr in der Hand haben, werden Sie zwangsläufig eine Menge Dinge aufschieben. Die dahinter liegende Dynamik sieht so aus:

- Sie fühlen sich in übermäßiger Weise auf die Zustimmung und Zuwendung anderer Personen, die Ihnen wichtig sind, angewiesen.
- Um diese zu erhalten, sind Sie zur Selbstaufgabe bereit, das heißt, Sie vernachlässigen Ihr eigenes Leben, Ihre Ziele und Werte.
- Sie wissen so immer weniger, was Sie eigentlich selbst wollen; und werden immer hilfloser, sind also immer mehr auf andere angewiesen.

- Weil Sie so hilflos sind, lieben die anderen Sie umso mehr, sorgen für Sie und erfüllen Ihre Bedürfnisse.

Letzteres hoffen Sie, wenn Sie ein entmutigter depressiver Mensch mit einem Aufschiebeproblem sind. Allerdings ist ein anderes Ergebnis wahrscheinlicher: Ihre Lieben kümmern sich anfangs schon um Sie und regeln Ihre Angelegenheiten, aber nicht in dem Ausmaß und nicht mit der Freude, die Sie erwartet haben. Nun geht es so weiter:

- Sie werden innerlich immer unzufriedener mit sich und den anderen.
- Aggressionen entstehen, die Sie, aus Angst vor Liebesverlust, unterdrücken müssen, also gegen sich richten: Sie werden immer depressiver.
- Die anderen finden, dass ihre Hilfe nichts gebracht hat und Ihnen eventuell nicht zu helfen ist, und ziehen sich zurück.

Sich zu vernachlässigen, nicht mehr zu wissen, was Sie eigentlich wollen, sich von anderen abhängig zu machen, ist eine Art von Selbstauslöschung. Nichts von Ihren Kräften geht mehr in Handlungen, die sich auf die Außenwelt beziehen, Sie wenden alles gegen sich. Mit den letzten verbliebenen aggressiven Energien werten Sie sich in düsteren Stimmungen und herabsetzenden Tiraden selbst ab: »Mit mir ist ohnehin nichts los. Ich kann mich nicht lieben und nicht gut für mich sorgen. Deswegen müssen es die anderen tun, und wenn die es nicht machen, ist das unerträglich.« Mit dieser Auffassung verbindet sich ein Angebot an die anderen: Je hilfloser Sie sich einstellen, desto mehr können die anderen glänzen.

Horst findet Anja toll, schön, niedlich und ist von ihrer Hilflosigkeit oft gerührt gewesen. Sie kam ihm dann vor wie ein kleines Mädchen, dem er die Welt erklären konnte, und die ihn dafür bewunderte, die er aber auch vor der bösen Welt beschützen musste. Wie schön waren die Abende, bevor die Kinder kamen, wenn sie sich an ihn kuschelte und er ihr von seinen Prozessen erzählte, von dem Kampf, den er dort draußen in der harten Welt der Männer ausfocht. Sie hatte von so vielen Dingen keine Ahnung, wusste nicht einmal, was ein Vertrag ist, und der Unterschied zwischen Gläubiger und Schuldner war ihr auch fremd. Das fand Horst hinreißend. Neuerdings aber findet er ihre Hilflosigkeit lästig, und er nimmt sie ihr auch nicht ganz ab. Beispielsweise die vergessenen Getränke neulich bei der wichtigen Party. Da fühlte er sich so richtig sabotiert. Als er ihr Vorwürfe machte, sagte sie treuherzig: »Ich wusste nicht, was noch in deinem Weinkeller ist und was nicht, da hättest du mir vorher Bescheid sagen müssen«. Dein Weinkeller! Als ginge sie das nichts an und als wolle sie wie ein Kind unverantwortlich bleiben.

Das Angebot »Ich bin so klein und hilflos, du bist so groß und klug, rette und versorge mich« bildet meistens keine feste Basis für eine Partnerschaft. Horst fühlte sich früher zwar geschmeichelt, aber jetzt ist er genervt. Und Anja bewunderte ihn früher tatsächlich hemmungslos, ist nun aber eher neidisch auf seinen Erfolg. Sobald sie jedoch dieses Gespräch mit ihm führen müsste, verschanzt sie sich hinter der angeblich nötigen Rücksichtnahme und schiebt es auf. Dadurch, dass Anja sich durch die Bedürfnisse von Horst bestimmen lässt, ist sie davor geschützt, jemals für ihre eigenen eintreten zu müssen. Wie wir gesehen haben, sind ihre eigenen Pläne in sich konflikthaltig. Außerdem hat auch Horst ein starkes Motiv, ein intensives Gespräch mit Anja zu meiden, weil sonst zu viel Zündstoff auf den Tisch käme. Das Aufschieben soll die näher rückende Explosion vermeiden, führt sie aber mit ziemlicher Sicherheit herbei, weil beide immer unzufriedener werden. Wir haben es bei diesem Paar mit zwei Personen zu tun, die beide daran arbeiten, die Klärung ihrer Konflikte aufzuschieben, weil sich so Schuldgefühle vermeiden lassen. Schuldgefühle signalisieren, dass man jemand anderem durch unrechtes Tun geschadet hat. Abhängige Menschen haben gelernt, dass die Ausübung ihres freien Willens für andere eine schlimme Enttäuschung oder Belastung darstellen kann, haben sich wieder und wieder schuldig gefühlt, und sich den anderen angepasst, um die schwer drückenden Schuldgefühle zu vermeiden.

Wenn es Ihnen auch so geht, dann mussten Sie bisher Ihre Handlungsimpulse unterdrücken. Wenn diese Unterdrückung automatisch abläuft, dann haben Sie den Eindruck, innerlich leer zu sein, dann fühlen Sie sich zu nichts mehr motiviert. Ihr Eigenwille stellt keine Gefahr mehr dar, Sie sind völlig harmlos geworden, sind nicht mehr in der Lage, etwas zu tun, was Schuldgefühle hervorrufen würde. Sie sind ohne Macht, ohnmächtig. Natürlich führt das dazu, dass Sie keine Entscheidungen mehr treffen und keine Pläne mehr verfolgen können, dazu fehlt Ihnen der Biss. Sie haben sich die Zähne ziehen lassen (und selbst gezogen), damit Sie keine Gewissensbisse mehr haben müssen.

Bei Menschen, die sich selbst nicht gut kennen, spielen die Meinungen anderer und deren Erwartungen eine prägende Rolle.

Alle hatten Beate schon in der Schule gesagt, was sie unbedingt studieren müsse. Für den Deutschlehrer war klar: »Germanistik, bei Ihrem Sprachgefühl!« Die Englischlehrerin, begeistert über Beates Kenntnisse nach dem einen Jahr als Austauschschülerin, wusste: »Nur Anglistik kommt für Sie in Frage!« Für andere, die sie als Chefredakteurin der Schülerzeitung schätzten, stand fest: »Sie müssen Journalistin werden!« Ob sie für ein Studium überhaupt geeignet war, schien sich niemand zu fragen – außer Beate, die bei aller Ermutigung im Inneren nie ganz das Gefühl los geworden war, den Leuten Sand in die Augen zu streuen. Gewiss, sie konnte Menschen schnell für sich einnehmen, aber die machten sich dann selten die Mühe zu fragen, was sie eigentlich wollte, sondern luden auf ihr ab, was ihnen selbst zu Beate einfiel. Ihre Eltern waren da anders, aber auch nicht sehr hilfreich: Sie sagten, Beate solle machen, was sie wolle, sie, die Eltern, stünden dahinter, wenn sie es nur gut mache. Beate aber wusste nicht, was sie wirklich wollte, sie wusste nur, dass man von ihr Erfolg erwartete. Wo sie nun auch noch ihr Abitur mit dem Notendurchschnitt von 1,5 bestanden hatte!

Mit Abhängigkeit hat es auch zu tun, wenn Sie – wie Beate – zu viele Verpflichtungen eingehen und Zusagen machen, die Sie später nicht einhalten können. Sie denken, dass Sie durch das Jasagen Ihre Angst davor, nicht liebenswert zu sein, beseitigen können. Sie hoffen, Zuneigung und Respekt anderer zu bekommen, indem Sie sich zur Verfügung stellen. Für Sie ist das eine Einbahnstraße, Sie selbst dürfen andere nicht um Hilfe bitten. Tatsächlich zahlt sich diese Art Altruismus nicht aus. Ein gesunder Eigennutz und die Fähigkeit, sich abzugrenzen, werden Ihnen zu mehr Respekt verhelfen, als wenn Sie sich bemühen, *everybody's darling* zu sein. *Everybody's darling is everybody's fool.* Sie schreiben nicht an Ihrer Doktorarbeit weiter, weil Ihr Freund gerade Hilfe bei der Einrichtung seines neuen Ladens braucht. Nichts dagegen zu sagen, wenn das ab und zu vorkommt. Wenn es aber zum Dauerzustand wird, wenn Sie monatelang nicht mehr Ihr eigenes Ding machen, weil Sie ihm das angeblich nicht zumuten können, dann sind Sie koabhängig. Koabhängigkeit bedeutet, dass Sie mit einer Person, die ein Problem hat, ein System bilden, das solange stabil ist, wie Sie sich um diese andere Person kümmern. Tun Sie das nicht, dann geraten Sie beide in Schwierigkeiten.

Anja verschanzt sich immer wieder hinter der Behauptung, dass jetzt nicht der richtige Zeitpunkt sei, die Konflikte mit Horst zu klären. Richtig ist, dass Horst oft sehr eingespannt ist, müde und gestresst heimkommt und dann wirklich keine Lust auf Konfliktgespräche hat – Anja aber ebenso wenig, denn sie würde in einem solchen Gespräch erkennen, wie viele Freiräume sie hat, die sie bislang nur aufgrund ihrer eigenen Probleme nicht ausnutzen kann. Diese Einsicht wäre zwar zunächst schmerzlich und beschämend – deswegen meidet Anja das Gespräch ja –, mittelfristig aber wohltuend, weil deutlicher werden würde, welche Erwartungen Horst wirklich an Anja richtet und welche ihrer eigenen Phantasie entstammen.

Wenn Sie zu viele verschiedene Rollen und Verantwortlichkeiten übernehmen, wird es immer schwerer, eindeutige Prioritäten zu setzen. Dummerweise lassen sich aber vor allem Ihre nur diffus gespürten eigenen Bedürfnisse und Wünsche besonders gut wegschieben. Um diese klarer zu empfinden, brauchen Sie Zeit und Muße für sich. Durch Ihre vielen Verpflichtungen kommen Sie gerade nicht dazu, Ihr eigentliches Defizit zu beseitigen. So wie Beate verlieren Sie sich in Aktion und gehören zu den Leuten, die überall hingehen und nirgends ankommen. Sie sind in Gefahr, zum Workaholic zu werden. Sie können kaum entspannen, ohne Schuldgefühle zu haben oder in Unruhe zu geraten. Sie kennen durch Ihren bisherigen Lebensstil nur zwei Zustände: bis zur Halskrause in Arbeit zu stecken, oder total erledigt zu sein, zumeist durch eine Erkältung, die Sie ins Bett streckt. Wirklich freie Zeit zu haben, unstrukturierten Raum, ist für Sie unvertraut und fühlt sich nicht richtig an. Möglicherweise haben Sie seit Jahren keinen Urlaub gemacht. Es verwundert also nicht, dass Aufschieber und Workaholics zum Teil die gleichen Einstellungen haben:

- Beide sehen sich ständig unerledigten Aufgaben gegenüber. Sie haben das Gefühl, immer zu arbeiten und keine Pause verdient zu haben.
- Beide hoffen darauf, eines Tages so gut organisiert oder so erfolgreich zu sein, dass sie ihr Leben geniessen können.
- Beide haben negative Auffassungen über Arbeit: Sie dämonisieren Arbeit, sehen Aufgaben, die Opfer und Entbehrungen verlangen, als potenziell unersättlich an. Workaholics bringen diese Opfer, oft aus Angst vor Depression und Intimität. Aufschieber fliehen halbherzig

aus Angst, nie wieder freie Zeit zur eigenen freien Verfügung zu haben, sondern von den Pflichten aufgefressen zu werden.
- Beide glauben, dass Menschen im Grunde genommen faul und undiszipliniert sind und mit Ängsten bedroht werden müssen, um ihre Arbeit zu erledigen. Workaholics sind gehorsam, Aufschieber aufsässig, also etwas gesünder.

Scham

Sie können Entscheidungen und Vorhaben auch deshalb aufschieben, weil ein Scheitern mit dem Risiko von Beschämung verknüpft ist. Allerdings können Sie sich – je nachdem, wie perfektionistisch Sie sind – auch für Ihr Aufschieben schämen. Das ist aber eventuell leichter zu ertragen als die Beschämung nach einem richtigen Flop.

Scham kann sich auf zwei Ebenen zeigen: Sie können fürchten, sich durch eine Handlung bloßzustellen, und Sie können sich vor dem fürchten, was sich dabei Ihnen selbst oder den anderen zeigen könnte. Schwäche, Schmutzigkeit und Defekt sind die Aufschriften auf den Ordnern, in denen Sie die verschiedensten Dinge abgeheftet haben, für deren Bekanntwerden Sie sich schämen.

Anja würde sich schämen, wenn sie als Model abgelehnt werden würde. Konkret schämt sie sich dafür, ein bisschen Übergewicht zu haben. Weil sie nicht möchte, dass andere Frauen, mit denen sie rivalisiert, das sehen, geht sie lieber nicht ins Fitnessstudio. Würde sie im Vergleich mit dem Aussehen anderer Frauen dort den Kürzeren ziehen, dann wäre ihre Schwäche offenbar geworden, und sie würde sich defekt fühlen. Ihre Angst vor Scham lässt sie zu Hause bleiben.

Wenn ein Vorhaben für Sie mit Scham assoziiert ist, dann gehen bei Ihnen die Sirenen los, sobald Sie ernsthaft anfangen, sich mit der Sache zu beschäftigen. Schamangst kann milde als Unbehagen daherkommen, aber auch als Panikattacke. Aufschieben ist dann die sich anbietende Strategie, kompromisshaft an Ihren Zielen festzuhalten und konkret zurückzuweichen.

Das Gefühl der Beschämung selbst ist unangenehm genug, um es zu meiden.

Beate hat einige Stunden am Schreibtisch verbracht, aber die vor ihr liegenden Blätter sind unbeschrieben. Sie starrt sie an und kann es nicht fassen. Wie stolz war sie früher, in der Schule, darauf, bei Aufsätzen immer zügig die Seiten zu füllen, als erste abzugeben und die besten Noten zu haben. Und jetzt das! Beate hat das Gefühl, die Kontrolle über ihre Fähigkeit, leicht und flüssig Gedanken formulieren zu können, verloren zu haben. Ein heißes Gefühl steigt unangenehm in ihr auf, sie weiß, dass sie jetzt errötet, sie sieht sich von außen und möchte am liebsten im Boden versinken.

Sie können sich gegen die Scham wappnen, indem Sie Haltungen einnehmen, die das scheinbare Gegenteil ausdrücken.

Helmut zieht zu Hause wieder einmal über seinen Chef her. Dieser Menschenschinder mit seiner Macherhaltung. »Mittleres Management«, zischt Helmut seiner Frau zu. »Es müsste besser heißen: Mittelmäßiges Management oder Missmanagement. Der Kerl hat doch keine Ahnung von Menschenführung und Mitarbeitermotivation, der führt sich doch auf wie ein kleiner Napoleon in diesen lächerlichen Besprechungen, die er ständig inszeniert!« Und verächtlich äfft Helmut die Körperhaltung und den stahlharten Blick seines Chefs nach.

Nichts gegen gesunde Aggressionen gegen die Alpha-Tiere in der Firma. Leider läuft Helmut nur dann zu großer Form auf, wenn die nicht in der Nähe sind. Die Bissigkeit, mit der er die Schwächen seines Vorgesetzten aufspießt, unterscheidet sich sehr von der Zahnlosigkeit, mit der er seine eigenen Aufgaben angeht. Statt passiv die Beschämung zu erleiden, die der Chef ihm schon mehrfach zugefügt hat, als er ihn für seine vielen Verzögerungen bei der Aufgabenerledigung rügte, dreht Helmut den Spieß jetzt um: Nicht er ist lächerlich, wie er sich an seinen Stapeln von Kundenpost abquält, sondern sein Vorgesetzter. Nicht ihm gebührt die innere Verachtung, sondern einer solchen Witzfigur von Manager! Mit dieser Abwehr tankt Helmut allerdings immer mehr Feindseligkeit. Von ihr könnte er sich nur um den Preis distanzieren, das eigene Fehlverhalten einzusehen. Dann aber würde ihn die bislang abgewehrte Scham doppelt und dreifach heimsuchen.

Man kann in den anderen bisher besprochenen Stressquellen durchaus Maskierungen von Scham erkennen. Das ewige Aufschieben löst zwangsläufig Angst aus. Was passiert, wenn ich die Aufgabe gar nicht erledige? Was, wenn ich meine Steuererklärung nicht abgebe? Die Antwort ängstigt: Es wird negative Folgen geben, Beschämung droht dann. Perfektionisten schämen sich, wenn sie nichts zustande bringen können, weil es nicht gleich beim ersten Mal perfekt sein wird. Wer Angst vor Zurückweisung und Misserfolg hat, wird beides seinen mangelnden Fähigkeiten zuschreiben und kann sich dessen schämen. Wer depressiv ist, also entschlusslos und unproduktiv, weil die Seele entleert ist und keine erstrebenswerten Ziele und Inhalte umfasst, schiebt auf, damit just dieser schambesetzte Sachverhalt nicht herauskommt.

Aufschieben soll gegen das Wiederauftreten traumatischer Beschämung schützen, führt jedoch häufig zur Scham zurück. Wirklich harte Aufschieber kreisen schließlich monomanisch um sich selbst und ihr Aufschieben, egal, ob sie es von der Seite der Ausreden her präsentieren, von der Beteuerung her, wie wichtig es eigentlich wäre, bestimmte Ziele konsequent anzusteuern, oder von der Selbstverachtung her. Nach einigen Jahren harten Aufschiebens als Schutz gegen Scham haben Sie zwangsläufig Ihre Spontaneität auf Null gebracht. Spontan zu sein, sich auf die Stimmung und die Gelegenheit einzulassen, kann immer auch das Risiko bedeuten, auf dem falschen Fuß erwischt zu werden. Irgendein Gefühl wird ausgelöst, und da nach mehreren Jahren so viele Gefühle mit der abgewehrten Beschämung verknüpft sind, bleibt Ihnen nur eins: Sich gegen Gefühle überhaupt zu panzern. Wenn Sie aber nichts mehr fühlen, weder Freude noch Schmerz, verschwindet auch jegliche Motivation. Erinnern Sie sich: Es geht alles wie von selbst, wenn Ihre Emotionen in einer bestimmten Situation angeregt werden und Ihre Aufmerksamkeit auf Ihre positiv besetzten Ziele ausgerichtet ist. Ohne Gefühl haben Sie jedoch nur eines: absolut keine Lust.

Selbstwertstörungen

Was immer Sie tun, ob Sie fleißig arbeiten oder gekonnt ausweichen, ob Sie Erfolg verbuchen oder Misserfolg, immer registriert Ihr innerer Zähler den Beitrag für Ihr Selbstwertgefühl. In seiner positiven Ausprägung erleben Sie es als Überlegenheits- und Triumphgefühl, als Selbstzufriedenheit und Stolz auf sich. Ihre negativen Selbstwertbeurteilungen erscheinen Ihnen als Minderwertigkeits- und Unterlegenheitsgefühl. Andere erleben in Ihrer Ausstrahlung den Narzissmus, der Ihnen eigen ist.

Immer spielt also eine entscheidende Rolle, wie Sie Ihren Wert verglichen mit anderen Menschen einschätzen. Außerdem tragen sie auch in Hinblick auf Selbstwertüberzeugungen innere Maßstäbe mit sich herum. Für die meisten Menschen verträgt sich zum Beispiel Machtlosigkeit nicht mit hohem Selbstwert. Geraten sie in eine Situation, in der sie nicht handeln können, fühlen sie sich herabgewürdigt.

Nur eine kleine Gruppe von Aufschiebern hat ein aufgeblähtes Selbstwertgefühl. Sie treten großspurig auf und betonen, wie gut sie sind und welche Erfolge sie in der Vergangenheit erzielt haben. Es ist die Art von Menschen, die Ihnen auf einer Party ungefragt erzählen, wie wichtig sie sind und welch gute Verbindungen sie haben, die sie Ihnen gerne zur Verfügung stellen. Wenn Sie darauf einmal zurückkommen wollen, melden sich diese Leute nie. Ein aufgeblasenes Selbstkonzept ist in steter Gefahr, dass ihm einmal die Luft ausgeht (oder herausgelassen wird), deswegen empfiehlt sich Aufschieben. In der Regel weisen typische Aufschieber jedoch ein niedriges Selbstwertgefühl auf. Sie glauben, dass es durch besondere Leistungen und Ergebnisse kompensiert werden kann. So kommt es, dass sie häufig Perfektionisten sind und völlig überhöhte Ansprüche an sich stellen. Mit diesen beiden Einstellungen werden durchschnittliche Arbeitsergebnisse, langwierige Kleinarbeit, Durststrecken und unspektakuläre Ergebnisse per se zu einer Bedrohung des Selbstwertgefühls, da sie mit völligem Versagen und Scheitern gleichgesetzt werden.

Menschen mit einem niedrigen Selbstwertgefühl sind darüber hinaus oft sehr einseitig, fixiert auf ihre Arbeit oder *einen* anderen Bereich ihres Lebens. Die Gefahr, dass sie wegen Schwierigkeiten an einer Stelle in tiefe Ängste verfallen oder in depressive Entwertung abstürzen, ist dann geringer, wenn sie in mehreren Dimensionen aktiv sind, Interessen verfolgen und Energie investieren.

Wenn Sie sehr depressiv sind, dann liegt Ihr Selbstwert Ihrer Meinung nach bei Null oder sogar darunter, und alle anderen erscheinen Ihnen als wertvoller. Menschen mit Minderwertigkeitsgefühlen haben besondere Schwierigkeiten dabei, sich selbst zu verwirklichen. Anders als Fernsehstories und Selbstverwirklichungsromane es uns nahelegen, fühlt sich Autonomie vor allem dann falsch, herzlos und kalt an, wenn man nicht in ihr geübt ist. Es ist immer auch ein Wagnis, seinen eigenen Weg zu gehen, und oft gibt es keine sofortigen Befriedigungen. Denken Sie an die Sonntagsspaziergänge mit Ihren Eltern. Anfangs fanden Sie die ganz schön, aber als Sie älter wurden, langweilten Sie sich und wollten lieber etwas anderes machen. Sie wussten, dass Ihre Eltern traurig sein würden, wenn Sie nicht mehr mitgehen. Sie zettelten aus Angst vor deren traurigen Blick einen Streit an, so dass Sie schmollend zu Hause bleiben konnten, während Ihre Eltern verärgert abzogen. Nachdem Ihr inszeniertes Beleidigtsein verschwunden war, wurde Ihnen langweilig und Sie wussten mit dem gewonnenen Freiraum möglicherweise gar nichts anzufangen. Sie hatten Ihren Willen durchgesetzt, aber noch nichts, um Ihre Freiheit zu füllen und zu geniessen.

Das gute Gefühl stellt sich erst ein, wenn die Ausübung der eigenen Autonomie nicht mehr ein seltener Ausnahmefall ist. Damit es dazu kommt, müssen Sie in einem wohlverstandenen Sinne Ihre eigenen Interessen verfolgen. Wenn Sie das tun, lassen sich vorübergehende negative Gefühle aber nie ganz vermeiden.

Zusammenfassung

Sie haben die wichtigsten Emotionen kennengelernt, aus denen sich das Aufschieben speist. Angst und Ärger, perfektionistische Ansprüche und Ohnmachts- oder Schamgefühle tragen zu Konflikten bei, denen Sie durch die Flucht ins Aufschieben zu entkommen trachten. Leider haben Sie hinterher häufig noch mehr Konflikte und noch mehr Stress als vorher, denn Depressivität und Selbstwertstörungen können die Folgen chronischen Aufschiebens sein. Sie haben dann schon seit langem nicht mehr nur ein einfaches Problem mit fehlender Motivation, sondern erleben ein Defizit an Sinn und dem Gefühl, Ihr Leben selbstbestimmt gestalten zu können.

Teil II
Die tiefer liegenden Wurzeln des Aufschiebens

7.

Schicksal, Störung, schlechte Angewohnheit? – Der wissenschaftliche Erklärungsversuch

Wie erklärt man das Aufschieben eigentlich? Ist die Neigung dazu angeboren, handelt es sich um ein Symptom einer dahinterliegenden Störung oder ist Aufschieben die zwangsläufige Folge eines Mangels an Know-how?

Im Folgenden wird der Standpunkt der psychologischen und psychotherapeutischen Wissenschaft zu diesen Fragen skizziert.

Aufschieben als Merkmal der Persönlichkeit

In dieser liebenswürdigsten aller Sichtweisen ist die Tendenz zum Aufschieben etwas Angeborenes, ein unveränderbarer Zug unserer Persönlichkeit. Wenn das so wäre, dann stünde das Aufschieben weitgehend außerhalb der eigenen Kontrolle. Als angeborene Verhaltenstendenz hätte sie sich allerdings im Laufe unserer langen stammesgeschichtlichen Entwicklung zum modernen Menschen nicht erhalten können, wenn sie nicht eine positive Anpassungsfunktion gehabt hätte. Apologeten des Aufschiebens suchen daher nach dem evolutionären Vorteil und vertreten die Auffassung, es stehe mit Kreativität und Genie in Verbindung. Damit sind Sie als jemand, der aufschiebt, geadelt. Dieser Meinung steht die Tatsache gegenüber, dass alle ernsthaften Berichte über sehr kreative Menschen deren gute Selbstorganisationsfähigkeiten, Fleiß und Ausdauer hervorheben. Einstein wird die Äußerung zugeschrieben, Genie sei 10 Prozent Inspiration und 90 Prozent Transpiration. Zudem ist schwer erkennbar, in welcher Weise die Höhlenbewohner, die den nächsten Jagdzug herausschoben, davon einen Selektionsvorteil hatten. Außerdem ist die Idee, dass Menschen bei aller

Unterschiedlichkeit wegen *eines* gemeinsamen genetischen Merkmals aufschieben, ziemlich abwegig.

Eine einfache psychoanalytische Darstellung grundlegender Persönlichkeitsmerkmale macht deutlich, dass Ihr Charakter Sie in unterschiedlicher Weise zum Aufschieben disponieren kann. Ihr Charakter ist Ihr relativ unveränderbares System von Denk,- Fühl- und Handlungsstrategien (Modi), mit denen Sie Ihr Leben bewältigen. Wenn Sie zum depressiven Modus neigen, dann sind Sie durch eine gedrückte Stimmungslage sowie eine Hemmung Ihres Temperaments und Ihrer zupackenden Motorik gekennzeichnet, die sich mit Interesselosigkeit und einer abgesenkten Leistungs- und Konzentrationsfähigkeit verbinden. Ihre Antriebsarmut wird Ihnen das Aufschieben nahelegen, Ihre Mattigkeit wird Ihnen signalisieren, dass nichts läuft. Sie fühlen sich hilfs- und anlehnungsbedürftig und sind in Gefahr, sich von Menschen und Aufgaben, mit denen fertig zu werden wichtig wäre, gänzlich zurückzuziehen.

Wenn Sie der Welt mit einem eher zwanghaften Modus gegenüberstehen, dann sind Ihnen Sauberkeit, Ordentlichkeit und Pflichtbewusstsein hohe Werte. Perfektionismus und Methodik sind Ihre Begriffe! Sie werden dazu neigen, alles auf dieselbe Art und Weise angehen zu wollen. Treffen Sie bei einem Projekt auf Chaos und Unüberschaubarkeit, wächst die Gefahr des Aufschiebens. Sie können sich verbeißen und festfressen, weil es Ihnen innerlich häufig um Sieg oder Niederlage geht.

Im phobischen Modus ist Ihr Verhalten durch Vermeidung gekennzeichnet. Sie leiden vielleicht nicht unter Platzangst oder Klaustrophobie, meiden aber etwas anderes: Lebhaftigkeit, Menschen, Auseinandersetzungen. Sie betrachten sich als schüchtern und fühlen sich in Gesellschaft unwohl. Andererseits sind Sie sind nicht gerne allein und binden sich eng an Ihren Partner. Sie schieben vor allem die Dinge auf, die Ihnen Angst machen. Oft handelt es sich dabei um Herausforderungen, die Ihr Leben bereichern und Ihre Selbstverwirklichung voranbringen könnten.

Im hysterischen Modus wird Ihr Denken durch flüchtige Eindrücke und vorübergehendes Ergriffensein mehr bestimmt als durch kühle Abwägung. Manchmal können Sie schwer zwischen Realität und Phantasie unterscheiden. Sie lieben Anfänge, aber nicht so sehr das Durchhalten, Ihre Stärke ist der Sprint, egal ob bei Aufgaben, Entschlüssen oder dem Umgang mit anderen Menschen, nicht die Marathonstrecke. Manchmal dramatisieren Sie und spielen Spielchen, sind plötzlich ganz klein und hilflos. Das bringt Farbe in Ihr Leben und Sie erleben dann intensive Gefühle. Routine langweilt Sie und Sie können sich nicht vorstellen, gelassener zu leben.

Die meisten Menschen haben eine Charakterstruktur, in der sich Elemente aus dieser einfachen Typologie mischen. In der Art und Weise, wie Sie sich mit Aufgaben und Menschen auseinandersetzen, werden Sie Ihre bevorzugten Modi erkennen können. Auf Ihre Art versuchen Sie dann nicht nur, alltägliche und besondere Dinge zu erledigen, Ihre Beziehungen zu anderen Menschen zu gestalten, sondern auch Ihr Selbstwertgefühl zu regeln. Im narzisstischen Modus steht das so sehr im Vordergrund, dass es Ihnen bei allen möglichen Lebenslagen mehr um Ihre Geltung, Ihr Ansehen und Ihre Würde geht, als um die Aufgaben. Sie haben sozusagen immer ein Auge im Spiegel und beobachten sich. Dass Sie das überhaupt machen, zeigt bereits, dass Sie keinesfalls so selbstsicher sind, wie Sie sich geben. Sie sind leicht kränkbar, vor allem durch das, was Sie für Versagen halten. Eine Aufgabe, die Sie nicht lösen können, kann Ihren narzisstischen Anspruch so strapazieren, dass Sie einen Tobsuchtsanfall kriegen.

Je nachdem welche Persönlichkeitszüge bei Ihnen überwiegen, werden Sie eine mehr oder weniger große Neigung zum Aufschieben haben. Sie wird jedoch stets im Rahmen des Üblichen bleiben und für Sie im wesentlichen kein Problem darstellen.

Aufschieben als Merkmal von Persönlichkeitsstörungen

Es lassen sich verschiedene Störungen im Aufbau und in der Funktionsweise der Persönlichkeit beschreiben, bei denen Aufschieben zu erwarten ist. Bei ihnen allen haben sich die normalen Persönlichkeitszüge ins Extrem gesteigert und verfestigt, so dass die übliche Elastizität des Verhaltens fehlt.

Wer beispielsweise unter einer narzisstischen Persönlichkeitsstörung leidet, beschäftigt sich zu sehr mit Phantasien von eigener Großartigkeit und hat ein intensives Bedürfnis danach, bewundert zu werden. Ungeduld, übertriebene Erwartungen an die eigene Leistungsfähigkeit und eine intensiv feindselige Reaktion auf erwartete oder tatsächliche

Kritik treten insbesondere dann auf, wenn solche Personen in Konkurrenz mit anderen stehen oder öffentliche Bewertung möglich ist. Ihre impulsiven Arbeitsweisen: langes Nichtstun, dann pausenlose Nachtschichten, führen generell zu schlechteren Arbeitsergebnissen.

Die abhängige Persönlichkeitsstörung macht es Menschen unmöglich, alltägliche Entscheidungen leicht zu treffen, Initiative zu entfalten und Selbstvertrauen zu erwerben. Als Ergebnis setzen die Betroffenen ihre Fähigkeiten herab, verwechseln Misserfolg mit Wertlosigkeit und geraten so in einen Teufelskreis, der sie für das Aufschieben immer anfälliger macht.

Zwanghaft gestörte Persönlichkeiten zeichnen sich durch wiederkehrende zeitaufwendige Zwangsgedanken und/oder -handlungen aus, die auf ein exzessives Bedürfnis hinauslaufen, sich und/oder ihre Umwelt zu kontrollieren. Sie wehren sich gegen Impulse aus ihrem Inneren ebenso wie gegen Forderungen ihres strengen Gewissens, das nur höchste Perfektion gelten lässt. Sie entwickeln Rituale und Zwangshandlungen, mit denen sie sich gegen andrängende Impulse oder Forderungen wehren. Da sie unter einem hohen Maß an innerem Ärger, Unflexibilität und Perfektionismus leiden, haben sie mit Aufgaben jede Menge Schwierigkeiten.

Menschen mit einer vermeidenden Persönlichkeitsstörung leiden unter sozialen Hemmungen, Gefühlen von Unzulänglichkeit und einer exzessiven Angst vor negativer Bewertung durch andere. Sie meiden alles, was dieses Risiko birgt, schieben also auf.

Personen mit einer histrionischen Persönlichkeitsstörung suchen unentwegt nach Beachtung durch andere und versuchen, sie mit Hilfe übertrieben in Szene gesetzter Gefühle zu erreichen. Sie brauchen die Erregung, Langeweile ist für sie identisch mit Leere. Lange Durststrecken, an deren Ende erst Belohnungen winken, sind für sie unerträglich. Sie sind groß im enthusiastischen Start, aber dann geht ihnen schnell die Puste aus.

Noch schwerere Störungen, wie die Borderline-Persönlichkeitsstörung oder die Antisoziale Persönlichkeitsstörung, stehen an der Grenze zu psychotischen Störungen, also Geisteskrankheiten. Ihre Kernmerkmale sind Schwierigkeiten mit der Akzeptanz der Realität bzw. ihrer Normen und aus genau diesen Gründen rufen sie Aufschieben hervor. Impulsive Durchbrüche, Aufmerksamkeitsdefizite und hypermotorische Verhaltensweisen sind ebenso kennzeichnend wie Störungen in der Gewissens- und Vorsatzbildung, so dass diese Menschen es ohnehin schwer haben, Beschlüsse zu fassen, an die sie sich dann auch selbst gebunden fühlen. In letzter Zeit hat das Aufmerksamkeits-Defizit-Syndrom bzw. Aufmerksamkeits-Hypermotorik-Defizit-Syndrom viel Beachtung gefunden. Seine Merkmale überschneiden sich mit den Verhaltensweisen von Aufschiebern relativ stark. Im Unterschied zu den meisten Aufschiebern sind die Personen mit dieser chronischen Störung jedoch strukturell im Aufbau ihrer Persönlichkeit auch sonst sehr geschädigt und funktionieren auf dem Niveau der Borderline-Persönlichkeitsstörung. Da es statistisch gesehen viel mehr Aufschieber gibt als Borderliner, folgt daraus, dass wohl nur ein geringer Prozentsatz von ihnen wegen dieser schweren Störung aufschiebt.

Gestörte Persönlichkeiten haben Schwierigkeiten damit, sich ihrer Umwelt in erfolgreicher Weise anzupassen. Die Störungen selbst werden – anders als Persönlichkeitsmerkmale – zwar nicht als ganz so unbeeinflussbar eingeschätzt, aber nur intensive Psychotherapie über lange Zeit kann hier positive Veränderungen bewirken. Chronische generalisierte Aufschieber können von ihr profitieren.

Das Aufschieben kann auch als Begleitsymptom einer Reihe von noch schwereren seelischen und körperlichen Erkrankungen vorkommen, auf die hier jedoch nicht näher eingegangen wird.

Aufschieben als Symptom von neurotischen Konflikten

Bislang ging es um die strukturellen Seiten des Aufschiebens. Jetzt geht es um die Wechselwirkung Ihres Charakters mit Situationen. Dabei treten unausweichlich Konflikte auf. Als relativ ungestörter Mensch können Sie in einen normalen Konflikt geraten zwischen zwei miteinander unvereinbaren Tendenzen: Sie möchten gerne die Sportschau im Fernsehen sehen, aber Sie müssen auch noch den Rasen mähen, wenn Sie Ärger mit Ihrer Frau, der Sie das versprochen haben, vermeiden wollen. Sie schließen einen »reifen« Kompromiss, indem Sie sich eine Viertelstunde TV gönnen, dann schalten Sie ab und beginnen mit der Rasenpflege.

In einem neurotischen Konflikt geht es hingegen um Triebwünsche, die sich auf die Außenwelt richten. Sie möchten beispielsweise mit einer flammenden Rede den Vorsitzenden Ihres Tennisvereins als unfähig entlarven. Dieser Wunsch ist stark mit Aggression aufgeladen. Bewusst wollen Sie nur dafür sorgen, dass der unfähige Vorsitzende nicht länger sein Unwesen treibt. Unbewusst aber werden kindliche oder pubertäre Wünsche, sich gegen Ihren Vater aufzulehnen, wiederbelebt, die damals in Angst erstickten. Diese Angst (oder auch Schuld- und Schamgefühle) meldet sich jetzt wieder. Nun sind Sie in einem neurotischen Konflikt zwischen einer Triebregung, die nach Befriedigung sucht, und einer Angst, die ihr als Hemmung gegenübersteht. In diesem Konflikt, der das Ich auf die Dauer schwächt, kann sich ein Symptom entwickeln: das Aufschieben. Sie schreiben unentwegt an Ihrer Rede, sammeln geistreiche Argumente, feilen an Formulierungen und haben eine gewisse Triebbefriedigung bei der Phantasie, wie Sie mit dieser Rede auf der Mitgliederversammlung brillieren werden. Da Sie aber nicht rechtzeitig fertig geworden sind, findet die Versammlung ohne Sie statt, und der Vorsitzende ist wiedergewählt worden. Sie aber haben sich durch das Aufschieben die volle Angst vor Ihren Aggressionen, Schuldgefühlen und vor der etwaigen Rache des Vorsitzenden im Versammlungsraum erspart.

Im Symptom des Aufschiebens setzen sich *gleichzeitig* angestrebte Triebbefriedigungen durch, aber auch Hemmungen und Verbote, so dass zwar ein bißchen Genuss, aber auch viel Reue möglich sind.

Aus psychoanalytischer Sicht hat dabei das Ich des Menschen (das sind Sie, so wie Sie sich bewusst erleben, als steuernde Instanz) die Aufgabe, Triebwünsche aus dem Es (dem Reservoir an Impulsen, Emotionen und Trieben) ebenso zu berücksichtigen wie moralische Gewissensforderungen, Ge- und Verbote (die normative Instanz in Ihnen, die als Über-Ich bezeichnet wird). In Ihrem Über-Ich lagern als Ansprüche auch die Vorstellungen darüber, wie Sie idealerweise sein sollten. Dieses Ich-Ideal kann es in sich haben und Ihnen das Leben zur Qual machen! Wenn Sie ihm entsprechen, ist natürlich alles in Butter. Wehe aber, wenn Sie Ihre realen Handlungen ständig mit Idealforderungen vergleichen und bei diesem Vergleich immer schlecht abschneiden. Sie sollten sich gesünder ernähren und Ihr Idealgewicht anstreben, verlangt Ihr Über-Ich. Sie sind nur dann akzeptabel, wenn Sie so toll aussehen wie Ihr Vorbild, lockt und droht Ihr Ich-Ideal. Aber ich will Schokolade, wendet Ihr Es ein. Ihr armes Ich, das diese unterschiedlichen Forderungen integrieren muss, ist überfordert. Wenn Sie nun eine Essstörung entwickeln, in der sich hemmungslose Fressanfälle mit dem Erbrechen der aufgenommenen Nahrung abwechseln, dann haben Sie einen neurotischen Kompromiss geschlossen und ein Symptom entwickelt. Ihr Ich folgt einfach den jeweiligen Impulsen und Geboten und macht mal das eine, mal das andere.

Wie Sie mit Konflikten umgehen, wird im wesentlichen durch Ihre Persönlichkeitsstruktur bestimmt. Es gibt also narzisstische, depressive, zwanghafte, phobische und hysterische Modi der Konfliktlösung. Je nach Konflikt sind diese Herangehensweisen mehr oder weniger geeignet, eine gute Lösung herbeizuführen.

Aufschieben als Ergebnis ungenügender Fertigkeiten

Egal, ob die aufschiebenden Personen gesund, gestört oder neurotisch konfliktbelastet sind, zeigen sie doch Gemeinsamkeiten im Verhalten, besonders dann, wenn Schwierigkeiten und Störungen bei einem Vorhaben auftauchen. Es fehlt ihnen an Fertigkeiten, um mit gewöhnlichen und besonderen Störungen umzugehen. Zu den Schwierigkeiten gehören beispielsweise unklare oder unangemessene Anforderungen. Wenn Ihnen jemand ein Kreuzworträtsel in die Hand drückt und sagt, Sie sollten mal sehen, wie Sie damit zurecht kämen und in einer halben Stunde ein Ergebnis liefern, ist ziemlich klar, was von Ihnen erwartet wird. Wenn Sie von sich selbst jedoch ein Marketingkonzept, die richtige Entscheidung über Ihre Zukunft oder die Selbstverwirklichung schlechthin fordern, dann wissen Sie nicht, was Sie konkret tun sollen. Sie werden irritiert sein, die Wahrscheinlichkeit des Aufschiebens steigt an. Sie legen los, beginnen aber in Ihrem inneren Selbstgespräch, Druck zu machen, und können diese Gedanken nicht mehr stoppen. Sie steigern Ihre Geschwindigkeit, statt sich Zeit zu nehmen, um Ihr Vorgehen zu planen. Ihre Geschäftigkeit reduziert unangenehme Gefühle, hindert Sie aber daran, Ihre Aufmerksamkeit auf die ursprüngliche Aufgabe zu richten, da es Ihnen jetzt darum geht, die unerwünschte Anspannung loszuwerden. Flüchtig fällt Ihnen auf, dass Sie ausweichen. Sie fühlen sich bei diesem Gedanken äußert unwohl, also hören Sie damit auf, sich selbst zu beobachten und zu bewerten. Damit allerdings können sich alle möglichen Impulse viel leichter durchsetzen. Ihnen passieren

Fehler, Sie vergessen etwas, sind unkonzentriert und verlieren den Spaß an der Sache vollends.

Vorher aber reißen Sie sich noch einmal zusammen. Sie wollen sich nicht unterkriegen lassen. Erst mal einen Kaffee trinken und dann weitersehen. Dieser Versuch, die Kontrolle über Ihr Vorgehen zurückzugewinnen, geht daneben, denn Sie greifen zu einem zu schwachen Mittel. Beim Kaffeetrinken denken Sie daran, wie schlecht Sie vorangekommen sind. Je länger die störenden Impulse andauerten und je weniger Sie erreicht haben, desto stärker wird Ihre Tendenz, den ablenkenden Impulsen zu folgen, und zwar auch deswegen, weil Sie dadurch Schuldgefühlen entkommen können. »Ist die Figur erst ruiniert, isst man Spaghetti ungeniert«, heisst die Devise: »Jetzt kommt es nicht mehr drauf an!« In der extremsten Form bricht Ihre Selbststeuerung sofort zusammen, sobald Sie den ersten ablenkenden Impuls wahrnehmen. Dann kommen Ihr Genuss durch unmittelbare Triebbefriedigung und Ihre Reue durch Gewissensbisse zur selben Zeit zu einem Höhepunkt.

Nach solchen Zwischenfällen treten bei Ihnen mit hoher Wahrscheinlichkeit die folgenden Reaktionen ein:

- Enttäuschung bis hin zur Depression,
- verringertes Selbstvertrauen,
- Unsicherheit über die eigenen Fähigkeiten.
- Eventuell erleben Sie auch Missbilligung durch andere oder weitere negative Konsequenzen.

Dadurch wird erneut Spannung erzeugt, die das Aufschieben in einem Teufelskreis verstärkt: Unschlüssigkeit und weitere Verzögerungen nehmen zu, ebenso Ihr innerer Ärger. Scham und Neid auf Erfolgreichere können sich einstellen, was die Bereitschaft, von ihnen Hilfe anzunehmen, um beispielsweise bessere Arbeitsmethoden zu erlernen, noch einmal herunterschraubt.

Wissenschaftler, die das Verhalten von Menschen unter Laborbedingungen und in freier Wildbahn beobachten, haben sich immer wieder gefragt, was gute Arbeitshaltungen und positive Leistung unterscheidet von diesem katastrophalen Verlauf mit schlechten Arbeitsergebnissen und einem quälend erlebten Prozess der Leistungserbringung. Dabei hat sich gezeigt, dass man bestimmte Fertigkeiten *(skills)* braucht, um sich zu motivieren, ein schwieriges Vorhaben anzufangen und durchzuhalten. Motivierte Menschen *sind* nicht anders, sie *verhalten* sich aber anders. Die Wahrnehmung ihres Verhaltens verstärkt ihre Motivation:

Eine positive Rückkopplung setzt ein, angemessenes Verhalten wird gelernt. Leider gilt auch, dass Sie als jemand, der aufschiebt, noch stärker entmutigt werden können, wenn Sie mit ungenügenden Fertigkeiten an Entscheidungen oder Aufgaben herangehen. Umgekehrt aber werden Sie, wenn Sie die Strategien der Sieger anwenden (auch wenn Sie sich überhaupt nicht danach fühlen) mehr Erfolg als bisher haben. Damit können Sie einen Grundstein legen für Veränderungen, die weit über die Anwendung von neuen Fertigkeiten hinausgehen.

Im dritten Teil dieses Buches, in dem es um die Bewältigung des Aufschiebens geht, biete ich Ihnen eine Fülle von Möglichkeiten an, neue *skills* zu lernen und schon vorhandene zu verbessern.

Zusammenfassung

Insgesamt kann bei diesen wissenschaftlichen Erklärungsversuchen des Aufschiebens festgestellt werden, dass Ihre Persönlichkeitsstruktur Sie für das Aufschieben in unterschiedlicher Weise anfällig machen kann, ebenso strukturelle seelische Störungen. Außerdem können Sie sich in Konfliktsituationen befinden, bei denen das Aufschieben scheinbar eine Lösung anbietet, die jedoch einem neurotischen Symptom entspricht und nur tiefer in die Probleme hineinführt, die Sie vermeiden wollten. Was und wie Sie aufschieben, wird durch Ihre bevorzugten Modi des Umgang mit der Welt und mit Konflikten bestimmt. In akuten Aufschiebesituationen

- reagieren Sie ungeduldig, wenn sich die Aufgaben als schwierig erweisen, Widerstände auftreten und perfektionistische Ansprüche im Spiel sind;
- engen Sie Ihre Aufmerksamkeit auf eben diese Schwierigkeiten und die begleitenden unangenehmen Gefühle ein;
- weichen Sie gewohnheitsmäßig zwanghaft und impulsiv auf leichter zu bewältigende Dinge aus, um die unangenehme Selbstwahrnehmung zu reduzieren und weniger Anstrengung zu erleben.

8.

Ich war schon immer so: individuelle Aspekte

Wird man als Aufschieber geboren? Oder lernen wir das Aufschieben? Warum gelingt es manchen Menschen, ungestört Entscheidungen zu treffen und handlungsfähig zu sein, während andere sich quälen und abmühen? Natürlich haben diese Unterschiede mit unserer Erziehung zu tun, mit unseren Vorbildern und unseren Erfahrungen. Häufig wurden uns die Motivationen von außen nahegelegt, wir mussten uns Notwendigkeiten unterordnen und wurden von außen belohnt. Damit legten wir uns eine extrinsische, das heißt von äußeren Faktoren gesteuerte Motivation zu. Besser hatten wir es, wenn wir eine intrinsische Motivation (die, bei der die Sache selbst Spaß macht) erwerben konnten. Dazu brauchten wir das Erleben von

- sozialer Einbindung (nicht allein zu sein),
- Autonomie (selbst entscheiden, probieren und handeln zu dürfen),
- eigener Kompetenz (unsere Sachen erfolgreich zu erledigen).

Um Vertrauen in unsere Kompetenzen zu erwerben, waren wir ganz besonders auf glaubwürdige positive Rückmeldungen über unsere Leistung angewiesen. Schmeicheleien halfen uns nicht und destruktive Kritik noch weniger.

Ganz allgemein lässt sich über die Einflüsse der Kindheit auf das Aufschieben Folgendes sagen:

- Chaotische Familien leben undisziplinierte Haltungen vor, mit denen Kinder sich identifizieren oder gegen die sie sich ein starres Ordnungskorsett zulegen. Beides begünstigt das Aufschieben.
- Überstrenge Familien, in denen Kadavergehorsam gefragt ist, verlangen von Kindern die totale Unterordnung unter einen fremden Willen. Später trauen diese Kinder ihrem Urteil nicht, wissen nicht, was

sie wirklich wollen und haben keine Ahnung, wie sie das jemals herausfinden können.

- Verwöhnende Familien, die jeden kleinen Schritt mit Lob und übergroßem Jubel quittieren, schaffen unrealistische Standards und erzeugen absurde Erwartungen an äußeren Zuspruch. Bleibt der aus, erleben Kinder das als Versagung. Da sie nicht lernen mussten, sich durchzubeißen, schieben sie Schritte auf, die eine gewisse Härte gegen sich und andere erfordern.
- Familien, in denen auf Verweigerung hin (»Ich will nicht«) inkonsistentes Verhalten der Erzieher erfolgt (einmal ignorieren, dann wieder strafen oder sogar belohnen), fixieren Kinder auf das Austesten der Grenzen, also auf das Aufschieben.
- Der Mythos der Sofortbefriedigung, auch durch das Fernsehen genährt, schafft falsche Erwartungen. Statt die unweigerlichen Frustrationen beim Spiel in der Gruppe ertragen zu lernen, kann ein Kind sich an sein Video- und Computerspiel zurückziehen und damit die Lösung wichtiger sozialer Aufgaben aufschieben.
- Kinder mit Lernschwierigkeiten vermeiden die unausweichlichen Enttäuschungen, indem sie aufschieben.

Dabei sind die Zusammenhänge nicht immer linear und einfach. Aus einer Familie von fröhlichen Chaoten kann durchaus ein disziplinierter sorgfältiger Arbeiter hervorgehen – und umgekehrt. Der Schlüssel zum Verständnis liegt in der Entwicklung unserer Persönlichkeitsstruktur und der Herausbildung unseres Ichs als der Instanz, die zwischen inneren Antrieben wie Wünschen oder Gewissensforderungen und den Ansprüchen der Außenwelt vermittelt. Sie sind auf das Engste verbunden mit unseren zwischenmenschlichen Erfahrungen. Diese sind umgeben und geprägt von gesellschaftlichen Bedingungen und Werten, die – über Verhalten und Sprache vermittelt – unsere Umgangsformen miteinander und unseren Umgang mit uns selbst weitgehend festlegen. Doch trotz aller Determiniertheit bleibt in dem Maße, wie unsere Reifung voranschreitet und wir zu eigenem Denken, Fühlen und Handeln fähig werden, ein nicht festgelegter Bereich, der uns zur Verfügung steht, um uns autonom zu gestalten, nach Vorstellungen und Ideen, die ganz allein aus uns selbst stammen.

Unsere Persönlichkeitsentwicklung wird vorangetrieben und gekennzeichnet durch verschiedene Konflikte, für die Lösungen gefunden werden müssen. Diese Konflikte spielen sich in der Regel zwischen uns und unseren Eltern ab. Später im Leben können wir an eben denselben verinnerlichten Konflikten leiden und sie mit den Menschen, die jetzt für uns wichtig sind, wieder in Szene setzen.

In der frühesten Kindheit geht es um die Herausbildung von Urvertrauen oder Misstrauen der Umwelt, aber auch sich selbst gegenüber, und um die Entwicklung des Selbstwertgefühls. In der Phase der Reinlichkeitserziehung stehen die allmählich erwachende Autonomie und die Fähigkeit, sich und die Umgebung zu kontrollieren, im Vordergrund. Hier kann sich ein Gefühl der Stärke entwickeln, aber auch eine schamerfüllte Einstellung zu sich selbst, gepaart mit dem Gefühl der Machtlosigkeit. Die Konflikte der nächsten Phase betreffen die zunehmende Loslösung von den Eltern, die Ausübung der Fähigkeit, den eigenen Weg zu gehen oder schuldgefühlhaft davor zurückzuschrecken. Das Schulkind muss Initiative in Form von Fleiß und Lerneifer entwickeln oder es wird von Minderwertigkeitsgefühlen geplagt. In der Pubertät geht es darum, das erneut labilisierte Gefühl der eigenen Identität zu festigen, sich als Einheit zu erleben und sich der Umwelt gegenüber auch so darzustellen.

Im Durchlaufen dieser Konflikte prägen sich Handlungs- und Erlebensmuster heraus, die als Standardreaktionen auf bestimmte wiederkehrende Konfliktsituationen gespeichert werden. Ihre Gesamtheit bildet Ihr »Betriebssystem«, das üblicherweise als Charakter oder Persönlichkeit bezeichnet wird. Bei einem Computer ist dieses System erforderlich, um die einzelnen Anwendungsprogramme, wie zum Beispiel eine Textverarbeitung, ablaufen zu lassen. In Ihrem Verhalten ist es nicht anders: Komplexe Anwendungen, wie das Fassen von Entschlüssen oder das Planen und Durchführen von Vorhaben, erfordern ein funktionsfähiges Betriebssystem, sprich: Persönlichkeitsmerkmale und Reaktionsweisen, die es Ihnen erlauben, möglichst flexibel auf die verschiedenen Anforderungssituationen zu antworten. Je enger und einseitiger Ihre Persönlichkeitszüge sind, je spezifischer Ihre Reaktionsweisen, desto eher kann es zu Problemen kommen. Schließlich sind Sie von einer speziellen Umwelt geprägt worden und haben sich in der Anpassung an diese entwickelt. In ihr kennen Sie sich aus. Was aber ist, wenn Sie in neue Umgebungen geraten, die sich von Ihrer Herkunftsfamilie sehr unterscheiden können? Wenn in ihr eine gewisse Offenheit herrschte, konnten Sie viele Reaktionsweisen ausprobieren, die es Ihnen erlaubten, kreative Lösungen für ganz neue Situationen zu finden, ohne dabei von Stress überrollt zu werden. Andernfalls stehen Sie noch heute in Situationen, in denen Sie ein Windows 2000 gut gebrauchen könnten, mit einer Art steinzeitlichem DOS (erinnern Sie sich noch?) da. In ihm finden Sie keine Strategien, um Motivation zu erzeugen, Emotionen zu steuern und Stress abzubauen. Wenn Sie das nicht können, kommt es zum Aufschieben.

Was nun Anja, Beate und Helmut anbelangt, so sind auch sie im Hinblick auf das Aufschieben durch ihre Kindheit geprägt, auch wenn sie aus ganz unterschiedlichen Familien kommen:

Beate ist Einzelkind. Ihre Eltern haben nicht studiert. Wenn nicht nach der Grundschulzeit die Lehrerin eingegriffen hätte, wäre Beate zur Realschule gekommen. Traditionell gingen die Kinder aus wohlhabenden Akademikerfamilien auf das Gymnasium, an dem Beate die Aufnahmeprüfung glänzend bestand. Ihre Eltern waren stolz, fürchteten sich aber auch vor dem, was mit dieser klugen Tochter auf sie zukommen würde: Kontakte zu studierten Menschen und einem Milieu, das sie nicht aus eigener Anschauung kannten. Eines machte Beates Vater von vornherein klar: Ein Sitzenbleiben hätte die Umschulung auf die Realschule zur Folge. Beate hatte in den ersten Jahren immer gute Zensuren. Erst in der Pubertät bekam sie Lernschwierigkeiten und sackte in ihren Leistungen ab. Als ein blauer Brief kam, erneuerte ihr Vater seine Drohung: keine Versetzung, kein Verbleib auf dem Gymnasium. Auch Nachhilfeunterricht käme nicht in Frage. Beate habe auf die höhere Schule gewollt, nun müsse sie das auch allein durchziehen. Beate spürte die Ambivalenz ihrer Eltern, die noch stärker wurde, als sie häufiger Themen aus Literatur und Politik anschnitt, bei denen die Eltern nicht mithalten konnten. Beate entfremdete sich ihrer Familie. Ungern brachte sie Freunde und Freundinnen, die aus reichen Elternhäusern kamen, mit zu sich nach Hause, denn sie schämte sich für die kleine Mietwohnung der Eltern, für deren beschränkten Horizont und ihr wenig weltläufiges Verhalten. Andererseits fühlte sie sich als Gast bei den anderen oft ebenfalls unbehaglich. Beate saß zwischen allen Stühlen. Ihr Weg aus der Klemme bestand darin, alles doppelt so gut machen zu wollen wie die anderen. Mit einer Freundin teilte sie das Idealbild einer asketischen, strengen Intellektuellen, die eisern arbeitet, perfekte Ergebnisse liefert und sich gleichzeitig sozial engagiert. Simone de Beauvoir wurde ihr Vorbild, dem sie nacheiferte. Ihre schulischen Leistungen stabilisierten sich, ihre inneren Konflikte allerdings auch.

Helmut stammt aus einer pietistischen Pfarrersfamilie. Sein Vater regierte Familie und Gemeinde wie ein alttestamentarischer Patriarch. Helmuts Mutter setzte ihre Mission, den Kindern ein beispielhaftes Verhalten beizubringen, mit Konsequenz um. Spaß, Freude und Vergnügen galten in der Familie als verdächtige Verirrungen; Vorbildhaftigkeit, Pflichtbewusstsein und ein gottgefälliges Dasein waren die bestimmenden Werte. Helmuts sieben Jahre älterer Bruder war der Star der Familie, der in Vaters Fußstapfen trat und ebenfalls Pfarrer wurde. Die fünf Jahre ältere Schwester wurde Ärztin. Helmut war als Nachzügler einerseits der Liebling seiner Mutter, andererseits erzog sie ihn besonders streng, da er im Vergleich zu den Geschwistern immer verspielter und weniger tüchtig war. Seine Schulzeit hindurch hörte er die Frage: » Wieso bist du nicht so gut wie deine Geschwister?« Als Helmut zehn Jahre alt war, erkrankte seine Mutter an einer schweren Depression. Helmut hatte nie den Mut, offen gegen seinen Vater aufzubegehren. Eine Art stille Rebellion zeigte sich darin, dass er zur Enttäuschung seines Vaters nach dem Abitur nicht studierte, sondern eine Ausbildung als Versicherungskaufmann machte.

Anjas Vater ist ein sehr erfolgreicher Architekt. Nachdem Anja als zweites Kind, drei Jahre nach ihrer Schwester, geboren wurde, gab Anjas Mutter ihr Architekturstudium auf. Anja hatte später immer den Eindruck, als sei sie an der Entscheidung ihrer Mutter schuld gewesen, woran auch die Geburt einer weiteren Schwester, zwei Jahre später, nichts änderte. Anjas Vater war aus beruflichen Gründen nur selten zu Hause. Wenn er kam, dann stets mit einem großen Auftritt, die Arme voller Geschenke und Überraschungen, in bester Laune. Er war mitreißend und vergötterte Anja als sein Lieblingskind. Zu ihrem 15. Geburtstag mietete er ein Bierzelt und gab zu ihren Ehren ein rauschendes Fest, auf dem er den ganzen Abend lang mit ihr tanzte. Ihre Mutter erschien Anja als zunehmend verbitterte Frau, die nicht das Format gehabt hatte, bei der glänzenden Karriere ihres Mannes mitzuhalten. Sie, auf der die ganze Kindererziehung lastete, fühlte sich unentwegt überfordert und schaffte es nicht, eine gewisse Routine in den Alltag zu bringen. Oft gingen die Kinder morgens ohne Frühstück, aber mit jeweils zwanzig Mark in der Tasche aus dem Haus, um sich auf dem Schulweg irgendwo etwas zu essen zu kaufen.

Die Beispiele zeigen, wie verschieden die Herkunftsfamilien von Menschen mit ähnlichen Problemen sein können. Unsere frühen familiären

Erfahrungen schaffen einen günstigen Nährboden für die Entwicklung von Kompetenz – oder bilden die Grundlage für die Gewohnheit des Zauderns und Aufschiebens. Im Folgenden können Sie sich über einige typische Entwicklungsverläufe und -ergebnisse informieren, die das Aufschieben begünstigen. Anschließend können Sie einen Blick werfen auf gesellschaftliche Faktoren, die ebenfalls mit Zaudern, Zagen und Zweifeln in Verbindung stehen.

Frühe Kindheit

Zwar ist die Familie, in die wir hineingeboren werden, jeweils einzigartig, aber dennoch sind wir alle mit gleichartigen entwicklungsbedingten Konflikten konfrontiert, für die es einige typische Lösungsmuster gibt. Unser Leben beginnt als Zwei-Einheit im Uterus unserer Mutter und setzt sich noch im ganzen ersten Lebensjahr in Form einer symbiotischen Abhängigkeit zu und mit ihr fort. Im Unterschied zu früheren Auffassungen, die im Säugling ein narzisstisch um sich kreisendes Wesen sahen, wissen wir heute, dass wir bereits in den frühesten Stadien unseres Lebens bezogen sind auf andere. Wir müssen dabei von Anfang an

- die Welt entdecken und zu ihr Kontakt halten;
- unseren Erregungspegel regulieren, das heißt uns vor Reizüberflutung, aber auch vor Reizarmut schützen;
- unsere sich herausbildende innere Struktur, unser Ich aufbauen und vor Zerfall bewahren.

Verschmelzung und Abgrenzung

Erleichternd dafür ist eine Umgebung, die durch Reize, welche Interesse und Neugier wecken, in angemessener Weise die Entwicklung anregt. Andererseits sollte aber auch das Bedürfnis nach Schlaf, Ruhe und Alleinsein respektiert werden. Wurden Sie ständig überflutet mit lauten, chaotisch auf Sie einstürzenden äußeren Stimuli, die Ihrem eigenen inneren Rhythmus von Aktivität und Schlaf nicht angepasst waren, dann mussten Sie sich aus Selbstschutz von der Welt zurückziehen. So kann sich eine Haltung entwickelt haben, bei der Sie auch später, in vielleicht ruhigeren und günstigeren Situationen, Aktivität und Zugriff auf die Welt vermeiden müssen, um sich vor der verinnerlichten Gefahr der Reizüberflutung zu schützen und nicht den Zusammenhalt Ihres Ichs zu verlieren. Das Urvertrauen darin, dass die Welt in dem Ihnen überschaubaren Ausschnitt grundsätzlich zu bewältigen ist und dass Sie selbst auch die Fähigkeit haben, sie und sich auszuhalten, bildet eine tragfähige Grundlage für Ihr Leben. Ist dieses Fundament gestört, dann können sich später in scheinbar harmlosen Anforderungssituationen Gefühle einstellen, die an das frühe Überflutetwerden mit unbeherrschbarer Erregung oder an eine unangenehme Leere erinnern. Solche Situationen zu meiden, kann ein wirkungsvolles Motiv für das Aufschieben darstellen.

Als Erwachsener erleben Sie dann beispielsweise eine massive quälende innere Unruhe, wenn Sie sich an die Erledigung einer Arbeit gemacht haben. Sie fühlt sich so überwältigend an, dass Sie ihr um jeden Preis entgehen wollen. Sie können vor allem dann in solche Zustände geraten, wenn Ihr Vorhaben monoton ist, also reizarm, oder unter chaotischen Umständen geleistet werden soll, also mit einem Übermaß an Reizung einhergeht. Sie werden auch häufiger Gefühle einer überwältigenden Ohnmacht erleben, als seien Sie passiv den auf Sie einprasselnden Stimuli aus der Außenwelt, aber auch Ihren Gedanken und Gefühlen ausgesetzt.

Ihr grundlegendes Selbstwertgefühl kann durch frühe Störungen der Einfühlung ebenfalls beeinträchtigt sein. Wenn Sie mit Ihrer Existenz keine vor Mutterglück strahlenden Augen verbinden können, nicht das Gefühl, dass Sie Wert haben, weil Sie Glück hervorrufen und empfangen konnten, dann kann es Ihnen später an einer bejahenden Haltung zu sich und der Welt fehlen. Glücklicherweise hat das Aufschieben nur selten so frühe Ursprünge.

Versorgen und Versorgtwerden

Die nachfolgende orale Phase, bei der Mund und Umgebung die bevorzugte Zone von Erregung und Aufmerksamkeit sind, steht im Zeichen des Erlebens der geglückten oder missglückten Beziehung zur Mutter. Sie kann durch Aktivität ausgezeichnet sein: Wir können durch Saugen etwas in uns aufnehmen (später zum Beispiel Wissen) und wir können beißen (uns verbeißen und nicht loslassen ebenso wie etwas von uns fernhalten, wegbeißen). Wir können aber auch passiv vollgestopft werden, sogar dann, wenn wir gerade kein Aufnahmebedürfnis haben, und somit gezwungen sein, uns Unbekömmliches einzuverleiben. Wieder spielt die freudig genossene, als beglückend erlebte Einfühlung der Mutter in unsere Bedürfnisse eine zentrale Rolle. Es macht einen großen Unterschied, ob Sie nach Plan, womöglich in ungeduldiger Eile, abgefüttert wurden, oder ob Ihre Mutter es sich mit Ihnen gemütlich machte, wenn Sie Hunger hatten und die Nähe zu Ihnen und die eigenen Gefühle genoss. Hier tauchen Begriffe auf, die Sie schon kennen: Die Wahl des rechten Zeitpunkts, ein Sich-Einlassen auf die Situation und die in ihr angeregten Emotionen.

Der Wunsch nach Verschmelzung in einer Beziehung nach dem Vorbild der frühen Beziehung zur Mutter bildet eines unserer Urmotive. Verlief die orale Phase glücklich, dann können Sie in späteren Krisen innerlich zu ihr zurückkehren und Kraft schöpfen. Falls Ihre primären Erfahrungen aber traumatisch waren, weil Sie nicht zu Ihrer Mutter passten, oder sie nicht zu Ihnen, dann wehren Sie sich gegen die Wiederkehr einer ganz engen Beziehung, die Sie an unerträgliche Enttäuschungen und Schmerzen erinnert. Wegen des frühen Mangels fehlen Ihnen innere Kraftquellen, an denen Sie andocken und auftanken können. Das bedeutet das Risiko, sich zu einer depressiv strukturierten Persönlichkeit zu entwickeln. Depressiv zu sein heißt, ein geringes Selbstwertgefühl zu haben, sich abhängig zu fühlen von der Zuwendung anderer, Aggressionen eher gegen sich als gegen andere zu richten, die Welt als leer und ohne positiven Aufforderungscharakter zu erleben und sich selbst schließlich auch ebenso leer und verarmt zu fühlen.

Depressive Menschen haben ein großes orales Bedürfnis nach Versorgung von außen. Sie hatten in früheren Kapitel bereits den Mechanismus der Projektion kennengelernt, mit der Sie von anderen erwarten, so gnadenlos zu urteilen wie Sie es vielleicht tun. Auch die oralen Wünsche lassen sich projizieren. Dann sind nicht mehr Sie es, der etwas will, sondern stets wollen die anderen etwas von Ihnen. »Alles zerrt an mir, das Buch will von mir gelesen werden, die Berge von Geschirr warten nur darauf, dass ich sie abwasche«, so erleben Sie mit einer depressiven Energieverarmung und der Projektion Ihrer eigenen unerfüllten Sehnsüchte Ihre Umwelt. Da Sie keine Kraft übrig haben, können Sie diesen vielen Anforderungen nur ausweichen.

Kontrolle und Beherrschung

Unsere Entwicklung läuft über den Erwerb von Kompetenzen. Mit diesen Kompetenzen verbindet sich immer wieder eine Loslösung aus der engen Beziehung zur Mutter. Das Kind, das sich hinzusetzen gelernt hat, ist kompetenter als das Kind, das nur liegt. Das gleiche gilt für das Laufen. Beides bringt die Autonomieentwicklung mächtig voran. Parallel zu den wachsenden motorischen Kompetenzen, der Körperbeherrschung, entwickelt sich auch der Eigenwille. Die Phase des zweiten und dritten Lebensjahrs steht ganz in seinem Zeichen. Gleichzeitig wird in der Sauberkeitserziehung das Kind aber auch mit dem erzieherischen Willen der Eltern konfrontiert. Freud nannte diese Zeit die anale Phase, und in der Tat sind die Vorgänge von Festhalten und Hergeben, von gehorsamer Produktion (auf dem Töpfchen) und trotziger Verweigerung brauchbare Metaphern für die seelischen Vorgänge, die mit den Austauschbeziehungen zur Umwelt verbunden sind. Ein gedeihlicher Verlauf dieser Phase verhilft zur Ausprägung eines gesunden Eigenwillens, der sich sowohl in der schöpferischen Hervorbringung von Produkten ausdrückt wie auch in einer experimentell-spielerischen Haltung gegenüber Leistungsanforderungen. Entwicklungsstörungen in dieser Zeit begünstigen die Entstehung einer Neigung zum Aufschieben. Warum ist das so?

In der Sauberkeitserziehung vertreten die Eltern erstmals Leistungsanforderungen. Sie bestehen irgendwann (zu früh, zu spät?) und irgendwie (lieb, einfühlsam, verwöhnend, belohnend, hart, unduldsam, fordernd, strafend?) darauf, dass jetzt (innerhalb einer gewissen Zeitspanne, aber nicht irgendwann) hier (an einem Ort und nicht irgendwo) mit einem zielgerichteten Einsatz (statt herumzuspielen) etwas Eigentliches, das, worum es geht (und nicht irgendetwas) produziert und hergegeben werden soll. Auf Produktionsprozess wie Produkt reagieren sie in einer bestimmten Weise (mit Beifall, Genugtuung, Lob, Aufmerksamkeit, Distanz, Abscheu, Ekel, Überdruss, Kritik und so weiter). Über den kürzeren oder längeren Zeitraum der Sauberkeitserziehung können die Eltern ihre Anforderungen einheitlich-konsequent oder verwirrend-wechselhaft stellen. Sie identifizierten sich mit diesen elterlichen Standards und Strategien, die ganz wesentlich zur Entwicklung einer Idealvorstellung, wie Sie sein müssten (Ich-Ideal), beitrugen.

Sie sehen die vielen Parallelen zum Aufschieben: Auch Sie erwarten, dass Sie zu einem bestimmten Zeitpunkt etwas produzieren, einen Entschluss oder eine Handlung. Nicht irgendetwas – jedenfalls nicht das, worauf Sie eventuell ausweichen –, sondern das Eigentliche. Sie reagieren auf Ihr Aufschieben (oder die prompte Erledigung) ebenfalls in einer bestimmten Weise und ebenso auf das Ergebnis. Und wie früher Ihre Eltern, sind Sie mal streng und konsequent mit sich, dann wieder gewährend. Mit anderen Worten: Sie haben sich mit den ersten Erfahrungen der Leistungsanforderungen identifiziert und übernehmen heute in einer Person die Rollen, die früher auf Sie und Ihre Eltern verteilt waren.

Das Kind der analen Phase bekommt völlig neue Möglichkeiten, sich als Partner der Eltern zu etablieren. Es kann Macht ausüben: kooperieren oder sich verweigern, es kann etwas anderes als das Gewünschte liefern, zu einem anderen Zeitpunkt, am falschen Ort und so weiter. Kurz: Es kann sich in Autonomie üben. Dafür stellen die Reifung der Motorik und aggressive Eigenimpulse die nötige Energie bereit. Eine gesunde Entwicklung in dieser Phase ist ohne das Beziehen einer Gegenposition zu den Forderungen der Eltern kaum möglich. Schließlich kann man seinen Willen nicht durch Gefügigkeit trainieren. Um die zwangsläufigen Auseinandersetzungen durchstehen zu können, benötigt das Kind eine gewisse Fähigkeit zum Ertragen von Schuldgefühlen. Selbstbestimmt zu handeln übt die Entscheidungskraft und verschafft einem Sicherheit darüber, was man will. Positive Erfahrungen stärken das Ich. Verpasst man es jedoch, sich zu einer eigenständigen Persönlichkeit zu entwickeln und ordnet sich stattdessen nur unter, ist stets brav, so hat dies starke Schamgefühle zur Folge.

Ein als »Autonomie versus Scham und Zweifel« benannter Konflikt kennzeichnet diese Lebensphase. Sie wissen bereits, dass dieser Konflikt auch das Aufschieben erlebnismäßig prägt. Bildhaft gehört dazu das Kind der analen Phase, das drückt und presst, sich offenbar bemüht, etwas zu produzieren, um den Erwartungen der Eltern zu entsprechen, damit gehorsam ist und in Aussicht stellt, dass bald etwas kommt. Aber, leider: Es klappt nicht, die Eltern sind enttäuscht. Heimlich freut sich das Kind über seine Körperbeherrschung, die Lust am Zurückhalten und den spannungsgeladenen Zustand, im Wissen, gegebenenfalls explosiv etwas aus sich herausstoßen zu können. Mutige Kinder genießen dabei auch die Spannung zwischen sich und ihren erwartungsvollen Eltern. Ängstlichere Kinder aber fürchten sich vor Strafe, schämen sich ihrer Empfindungen und fürchten deren Offenbarwerden. Für sie ist der Konflikt zwischen der »sauberen« Seite (der Konformität) und der »unsauberen« (der analen Lust) belastend. Das Aufschieben stellt dann einen geeigneten Kompromiss dar: Sie bemühen sich ja, sichtbar und brav, aber es kommt nichts dabei heraus. Diese Einstellung hilft Kind und Eltern dabei, die volle Wahrnehmung des Kampfes, der hier vor sich geht, zu vermeiden. Ihn anders zu führen, würde alle Beteiligten mit Schuld belasten: Das Kind mit der Schuld, aus den gesetzten Normen auszubrechen, die Erwachsenen mit der Schuld, den Willen des Kindes zu brechen. Das Aufschieben können Sie erlernen, weil es bittere Erkenntnisse erspart.

Beate hatte im Studium Probleme mit ihrer Zwischenprüfung. Sie traute sich lange Zeit nicht, sich anzumelden, was sie auf ihre Prüfungsangst zurückführte. Dabei wurde sie das Gefühl nicht los, dass die eigentlich nicht so groß war, um immer neues Aufschieben zu erklären. Erst viel später wurde ihr klar, dass sie damals kurz davor stand, mit der Betriebswirtschaft aufzuhören und zur Germanistik zu wechseln. Ihr Hinauszögern kaschierte den Konflikt zwischen der inneren Forderung, etwas Begonnenes zu Ende zu führen, und dem Verlust des Interesses am Studienfach.

Wie die anale Phase erlebt wurde, bestimmt über das Ausmaß Ihrer zwanghaften Anteile. Die erwerben Sie durch Verinnerlichung der Erlebens- und Verhaltensmuster jener Zeit. So können Sie die strengen Anforderungen Ihrer Mutter nach pünktlichem Hergeben auf dem Töpfchen ebenso übernehmen wie ihre Strafhandlungen. Sie legen sich dann ein strenges, strafende Über-Ich zu, in dem Sie Mutters Forderungen aufbewahren. Die damalige Spannung zwischen Ihnen und ihr verwandelt sich nun in ein spannungsgeladenes Verhältnis zwischen Ihrem Über-Ich und Ihrem Ich. Sie stehen dann im Konflikt zwischen Gehorsam/Unterwürfigkeit und Auflehnung/Rebellion. Dabei steht der Feind im eigenen Haus, und Sie wehren sich unbewusst gegen Forderungen, die Sie verbal bejahen. Sie denken vielleicht, »man muss etwas leisten, sonst ist man ein Versager«, aber Sie richten sich nicht danach. Wenn Sie diese Ansprüche auf andere Menschen projizieren, entstehen Autoritätskonflikte: Sie haben dann den Eindruck, man erwartet zu viel von Ihnen und lehnen sich gegen die mutmaßlichen Träger dieser Erwartung auf.

Helmut in seinem Büro erlebt die gegenwärtigen Konflikte mit seinem Chef wie die Probleme der frühen Kindheit. Damals wurde von ihm verlangt, pünktlich, zu geregelten Zeiten, sein Geschäft zu verrichten. Helmut saß da und presste, aber es kam nichts dabei heraus. Seine Mutter bestand darauf, dass er so lange sitzen bleiben musste, bis er einen Erfolg vorzuweisen hatte. Sie holte ihn in die Küche und behielt ihn dort unter Kontrolle. Wenn er ihrer Meinung nach zu lange »verstopft« war, half sie mit abführenden Mitteln nach. Heute sieht Helmut seinen Chef in der Rolle der Mutter, die ihn quält. Er fühlt den alten Kampfgeist und den Widerstand von damals, den er jetzt allerdings viel besser ausleben kann, denn sein Chef kann ihn weniger kontrollieren, als es seiner Mutter möglich war. Aber wie damals kommt er mit seiner Arbeit nicht in Fluss, sondern es tröpfelt vor sich hin. Auf seinem Schreibtisch stapeln sich die großen Haufen der Akten und Briefe, was große Leistungen signalisiert – solange man nicht weiß, dass es sich dabei ausschließlich um den Posteingang handelt. Manchmal wünscht er sich eine Pille, die ihm helfen würde, alles in einem Rutsch zu erledigen.

Als Mensch mit einer zwanghaft akzentuierten Persönlichkeitsstruktur wehren Sie sich in doppelter Frontstellung nicht nur gegen verinnerlichte Ge- und Verbote, sondern auch gegen Ihre spontanen Gefühle und Impulse. Dabei könnten diese und Ihre Phantasie ein Gegengewicht zu den übertriebenen Kontrollansprüche bilden. »Aber man kann doch nicht einfach in den Tag hinein leben«, sagen Sie. Ironischerweise leben Sie mit Ihrem Aufschieben eigentlich genau so, aber ohne es zu genießen.

Als jemand, der aufschiebt, erleben Sie häufig eine Ohnmacht, die Sie mit den Worten »ich kann das einfach nicht tun« ausdrücken. Sie richten sich aber nicht danach und geben die Sache nicht auf. Dabei wäre es eigentlich logisch, von einer Angelegenheit, die man nicht erledigen kann, die Finger zu lassen, wie auch Prousts Held erkennt:

»›Es lohnt sich wirklich nicht, dass ich darauf verzichte, das Leben eines Gesellschaftsmenschen zu führen, hatte ich mir gesagt, da ich für die berühmte Arbeit, an die ich mich nun seit so langem schon immer von einem Tag auf den andern endlich zu begeben hoffe, eben doch nicht – oder nicht mehr – geschaffen bin und da diese ganze Vorstellung vielleicht überhaupt keiner Realität entspricht‹.« (Proust, VII, S. 242)

Wer aufschiebt, glaubt offenkundig, eigentlich doch zu können. Das spannungsgeladene anale Spiel entwickelt sich genau zwischen diesen beiden Polen: Sie wissen, dass Sie eigentlich können, aber fürchten, dann auch zu müssen, und Sie wollen nicht (nicht jetzt, nicht zu diesen

Bedingungen und so weiter). Weil Sie sich nicht unterordnen wollen, lehnen Sie sich auf. Da Sie aber nicht im offenen Kampf den Kürzeren ziehen wollen, tarnen Sie sich. Statt zu sagen, dass Sie nicht wollen, erfinden Sie eine scheinbar unwiderlegbare Entschuldigung – Sie sind aktiv, drücken, pressen, rennen in der Gegend herum, machen tausend andere Sachen, aber nicht das, worum es geht. Offenkundig können Sie es nicht. Dabei kann sich in Ihnen eine mehr oder weniger starke Angst entwickeln: Wenn Sie es nicht schaffen, irgendwann die Kurve zu kriegen, dann landen Sie in der Gosse, so lautet Ihre Befürchtung, in seelischer, sozialer und materieller Verelendung. Wenn dem so wäre, dann sind Sie wieder beim Versorgtwerden gelandet, also bei einem früheren, oralen Thema.

Anja lebte trotz ihrer vielen Talente und ihrer Herkunft aus einem wohlhabenden Elternhaus eine Zeitlang auf Pump, von Freunden. Sie liebäugelte mit der Sozialhilfe. Grund dafür war, dass sie ihre Sachen nicht mehr auf die Reihe kriegte: Sie verschlampte Rechnungen, zahlte ihre Miete nicht mehr, versäumte es, auf ihrer Arbeitsstelle zu erscheinen, feierte krank. Schließlich verlor sie ihren Job. Sie hatte das Gefühl, ihr Leben nicht mehr unter Kontrolle zu haben. Dass ihre Freunde ihr beistanden, fand sie nur eine kurze Zeit lang beglückend, bald hatte sie eher den Eindruck, dass diese Hilfe ihr zustand und dass es ganz in Ordnung war, sich versorgen zu lassen. Noch heute tut sich Anja schwer damit, für sich und ihre Familie zu sorgen. Sie fühlt sich durch Horst dominiert, durch sein Leben bestimmt und rebelliert dagegen. Heimlich aber ist sie erleichtert darüber, von ihm kontrolliert zu werden. Deswegen scheut sie das Gespräch mit ihm, und erst recht den Gang zu einer Eheberatung. Es ist leichter so, wie es ist.

Wie Sie bei dem Stichwort »Kontrolle« schon bemerkt haben, stecken in einer zwanghaft geprägten Charakterstruktur auch Potentiale, die zur Überwindung des Aufschiebens wichtig sind. Ohne das Einhalten von Selbstverpflichtungen geht es nicht. Ihr Eigensinn, der Sie gegen vermeintliche oder tatsächliche Fremdbestimmung angehen lässt, kann Ihnen als Durchhaltevermögen (eine positive Variante der Sturheit) zugute kommen, ebenso auch Ihr Widerwille gegen Chaos. Sie werden im dritten Teil dieses Buches Möglichkeiten kennenlernen, Ihre Schwächen zu Stärken werden zu lassen.

Sie haben oben schon den besonderen Zusammenhang zwischen

dem Aufschieben und Schamgefühlen kennengelernt. Wieder ist es die anale Phase, die über deren Ausprägung entscheidet. Dass Schamgefühle als Gegenspieler der Autonomieentwicklung auftreten, ist unvermeidlich. Sie resultieren beispielsweise aus

- Unterbrechungen im Kontakt zu den Eltern, traumatische Trennungen, Verluste durch Tod oder Scheidung;
- Vernachlässigung und Missbrauch;
- realen oder wahrgenommenen körperlichen Mängeln (häufig einhergehend mit Übergewicht);
- Gefühlen der Unterlegenheit.

Helmut war in seiner Familie der jüngste, über den oft gelacht wurde, wenn er versuchte, an die Leistungen der älteren Geschwister anzuknüpfen. Seine fünf Jahre ältere Schwester wurde ihm häufig als leuchtendes Beispiel vorgehalten. Sein sieben Jahre älterer Bruder konnte natürlich immer alles noch viel besser und spielte überhaupt in einer anderen Liga, wie alle fanden. Helmut war der kleine Nachzügler, dessen Anstrengungen kaum Anerkennung fanden.

Abgelehnte Kinder machen besonders intensive Erfahrungen mit der Urscham, offenkundig nicht liebenswert zu sein. Aber auch Kinder, die sich nicht sicher an ihre Eltern gebunden fühlen, lernen es, sowohl ihre Wünsche nach Nähe und Zusammengehörigkeit mit Scham zu verbinden, wie auch Wünsche nach Distanzierung und Trennung. Jede ihnen zugefügte Trennung, aber auch jede Wiederbegegnung rufen erneut Scham hervor. Später haben eigene Wünsche denselben Effekt. Jede Situation, in der sich ihr Unwert zeigen könnte, müssen sie dann meiden. Das Ausmaß, in dem Sie aufschieben, hängt vom Ausmaß Ihrer unbewussten Scham ab, das seinerseits direkt bestimmt wird vom Ausmaß der Missbilligung, die Sie erfahren haben.

Später kann sich Ihre primäre Schambereitschaft mit bestimmten Inhalten füllen. Sie entwickeln dann Vorstellungen darüber, was Sie so liebesunwert macht, wofür Sie sich also schämen müssen. Besonders mit Scham assoziiert sind Befürchtungen, die darum kreisen, dass Ihre Schwäche und Schmutzigkeit offenbar werden könnten und auch die Tatsache, dass Sie Defekte haben. Was Sie im Einzelnen mit diesen Bezeichnungen verbinden, hängt von Ihrer Lebensgeschichte ab. Als Schwäche sehen es viele Menschen beispielsweise an, auf die Hilfe anderer angewiesen zu sein oder in Rivalitätssituationen zu unterliegen. Schmutzigkeit verbindet sich zwar zunächst mit Körperinhalten, die für ekelhaft gehalten werden, erstreckt sich aber später beispielsweise auch auf Gedanken, Gefühle und Verhaltensweisen, so dass das Selbst mit Verachtung und Ekel angeschaut wird. Menschen schämen sich beispielsweise, wenn herauskommt, dass sie ihren Liebsten gegenüber auch herabsetzende oder spöttische Gefühle haben. Defekt zu sein bedeutet zunächst, nicht der Norm entsprechend auszusehen, körperlich abweichend und irgendwie zu kurz gekommen zu sein. Später kann dann jede Abweichung von verinnerlichten Idealen (solche, die sich auf Aussehen beziehen, ebenso wie solche, die Leistungsfähigkeit etc. betreffen) als Zeichen eines Defekts gedeutet werden und intensive Beschämung hervorrufen. Man schämt sich, wenn man die Kontrolle über seine Körperfunktionen verliert oder in der Öffentlichkeit von Gefühlen überwältigt wird. Man kann sich seiner Nacktheit schämen, aber auch dafür, sich gerne nackt zu zeigen. Für die meisten Menschen ist es außerdem schambesetzt, sexuelle Erregung durch Leiden, Erniedrigung und Schmerz zu erleben.

Entdecken und Sich-Darstellen

In der nachfolgenden sogenannten phallischen Phase kann das Kind nach erfolgreicher Bewältigung der früheren Hürden seine Aktivitäten selbständig lenken. Neugierig wird die Welt erforscht, Interessen und Vorlieben entwickeln sich. Das hauptsächliche Augenmerk in dieser Zeit gilt der Anerkennung der Geschlechtseigenschaften, der Bestätigung, als Mädchen oder Junge »richtig« zu sein. In der konventionellen Form werden Jungen eher für aktive, mutig-aggressive Verhaltensweisen belohnt, Mädchen für Charme, Gefügigkeit und Liebsein. In der ödipalen Phase regulieren sich die Beziehungen zu den Familienmitgliedern neu, es entstehen die bekannten Konflikte zwischen Wünschen, die sich auf Vater und Mutter beziehen. Hier prägen sich die hysterischen Persönlichkeitsmerkmale aus. Diese Phase stellt für die Entwicklung des Aufschiebens keine so massive Fixierungsstelle dar wie die vorangegangenen. Hysterische Menschen lieben im allgemeinen Anfänge und verabscheuen kleinteilige Detailarbeit. »Und jedem Anfang wohnt ein Zauber inne« ist ihre Devise. Sie schmieden Pläne und stecken voller Ideen, bekommen aber möglicherweise Probleme mit der Routine, diese Vorhaben auch umzusetzen.

Manche Menschen machen in der ödipalen Phase Erfahrungen, die Illusionen erzeugen. Nehmen Sie an, Sie werden – wie Anja – als Mädchen von Ihrem Vater hofiert, bewundert und der Mutter vorgezogen. Sie können das so verarbeiten, als hätten Sie schon als Kind das Ziel erreicht, wie ein Erwachsener anerkannt zu werden. Diese Überzeugung wirkt sich später oft hinderlich aus, weil Sie es nicht lernen konnten, Anstrengungen auf sich zu nehmen, um sich Ihren Platz zu erobern.

In der Schule wird Ihre Lust am eigenständigen Entdecken im günstigsten Fall um strukturierte pädagogische Anforderungen ergänzt. Auf diese mit Fleiß und Lerneifer zu antworten, setzt auch ein relativ ungestörtes Verhältnis zu sozialer Anpassung voraus. Kinder, die das nicht leisten können oder in der Schule nicht gut sind, entwickeln Minderwertigkeitsgefühle. Aufschieben aus Minderwertigkeitsgefühlen heraus soll in späteren Lebensphasen vor erwarteten Beschämungen schützen. Sie sagen zu sich:»Mit dir ist ohnehin nichts los, du brauchst mit deinem Vorhaben gar nicht erst anzufangen.« Um diese bedrückende Überzeugung zu kompensieren, entwickeln Sie ein anderes, grandioses Bild von sich. Das sagt Ihnen:»Du musst nur auf den richtigen Moment warten, dann wirst du mit deiner Begabung den großen Wurf landen.« Ihr entwertetes Selbstbild wird jedesmal, wenn Sie aufschieben, bestätigt und verstärkt. Zum Ausgleich intensivieren sich auch die grandiosen Phantasien, oft in Form von Tagträumen von mühelosem Erfolg und Ruhm. Jedes konkrete Anpacken eines Vorhabens birgt nun immer mehr das Risiko in sich, dieses aufgeblähte Teil-Selbstbild zu gefährden. Weiteres Aufschieben erhält zwar einerseits die Illusion, eigentlich doch ganz großartig zu sein, am Leben, andererseits begünstigt es das Umkippen in die entwertete Selbstwahrnehmung. Da dieser Konflikt an die Wurzeln Ihres Selbsterlebens gehen kann, werden Sie die Tendenz spüren, sich ganz auf die eine oder andere Seite zu schlagen. Wenn Sie dabei die grandiose Seite wählen, dann legen Sie den Grundstein dafür, als verkrachte Existenz mit einer Lebenslüge herumzulaufen. Entgegen allem Augenschein werden Sie dann für sich in Anspruch nehmen, der Einzige mit Durchblick zu sein, der im Grunde alles erreicht hat, indem er sich verweigerte.

Mit dem Aufschieben drehen Sie den Spieß um. Wenn Sie aktiv ein Fehlverhalten an die Stelle setzen, wo Sie sich früher passiv und ohnmächtig als unfähig erlebt haben, dann fühlen Sie sich wenigstens nicht so hilflos. Wo Sie früher ein »Ich kann es nicht besser« erlitten haben, sagen Sie sich jetzt: »Ich könnte schon besser, wenn ich nicht so viel herumtrödeln würde«.

Pubertät

Die eigene Persönlichkeit als unverwechselbar und einzigartig darzustellen und eine abgegrenzte, konturierte Identität zu entwickeln, ist die Hauptaufgabe der Pubertät. In dieser Phase der Erschütterungen und Veränderungen wird ruhiges Arbeiten gestört durch Unsicherheiten, Stimmungsschwankungen, Triebstürme, Aufsässigkeit und Gefühle von Peinlichkeit. Die allgemeine Auflehnung gegen die Maßstäbe der Eltern kann natürlich auch Entscheidungs- und Leistungsstandards betreffen. Denen etwas Konstruktives entgegenzusetzen, ist auch deswegen schwierig, weil der ewige Streit zu Hause ohnehin einen hohen Stresspegel erzeugt. Mit der Gruppe der Gleichaltrigen konform zu sein, bekommt in der Pubertät eine besondere Wichtigkeit. Wenn sie Leistung ablehnt, ist es schwer, sich davon nicht anstecken zu lassen. Zudem sind Schlendrian, Trödeln und Zuspätkommen in der Pubertät ohnehin bevorzugte Provokationsmechanismen. Wenn Eltern und Lehrer auf diese Verhaltensweisen übermäßig reagieren, können sich Fixierungen herausbilden, die schwer zu überwinden sind.

Als sie 14 war, vernachlässigte Anja ihre Hausaufgaben, lernte nicht mehr und hatte schlechte Ergebnisse in Klassenarbeiten. Häufig kam sie morgens mit der Entschuldigung zu spät, dass sie sich erst noch habe schminken müssen. Ihre Klassenlehrerin hatte Anjas gute Mitarbeit zuvor so empfunden, als wolle dieses hübsche, begabte Mädchen ihr eine persönliche Freude bereiten. Nun reagierte sie ebenso wenig professionell, sondern beleidigt, als habe Anja gemeinsame Werte verraten. Anja war überrascht über die Heftigkeit der herabsetzenden Äußerungen ihrer Lehrerin (»Wenn Du meinst, dass Lippenstift wichtiger ist als Deine Zukunft, dann bitte!«) und fühlte sich fallengelassen. Ihre Enttäuschung setzte sie in Ärger um und lernte noch weniger. Die Lehrerin steigerte symmetrisch ihre Kritik, bis die beiden füreinander rote Tücher geworden waren. Die Fünf im Zeugnis war für Anja weniger schlimm als die Erfahrung, offenbar nur bei Wohlverhalten, Bravheit und Leistungserfüllung gemocht zu werden. Da ihre Eltern sich für schulische Angelegenheiten nicht interessierten, fühlte sie sich noch mehr im Stich gelassen, als es in der Pubertät ohnehin schon üblich ist. An ihre alte Leistungsfähigkeit wieder anzuknüpfen, erschien ihr in den nächsten Jahren wie eine demütigende Niederlage, als würde sie sich denen, die sie verrieten, unterwerfen.

Anjas Probleme setzten sich im frühen Erwachsenenalter fort. Sie wusste nicht so recht, was sie lernen oder studieren wollte. Auch Helmut hatte keine eigenen ausgeprägten Ambitionen. Er wusste nur, dass er auf keinen Fall dem Beispiel seiner Geschwister folgen wollte. Die hatten beide studiert, und die Eltern wurden nicht müde, ihm das während seiner Schulzeit unter die Nase zu reiben.

Unter solchen Verhältnissen breiten sich leicht falsche, illusionäre Einstellungen aus und man lernt nicht, realistische Erwartungen zu entwickeln. Keine spezifischen Interessen zu haben, steht in einem sehr engen Zusammenhang mit Aufschieben. Trifft man dann eine Entscheidung für einen Beruf oder ein Studienfach, das nicht zu einem passt, so ist die Motivation zu ungestörtem Arbeiten schnell unterlaufen.

Das liegt bei uns in der Familie

Es gibt Familien, in denen das Aufschieben Tradition hat und die Kinder es durch Identifikation übernehmen. In anderen haben Großeltern oder Eltern sich immer gemüht, aber ersehnte Ziele nicht erreicht. Wenn Sie aus einer solchen Familie kommen, lohnt es sich für Sie, genauer nach den Gründen zu fragen. Oft werden die wahren Ursachen, die durchaus mit Aufschieben zu tun haben können, verleugnet. Stattdessen werden Schicksalsschläge oder feindselige Vorgesetzte erwähnt, die den angestrebten Aufstieg verhinderten. Für Sie kann sich aus den unerledigten Aufstiegsträumen der Ahnen der Auftrag ergeben, nun endlich Erfolg zu haben und die Familienehre wiederherzustellen. Aller Augen sind auf Sie gerichtet, Sie sind der Hoffnungsträger, der durch diesen Auftrag eng an die Familie gebunden bleibt und nun als »Delegierter« losgeschickt wird. Ihre Funktion als Hoffnungsträger ist vielleicht nur der krönende Abschluss einer Laufbahn, in der Sie zwar oft genug ausgenutzt wurden, indem Sie nicht Ihre Ziele, sondern die anderer verwirklichen sollten. Dadurch aber bekamen Sie eine privilegierte, bedeutungsvolle Funktion im Familiensystem. Andererseits ist es natürlich nicht so einfach, Vater, Mutter oder die Geschwister zu überflügeln.

Meistens kommt der Konflikt zwischen Gefügigkeit und Auflehnung im späten Jugendalter zu einem neuen Höhepunkt, wenn die wichtigen Erfolge, die man von Ihnen erwartet, errungen werden sollen: beim Schulabschluss, bei der Berufswahl und beim Abschluss des Studiums. Eventuell können Sie Ihre eigene Autonomie und Individualität Ihrer Familie gegenüber zunächst nur durch Verweigerung ausdrücken, die sich als Aufschieben maskiert.

Peter, einer meiner Patienten, zögerte den Studienabschluss hinaus, was angesichts seiner Studienleistungen und seiner Intelligenz unverständlich war. Zwar schlug sein Herz nicht in besonderem Maße für die Betriebswirtschaftslehre, aber seine Widerstände waren während der Studienzeit nie so groß gewesen, dass sie ihn am Vorankommen hätten hindern können. Warum also jetzt das Trödeln, die Konzentrationsstörungen, die Vergesslichkeit, die vielen körperlichen Tiefs, die ihn ins Bett zwangen?

Es zeigte sich, dass Peters Vater, der in der Eifel ein Ferienhotel führte, gestorben war, als Peter 12 Jahre alt gewesen war. Für seine Mutter und die zwei jüngeren Schwestern schien seit dem Zeitpunkt klar zu sein, dass Peter seinem Vater als Hoteldirektor nachfolgen sollte. Sie führten das Unternehmen mit fremder Hilfe weiter, während Peter zum Studieren delegiert worden war. Er wurde von zu Hause finanziell großzügig unterstützt. Anfangs hatte er sich auch völlig mit der Vorstellung identifiziert, nach zügigem Studienverlauf Herr des Hotels zu werden und den Platz einzunehmen, den seine Familie für ihn vorgesehen hatte. Je näher jedoch der Studienabschluss rückte, desto klarer war ihm geworden, dass er in einer Großstadt und nicht auf dem Lande leben und für einen großen Konzern und nicht für ein kleines Privathotel arbeiten wollte. Außerdem hatte er begonnen, seine Homosexualität offen zu leben und stand damit auch für die Wünsche seiner Mutter, eine alte Schulfreundin aus der Kleinstadt zu heiraten und ihr bald Enkelkinder zu schenken, nicht mehr zur Verfügung.

Peter erschien es so, als würde er mit dem Geständnis der Wahrheit den Lebenssinn seiner Mutter und Schwestern vernichten und ihre jahrelangen Hoffnungen auf einen Schlag zerstören. Allerdings wurde ihm auch klar, dass er sich nicht aufopfern konnte und wollte. Er befand sich in einem schweren Konflikt. Das Hinauszögern des Studienabschlusses erlaubte es ihm, sich nicht festlegen und niemandem wehtun zu müssen, um den Preis, seine Autonomie zurückzustellen.

Die typischen schwarzen Schafe in Familien sind zumeist ehemalige Delegierte, die aufgrund früheren Versagens ausgestoßen wurden und nun keine Hoffnungsträger mehr sind. Auch ihnen bleibt nur der sanfte Weg des Aufschiebens, da sie mehr denn je den elterlichen Leistungserwartungen genügen müssen, um überhaupt einen Rest an Zuwendung zu bekommen.

Für beide Gruppen von Delegierten liegt der gravierendste Nachteil des Aufschiebens darin, dass sie immer Ich-schwächer und somit immer unfähiger werden, den Konflikt mit ihrer Herkunftsfamilie zu führen. Der grundsätzliche Konflikt, ihre Individuation anzustreben und Ausbruchsschuld ertragen zu lernen, gerät in den Hintergrund. Im Vordergrund machen die Betroffenen sich und ihren Familien über lange Zeit die falsche Hoffnung, dass es »nun aber« (im neuen Jahr, nach weiterer Materialsammlung oder ähnlichen Vorbedingungen) endlich los- oder weitergehen werde. Da Erfolge ausbleiben, zehren innerseelische Scham- und Selbstwertstörungen die Personen aus, sie stehen als Versager da. Der Teufelskreis von guten Vorsätzen, Scheitern, vermehrter Selbstverachtung, erneuten guten Vorsätzen und so weiter verstellt häufig den Blick auf den eigentlich anstehenden Konflikt: Verselbständigung versus Ausbruchsschuld.

Zusammenfassung

Die Entwicklung vom Kind zum Erwachsenen verläuft in Phasen, in denen verschiedene Konflikte gelöst werden müssen. Die Art der Lösung bestimmt über Urvertrauen, Selbständigkeit und Freude an der eigenen Leistungsfähigkeit. Familien fördern oder behindern die erforderlichen Entwicklungsschritte. Wieder einmal zeigt sich das Aufschieben als ein Kompromiss, den Sie zwischen Ihren Wünschen nach Autonomie und Schuldgefühlen geschlossen haben. Um diese Art des Aufschiebens zu überwinden, ist es erforderlich, aus den alten Rollen als Tochter oder Sohn herauszutreten.

9.

Do it now! und Widerstand: gesellschaftliche Aspekte

Mythen: schneller, schöner und perfekt

Jeden Tag hören wir die bekannten Schlagwörter, die das gegenwärtige Leben in unserer postmodernen Gesellschaft kennzeichnen sollen: Globalisierung und die Sicherung der Wettbewerbsfähigkeit des Standorts. Wir müssen wieder zukunftsfähig werden, so sagt man uns, und viele übersetzen das mit: härter arbeiten. Auch an die permanente Beschleunigung unserer Lebensverhältnisse haben wir uns gewöhnt: Der neue Computer ist viermal so schnell wie der alte und mit der neuen PC-Karte kommen Sie zehnmal schneller ins Internet. In Berlin heißt sogar ein Möbelgeschäft: »Schneller wohnen«. Bedürfnisse sollen *sofort* befriedigt werden, so lautet die Botschaft. Die Devise: Jetzt kaufen, später zahlen, suggeriert ebenfalls, wie wichtig es ist, erst einmal zu konsumieren. Die Bezahlung der Rechnung wird auf später vertagt. Schnelligkeit signalisiert leichtere Erreichbarkeit, wir müssen weniger Zeit investieren, und Zeit ist, wie wir spätestens seit unserer Donald-Duck-Lektüre wissen, Geld. Geld verschwendet man nicht, Zeit ebenso wenig. Wer aufschiebt, ist in dieser Hinsicht ein Verschwender, der mit einem gesellschaftlich hoch geschätztem Gut nicht sparsam umgeht, oder – wie man heute sagt – nicht nachhaltig. Er lebt, als sei seine Lebenszeit nicht begrenzt und als könne er alles auf Morgen verschieben, in der Annahme, dass es immer ein Morgen gibt:

»Da meine Trägheit mir die Gewohnheit mitgeteilt hatte, meine Arbeit immer von einem Tag auf den folgenden zu verschieben, stellte ich mir zweifellos vor, es könne mit dem Tode ebenso sein.« (Proust, VII, S. 165)

Das Leben in unserer westlichen Gesellschaft folgt über weite Strecken diesem Prinzip. Ob es die ungelösten Fragen der Endlagerung von

Atommüll, die Staatsverschuldung oder das Ozonloch betrifft, wir konsumieren jetzt und überlassen es zukünftigen Generationen, die Zeche zu zahlen. Aufschieben in wirklich großem Maßstab!

Andererseits gilt nach wie vor die protestantische Leistungsethik als hoher Wert. Zu ihr gehört es, sich anzustrengen, Frustrationen zu ertragen und Belohnungen aufzuschieben. Wer aufschiebt, entzieht sich diesen Dogmen scheinbar und wird dadurch zum Ärgernis. Ihm gilt der Neid derjenigen, die ihren täglichen Frondienst verrichten, und die glauben, dass er ein fröhlicher Anhänger des Mañana sei, der mehr Spaß am Leben hat. Solange unglückliche Menschen, die aufschieben, noch nach Ausreden suchen, sehen sie selbst sich auch gerne so. Im Internet gibt es launige Seiten amerikanischer Aufschieber. Jene *procrastinator* sehen im Macher den Feind: *The Doer is the enemy!*, so lautet ihre Devise. Sie grenzen sich ab von einer immer hektischer laufenden Wirtschaftsmaschinerie, in der die Lebenszeit des Einzelnen nur eine optimal auszubeutende Ressource darstellt.

Zwar wird die protestantische Leistungsethik nach wissenschaftlichen Untersuchungen in Gesellschaften wie der unsrigen, in der das materielle Überleben weitgehend sichergestellt ist, durch postmoderne hedonistische Wertvorstellungen abgelöst. Weniger arbeiten, mehr genießen ist das Motto. Für die Mehrheit derjenigen, die der Erwerbsarbeit nachgehen müssen, ist jedoch nicht erkennbar, dass Tugenden beziehungsweise Sekundärtugenden wie Pünktlichkeit oder die termingerechte Erledigung von Aufgaben an Wert verloren hätten. Im Gegenteil, der Neoliberalismus in Großbritannien und den USA scheint eine Generation junger Menschen hervorgebracht zu haben, *who happily slave away*. Das Reden vom »Freizeitpark Deutschland«, dessen Bewohner angeblich faul in den Hängematten schaukeln, ruft ebenfalls das Ideal harter Anstrengung und Leistungsbereitschaft in Erinnerung. Es ist untrennbar verbunden mit unserem christlich geprägten Kulturkreis.

Kulturen haben bestimmte Menschenbilder, die einen hohen Druck entfalten, ihnen zu entsprechen. Diese Bilder werden im Prozess der Erziehung vermittelt und durch die Medien aufrechterhalten. Das beste Beispiel dafür sind in unserer westlichen Kultur zur Zeit jene Schönheitsideale, die mit der Realität der meisten Frauen und Männer nichts mehr zu tun haben, aber Millionen in die Fitnessstudios locken, damit sie ihnen besser entsprechen. Ein amerikanischer und ein englischer Forscher zeigten kürzlich peruanischen Eingeborenen, die mit unserer

Kultur noch keine Berührung hatten, Bilder westlicher Frauen. Dabei zeigte sich, dass Frauen, die hier als übergewichtig gelten, dem dortigen Schönheitsideal am meisten entsprachen und als Ehefrauen am begehrtesten waren. Ihre Figur signalisierte Gesundheit und Reserven für Zeiten der Entbehrung. Frauen, die unserem Schlankheitsideal näher kamen, wurden als krank angesehen.

Nachdem die Idealvorstellungen von Schlankheit bei Frauen eine Fülle von Essstörungen erzeugt haben, sind diese Probleme nun bei jungen Männern im Vormarsch, die ebenfalls zunehmend dem Terror ausgesetzt sind, sich nur dann als attraktiv fühlen zu dürfen, wenn sie den Werbefotos männlicher Models mit Waschbrettbauch und schwellenden Muskeln entsprechen.

Weniger spektakulär, jedoch kaum weniger verhängnisvoll, ist der Terror, der von irrealen Vorstellungen über Leistungsfähigkeit, Perfektion und unbegrenzte dynamische Tatkraft ausgeht. Mehr und mehr verschwindet für Kinder und Jugendliche eine Kindheit, in der das selbstbestimmte spielerische Probieren im Vordergrund stand. Längst sind es nicht mehr nur einige wenige ehrgeizige Tennismütter, die die zukünftigen Stars von Termin zu Termin fahren, sondern die Nachbarinnen von nebenan. Wie viele Eltern, die ihren Kindern die vermeintlich besten Startchancen ins Leben (gemeint ist dabei immer eine berufliche Laufbahn) einräumen wollen, haben für ihre Viertklässler folgende außerschulische Termine gebucht: Englischunterricht (für den späteren Amerikaaufenthalt während des Studiums), Geigenunterricht (wegen der musischen Bildung), Segelunterricht (Vater segelt auch), Judounterricht (»für einen Jungen immer gut«) und Töpfern (zur Förderung der Kreativität). Da für alle diese Aktivitäten Geld zu bezahlen ist, wird ein Gegenwert erwartet, der in Leistung besteht: Der Unterricht muss etwas bringen, das Kind muss sich anstrengen. Für Auftritte mit der Geige muss geübt werden, im Judokurs finden regelmäßig Wettkämpfe statt, die freie Zeit an den Wochenenden wird von Regatten beansprucht. Eltern hoffen, dass ihr Kind mit diesen »Zusatzqualifikationen« fit ist für die spätere Konkurrenz in der Ellbogengesellschaft. Die Chancen stehen allerdings auch gut dafür, dass diese Kinder ein Aufschiebeproblem entwickeln werden. Denn wenn nach so vielen Jahren der Fremdbestimmung und der Verinnerlichung von Leistungsnormen die Leistung einmal nicht mehr schnell und mühelos gebracht werden kann, dann bricht sich eine massive Angst Bahn. Diese Menschen haben kein Sicherheitsnetz, in das sie fallen könnten, weil sich unter dem

Mythos der Leistung und des Siegs nichts anderes entwickeln konnte. Wenn heute die Zweiten der Welt bei einer Olympiade verbittert erklären, sie hätten keine Silbermedaille gewonnen, sondern eine Goldmedaille verloren, dann wird die Pervertierung von Maßstäben spürbar.

Irrationale Idealbilder bedrohen die körperliche und die seelische Gesundheit und Ihr Wohlbefinden. Sie hören heutzutage ja nicht nur in der Sprache der Sportreporter unsinnige Steigerungen wie »der optimalste Flankenangriff« und »der idealste Aufschlag«. Was bringt Menschen dazu, sich um Super-Superlative zu bemühen? Sie haben im Kapitel *Eines Tages komm' ich groß raus* schon etwas erfahren über die individuelle Anfälligkeit für Idealbilder. Uns allen erschienen unsere Eltern, als wir noch klein und hilflos waren, wie allmächtige und in jeder Hinsicht perfekte Götter. Das Vorbild der Großen, in deren Augen wir Gnade finden wollten, speist als individuelle Quelle das gesellschaftlich vorgegebene Leistungsideal.

Die Zeit und die grauen Männer

In unserer Gesellschaft ist Leistung immer verknüpft mit dem Schlüsselbegriff der Zeit, die genutzt werden muss, um etwas zustande zu bringen.

Michael Ende hat in seinem berühmten Buch *Momo* dargestellt, wie eine ominöse Gesellschaft grauer Herren die Menschen dazu veranlasst, immer mehr Zeit einzusparen. Sie lassen die Stadt zuplakatieren: »Zeit ist Kostbar – Verliere Sie Nicht!« und »Zeit-Sparern gehört die Zukunft!«. Solche Slogans sollen die Menschen dazu animieren, sich schneller zu rasieren, weniger Zeit zu vertrödeln, flinker zu arbeiten und alles Überflüssige wegzulassen. Kinder sind exquisite Zeitverschwender, ihnen werden nur noch solche Spiele erlaubt, bei denen sie etwas Nützliches lernen. Das Ergebnis ist deprimierend:

»Verdrossen, gelangweilt und feindselig taten sie, was man von ihnen verlangte. Und wenn sie doch einmal sich selbst überlassen blieben, dann fiel ihnen nichts mehr ein, was sie hätten tun können.« (Ende, 1973, S. 187)

Auch den Erwachsenen geht es schlecht und schlechter. Verkäufer, die kein Pläuschchen mehr halten, fertigen ihre Kunden nun zwar in

20 Minuten statt in einer halben Stunde ab, aber dafür macht die Arbeit ihnen keinen Spaß mehr. Gesparte Zeit, so zeigt sich, ist nicht etwa doppelte Zeit, sondern verwandelt die verbliebene in lustlose Zeit.

Die eingesparte Zeit geht an die grauen Herren, die durch sie leben, indem sie sie vernichten.

Mit diesem Horrorszenario traf Ende einen offen liegenden Nerv. Tatsächlich ist die Einsparung von Lebenszeit kein Selbstzweck. Die so gewonnene Zeit ist nur dann auch ein wirklicher Gewinn, wenn wir sie für sinnvolle Aktivitäten investieren, und was sinnvoll für uns ist, können wir nur selbst bestimmen. Effizienteres Arbeiten sollte zumindestens keine schlechtere Laune erzeugen, als unergiebiges, schlecht organisiertes. Das Bewusstsein für die verstreichende Zeit, unsere Lebenszeit, kann natürlich auch ein starker Impuls sein für die Überwindung des Aufschiebens.

»Ein Gefühl der Ermüdung und des Grauens befiel mich bei dem Gedanken, dass diese ganze so lange Zeit nicht nur ohne Unterbrechung von mir gelebt, gedacht und wie ein körperliches Sekret abgelagert worden war und dass sie mein Leben, dass sie ich selber war, sondern dass ich sie auch noch jede Minute bei mir festhalten musste, dass sie mich, der ich auf ihrem schwindelnden Gipfel hockte und mich nicht rühren konnte, ohne sie ins Gleiten zu bringen, gewissermaßen trug ... Es schwindelte mir, wenn ich unter mir und trotz allem in mir, als sei ich viele Meilen hoch, so viele Jahre erblickte.« (Proust, VII, S. 506)

»Im übrigen durfte ich, solange noch nichts angefangen war, freilich wohl unruhig sein, selbst wenn ich glaubte, in Anbetracht meines Alters noch einige Jahre vor mir zu haben, denn schon in wenigen Minuten konnte meine Stunde schlagen.« (Proust, VII, S. 490)

Die Arbeitsteilung im modernen Leben wäre ohne eine maximale Nutzung der Ressource Zeit nicht möglich geworden. Sie hat zu enormen Produktionssteigerungen geführt, die uns unseren materiellen Wohlstand ermöglicht haben. Allerdings sind durch sie oft soziale und auch inhaltliche Zusammenhänge, in denen Aufgaben erledigt werden, zerstört worden. Die Menschen in derart entwickelten Gesellschaften fühlen sich eher unglücklich, wie eine jüngst veröffentlichte Studie der London School of Economics zeigt. Menschen aus 54 Nationen wurden gefragt, ob sie nach ihrem subjektiven Gefühl ein glückliches Leben führten. Auf den ersten drei Plätzen liegen Bangladesch, Aserbaidschan und Nigeria. Deutschland landet abgeschlagen auf dem 42. Platz, die USA auf dem 46. Erklärt wird dieses Ergebnis mit dem hohen Sättigungsgrad an Wohlstand in den Industrieländern, der es verhindere, dass Einkommenssteigerungen sich noch nennenswert auf die Lebensqualität auswirkten. Zwei Drittel der Briten würden es beispielsweise lieber sehen, wenn die Umwelt sauberer würde, statt auf eine weitere Steigerung ihres Einkommens zu hoffen. Soziale Kontakte und das Gefühl der Geborgenheit tragen mehr zum Glück bei als materieller Wohlstand, der in der westlichen Hemisphäre mit emotionaler Verarmung erkauft wird.

Es ist absehbar, dass wir weiterhin unglücklich sein werden. Freud sah das »Unbehagen in der Kultur« noch als unabwendbares Ergebnis der notwendigen Unterdrückung spontaner Triebimpulse. Man kann in unserer Gesellschaft nicht einfach aufstehen und aus dem Klassenzimmer gehen, wenn man keinen Bock hat. Man besucht sich nicht einfach spontan, wie noch in Russland üblich, sondern man verabredet sich und hat dann einen (weiteren) Termin. Man beachtet immer feiner werdende gesellschaftliche Spielregeln, die den direkten Gefühlsausdruck immer schwieriger machen. Das künstlich aufgeheizte Klima des Warenfetischismus in unserer Gesellschaft, in dem das Design der Leistung und die Ästhetik der Leistungserbringung immer wichtiger werden, hat inzwischen die Körper erfasst. Nun reicht es nicht mehr, einen sportlichen Rekord aufzustellen, sondern die Sportler müssen auch noch so gut aussehen, dass sie als *centerfolds* in einschlägigen Magazinen verwertbar sind.

Das Leben in einer Fülle von Widersprüchen will gelernt sein. So soll Leistung sich lohnen, tatsächlich aber hat der Einzelne immer weniger Möglichkeiten, sich auszuzeichnen und herauszuheben. Wenn – wie an unseren Universitäten üblich – in vielen Fächern mehr als 80 Prozent der Absolventen eine Eins als Abschlussnote haben, wo bleibt dann das subjektive Erfolgserlebnis? Und was sollen wir damit anfangen, einerseits dem Ideal ewiger Jugend nachzueifern, andererseits aber an »später« denken und Vorsorge für unsere Alterssicherung betreiben zu müssen? Wenn man mit widersprüchlichen Erwartungen nicht mehr klarkommt, kann man sich zurückziehen, wie es japanische Psychiater in jüngster Zeit vermehrt von Jugendlichen in Großstädten melden. Sie gehen nicht mehr zur Schule oder in die Universität, sondern sitzen apathisch in ihrem Zimmern und müssen durch ihre entnervten Eltern wie Kleinkinder versorgt werden. Auch das ist eine Form des Aufschiebens.

Pünktlichkeit, Sachzwänge und Verpflichtungen

Die moderne arbeitsteilige Gesellschaft ist darauf angewiesen, dass die erforderlichen Dienstleistungen und die Güterproduktion *just in time* erfolgen und nicht irgendwann. Der Produktionsprozess hat seine Eigendynamik. Von der Hand in den Mund zu leben, ist selbst in gesellschaftlichen Nischen kaum mehr möglich. Planung und Voraussicht sind an die Stelle der Impulsivität und der unmittelbaren Bedürfnisbefriedigung getreten. Dabei sind die Zusammenhänge, die diesen Verzicht erfordern, vielen Menschen nicht unbedingt klar und können daher auch nicht bejaht oder abgelehnt werden. Das sind dann eben die »Sachzwänge«, die als gegeben und nicht hinterfragbar hingenommen werden. Uns ihnen unterzuordnen ist uns als »Zwang zum Selbstzwang«, wie der Zivilisationsforscher Norbert Elias es nannte, zur zweiten Natur geworden.

Insofern die Gesellschaft insgesamt zwanghafte Züge trägt, verstärkt sich die individuelle Problematik, Konflikte erscheinen unvermeidlich. Einige entwickeln die Tendenz, sich gegen die gesellschaftliche Bedeutung der Zeit aufzulehnen und haben dann Probleme damit, pünktlich zu sein. Außerdem macht die Ausrichtung auf die Endergebnisse der jeweiligen Produktionen weit vorausschauende Planung erforderlich. Es entsteht ein »Zwang zur Langsicht«. Die Verinnerlichung der gesellschaftlichen Normen führt dann zu den Konflikten, die Sie in den früheren Kapiteln kennengelernt haben. Letztlich steht sie nicht im Dienste der Selbstverwirklichung, sondern der Produktionsverhältnisse. Ironisch glossierte Robert Musil in seinem *Mann ohne Eigenschaften* (noch so ein Marathon-Leseunternehmen, das für Sie zu einem spannenden Durchhaltetraining werden kann) die Produktorientierung, die unsere Gesellschaft prägt:

»In einem von Kräften durchflossenen Gemeinwesen führt jeder Weg an ein gutes Ziel, wenn man nicht zu lange zaudert und überlegt. Die Ziele sind kurz gesteckt, aber das Leben ist auch kurz, man gewinnt ihm so ein Maximum des Erreichens ab, und mehr braucht der Mensch nicht zu seinem Glück, denn was man erreicht, formt die Seele, während das, was man ohne Erfüllung will, sie nur verbiegt, für das Glück kommt es sehr wenig auf das an, was man will, sondern nur darauf, dass man es erreicht.« (Musil, 1978, S. 31)

Hauptsache Erfolg, egal wie. In der neoliberalen Variante dessen, was Erfolg ausmacht, würde man sagen: Hauptsache Millionär. Dem steht die Auffassung entgegen, dass man langfristig mit Genuss nur die Sachen durchhalten kann, für die man ein wirkliches Eigeninteresse hat. Fachinteresse ist beispielsweise stets der Faktor mit dem höchsten Vorhersagewert dafür, ob jemand ein Studium abschließen wird. Das Arbeitsleben verlangt, dass Sie sich in vorgegebene Arbeitsabläufe einordnen. Dem steht der Wunsch nach Selbstbestimmung entgegen. Der Kompromiss besteht im Aufschieben. Sie beugen sich dem Sachzwang, aber nicht vollständig, und Sie betätigen Ihren Eigenwillen, indem Sie aufschieben, vorausgesetzt, Sie haben dazu einen Freiraum. Der ist besonders groß in jenen Milieus, in denen die äußeren Anforderungsstrukturen sehr gering ausgeprägt sind, in denen also ein außergewöhnlich hohes Maß an Selbstbestimmung möglich und an Selbstorganisation erforderlich ist. Vor allem Universitäten sind Beispiele dafür. Für Lehrende, aber vor allem für Studierende existieren weniger einengende Verpflichtungen, als in anderen Arbeitszusammenhängen. Die Kehrseite dieser Medaille bedeutet aber auch, dass es weniger haltgebende Verbindlichkeiten gibt. Der Preis für die größeren Freiräume besteht in der Abwesenheit von Orientierung und äußerer Unterstützung. Die Eigenverantwortlichkeit kann zu einer hohen selbstgesteuerten Arbeitsdisziplin führen, aber auch zu einer generell laxen Haltung.

Dabei hat es den Anschein, als sei das Aufschieben von Arbeitsvorhaben und deren Erledigung »auf den letzten Drücker« ein charakteristisches Merkmal akademischen Arbeitsverhaltens – sowohl von Studierenden als auch von Lehrenden. Wer den Erzählungen von Akademikern lauscht, hört den Stolz und die offenkundige Befriedigung darüber, nicht Sklave von Arbeitsplänen und Fristen zu sein, sondern selbstbestimmt und autonom zu arbeiten und aufzuschieben, um dann in letzter Minute die Examensarbeit doch abzugeben, das Manuskript für den Artikel in den Briefkasten zu werfen, die Prüfungsaufgaben in der Nacht davor durchzuarbeiten: Kriegsberichte von der Front intellektueller Arbeit.

Arbeitsdisziplin hat an der Universität keinen hohen Stellenwert, Arbeitsstörungen werden erlitten, bagatellisiert und zu imagesteigernden Attributen hochstilisiert. Sich eines Arbeitsstils zu rühmen, der unsystematisch, unverbindlich und störungsanfällig, aber hochgradig libidinös besetzt ist, gehört für Akademiker vieler Fächer zu den Techniken der Imagepflege; besonders dort, wo nicht starre Vorgaben (Medizinstudium), externe Notwendigkeiten (Laborversuche in Chemie und Pharmazie) und Zwänge (Rechenzeiten am Computer) andere Einstellungen begünstigen. Gefördert wird all das durch eine Norm des Umgangs zwischen Lehrenden und Studierenden, die es vermeidet, klare Aufgaben zu stellen, verbindliche Fristen für deren Erledigung zu setzen und die Einhaltung anzumahnen.

Dabei handelt es sich häufig um ein bewusstes oder unbewusstes Zusammenspiel, bei dem es nicht mehr um den Sach-, sondern um den Beziehungsaspekt geht, darum, Scham und Verlegenheit zu vermeiden. Auch außerhalb der Universität spielt diese Haltung eine große Rolle, sobald es um nicht erfüllte Erwartungen geht. Sie anzusprechen, bringt zwei Personen in eine schwierige Lage.

Helmut ahnt nicht, wie schwer sich sein Chef damit tut, ihn auf seine vielen unerledigten Stapel anzusprechen. Der Vorgesetzte ärgert sich, dass Helmut ihm ein Spiel aufzwingt, das er gar nicht liebt: nämlich tatsächlich den Vorgesetzten herauszukehren. Sein Chef hat an einer Reihe von Managementkursen teilgenommen und dort alles über Mitarbeitermotivation, Zielvereinbarungen und korrektives Feedback gelernt. Aber schon die Vorstellung, Helmut mit seinem Fehlverhalten zu konfrontieren, ist ihm einfach peinlich, obwohl er nicht versteht, warum. Schließlich findet er Helmut in der Tat pflichtvergessen, langsam und latent aufsässig. Warum also dieses unangenehme Gefühl, aus dem heraus der Chef das fällige Gespräch mit Helmut immer wieder aufschiebt?

Helmut bewahrt durch das Aufschieben sein Image als potentiell fleißiger Mitarbeiter. Der Chef sichert durch sein bisheriges Stillschweigen sein Image als taktvoller Mensch. Je länger beide schweigen, desto mehr verfestigt sich eine Norm in ihrem Umgang miteinander, die lautet: Wir kratzen nicht am Image des anderen. Rein sachlich, von der Arbeitsleistung her, hat Helmut sich diskreditiert, aber wegen der existierenden Umgangsnorm wird das Gespräch darüber Verlegenheit erzeugen. Diese wird sich von der Person mit dem Fehlverhalten auf den Chef, der nachfragt, ausbreiten.

So entsteht eine verhängnisvolle Unverbindlichkeit. Sie ist häufig auch das Ergebnis einer Haltung von Eltern oder Führungskräften, die als gewährend missverstanden wird und beim Laisser-faire endet. Den Beteiligten schwant zumeist zwar, dass sie einander etwas verweigern und schuldig bleiben (Halt, Sich-verlassen-Können, Zuversicht, ein faires quid pro quo), diese Ahnung wird jedoch regelmäßig verdrängt, ebenso wie die dazu gehörigen Aggressionen. Je länger eine fällige Aussprache aufgeschoben wird, desto mehr verwandelt sie sich in der Phantasie in eine unerträglich belastende Konfrontation, bei der es auf beiden Seiten um aufgeblähte Dimensionen von Schuld, Vorwurf, Anklage und Beschämung geht. Diese Vorstellung macht dann immer mehr Abwehr durch Sprachlosigkeit und Kontaktabriss erforderlich.

Zu den Widersprüchen, die das moderne Leben uns Zeitgenossen auferlegt, gehört auch die Wahrnehmung, wie sich beispielsweise in der Politik hektische Betriebsamkeit mit breithüftigem Aussitzen abwechselt. Wir haben in den 16 Jahren der Regierungszeit von Helmut Kohl staunend miterleben können, wie sich nach dem Tatmenschen Helmut Schmidt eine ganz andere Haltung ausbreitete: seelenruhig nichts zu tun und dazu zu stehen. Aber weder die aktivistische Herangehensweise noch die des Aussitzens garantieren, dass die wirklichen Probleme angesprochen, geschweige denn gelöst werden. Wer überall hingeht und nirgends ankommt, kann ein typischer Aufschieber sein – wer buddhahaft dasitzt auch.

Das Befolgen der erlernten Spielregeln zu pünktlichem Selbstzwang hat – Norbert Elias zufolge – einen nachteiligen Effekt:

»Das Leben wird in gewissem Sinne gefahrloser, aber auch affekt- oder lustloser, mindestens, was die unmittelbare Äußerung des Lustverlangens angeht...« (Elias, 1976, S. 330)

Unter der Tyrannei des Über-Ichs die Lust im Leben zu erhalten, das gelingt im Nervenkitzel des Aufschiebens. Mit dem näherkommenden Feuer zu spielen, mag unklug, aber reizvoll sein. Vielleicht bestraft das Leben ja doch nicht jeden, der zu spät kommt.

Zusammenfassung

In unserer Leistungs- und Warengesellschaft werden Schnelligkeit, Schönheit und Perfektion überbewertet. Jeder von uns muss fürchten, diesen Idealen nicht zu entsprechen. Wir leben in Konflikten zwischen unseren Wünschen nach Selbstverwirklichung, Sinn und Genuss und den Normen unserer Produktionsverhältnisse. Sie fordern, dass Sie Leistung nicht nur zuverlässig wie eine Maschine, sondern auch *just in time* erbringen. Dazu müssen Sie Ihre Spontaneität zügeln und Ihre Launen beherrschen. Wenn Sie jedoch zu viel Selbstzwang von sich fordern oder gar praktizieren, kann das Unterdrückte aus dem gesellschaftlichen Unbewussten zurückkehren und Sie zum Aufschieben veranlassen.

Teil III

Schluss mit dem ewigen Aufschieben – Strategien zur Bewältigung des Aufschiebeproblems

10.

Der Beginn der Problembewältigung: Selbstakzeptanz

Bislang schoben Sie auf, um Entscheidungen, Aufgaben und Vorhaben zu entfliehen, die Ihr Selbstwertgefühl bedrohten und unangenehme Gefühle auslösten. Wenn Sie zukünftig standhalten wollen, dann müssen Sie mit diesen Emotionen anders umgehen, Ihr Selbstwertgefühl stärken und dafür sorgen, dass Entscheidungen und Vorhaben nicht mehr so überwältigend unangenehm und belastend für Sie sind. Das erfordert innere Veränderungen, eine bessere Steuerung Ihrer Gefühle und Impulse und neue, bessere Techniken im Umgang mit Arbeit und Entscheidungen. Sie werden dadurch ein positiveres Verhältnis zu sich selbst und zu Ihren Vorhaben entwickeln. Die gute Nachricht jedenfalls ist: Da Sie das Aufschieben gelernt haben, können Sie es auch wieder verlernen. Sie werden in diesem Teil des Buches

- erfahren, wie Sie die Konflikte, die hinter Ihrem Aufschieben stecken, lösen und neue Einstellungen aufbauen können, die Ihnen helfen, Ihre Sachen zu erledigen;
- lernen, wie Sie die Gefühle, die Sie zum Aufschieben veranlassten, verändern können;
- viele Tipps bekommen, wie Sie durch Planung, Organisation und Zielsetzung die Wahrscheinlichkeit, dass es überhaupt zum Aufschieben kommt, senken können;
- eine Fülle von Hinweisen erhalten, wie Sie ganz konkret Ihr aufschiebendes Verhalten ändern und mehr Kontrolle über Ihre Impulse ausüben können.

In Ihrer Entdeckungsreise in die Welt des Aufschiebens sind Sie inzwischen gut vorangekommen. Den ersten Punkt des *BAR*-Programms: Bewusstheit, können Sie abhaken. Sie wissen, dass Aufschieben mit bestimmten Konflikten beginnt, die aus Ihrer Lebensgeschichte stammen.

Diese Konflikte führen, sobald sie spürbar werden, zu unangenehmen Gefühlen. Ihre Wahrnehmung signalisiert Ihnen eine drohende Beschämung, weil irgendwelche Defizite, die Sie sich selbst zuschreiben, offenbar werden könnten. Oder Sie wittern eine Gefühlslage, die Sie unbedingt vermeiden wollen. Ihre Anspannung können Sie dadurch erfolgreich reduzieren, indem Sie etwas anderes machen, also aus dem Felde gehen. Diese Vermeidungshaltung kann zur Gewohnheit werden und damit nahezu automatisch gestartet werden. Wenn Sie über Ihr Aufschieben nachdenken, greifen Sie möglicherweise zu Ausreden, die wiederum das Ziel haben, Ihnen eine peinliche Konfrontation mit sich selbst und/oder anderen zu ersparen. Haben Sie bereits über längere Zeit aufgeschoben, dann gibt es in Ihnen eine Seite, in der Sie sich mit übelster Selbstverachtung gegenüberstehen, und eine andere, mit der Sie sich wütend und angstvoll gegen diese Selbstverachtung oder die befürchtete Verachtung durch andere wehren. Wo sollen Sie da noch Kraft hernehmen, sich für Ihre Ziele einzusetzen?

Sie haben in den vorhergehenden Kapiteln gesehen, dass der Versuch, bestimmte Konflikte durch das Aufschieben zu »lösen«, misslingt und zu genau den Konflikten zurückführt, die Sie vermeiden wollten.

Hinzu kommt, dass Ihnen möglicherweise Fertigkeiten fehlen. Sie wissen vielleicht nicht, wie Sie optimal Entscheidungen treffen und Vorhaben ausführen können. Wenn Sie jetzt daran gehen, das Aufschieben zu überwinden, dann hilft Ihnen der zweite Teil des *BAR*-Konzepts.

Das *BAR*-Konzept schlägt folgende Aktionen vor:

- Sie werden Ihre Selbstwahrnehmung ändern und sich nicht mehr als »Aufschieber« abstempeln. Dazu brauchen Sie nur ein wenig rationales Denken.
- Sie werden Ihr Selbstwertgefühl abkoppeln von Ihrer Leistung oder Ihrem Erfolg. Um das zu erreichen, werden Sie Ihr inneres Selbstgespräch und Ihre Überzeugungen in die Richtung verändern, sich mehr zu akzeptieren als bisher.
- Sie werden Ihre Ziele neu bestimmen und dadurch ein anderes Verhältnis zu Ihren Vorhaben und Entscheidungen bekommen.
- Sie werden es lernen, Ihr Vorgehen besser zu planen, sich vernünftiger zu organisieren und Ihre Zeit optimal zu nutzen, so

dass Sie mehr Freizeit haben als bisher und dennoch mehr erledigen.

- Sie werden mit Hilfe einiger Tipps lernen, wie Sie sich den Anfang der Erledigung eines Vorhabens leichter machen und auch durchhalten können, wenn es einmal hart wird.

Das Wichtigste zuerst: Sie brauchen in Zukunft die Sicherheit, dass Ihr Wert als Person nicht abhängig ist von Ihrer Leistung in bestimmten Bereichen. Wenn Sie Ihr Selbstwertgefühl nicht länger durch irrationale Ansprüche an sich und eine vernichtende Selbstkritik auf Null bringen, dann werden Sie weniger anfällig für Versagensängste und die Furcht vor Beschämung und brauchen das Aufschieben als Schutzmechanismus nicht mehr. Wenn Sie sich nicht so lange schon ausgeschimpft, fertiggemacht, bestraft oder herabgesetzt hätten, dann würden Sie sich heute besser und zuversichtlicher fühlen. Möglicherweise haben Sie es bis heute für richtig gehalten, sich mit der Peitsche der Selbstverachtung zu Veränderungen zu treiben. Geben Sie zu, es hat nichts bewirkt. Probieren Sie doch einmal den anderen Weg. Natürlich kann Ihnen die Lektüre eines Buches kein Selbstwertgefühl geben. Sie können aus ihm aber lernen, die Schritte zu tun, die Menschen mit Selbstsicherheit, Selbstachtung und Selbstliebe jeden Tag machen. Der wichtigste dabei ist:

> **Tipp:** Bewerten Sie sich nicht global, sondern bewerten Sie spezifisch einzelne Verhaltensweisen. Hören Sie auf, sich als »Aufschieber« zu sehen!

Aus vielen einzelnen Aufschiebehandlungen haben Sie im Laufe der Zeit die Selbstwahrnehmung abgeleitet: Ich bin ein Aufschieber! Eine verhängnisvolle Schlussfolgerung. Wieso, werden Sie sagen, wenn jemand immer wieder, jahrelang, in verschiedenen Lebensbereichen Vorhaben und Entscheidungen vor sich her schiebt, ist es dann nicht gerechtfertigt, ihn einen Aufschieber zu nennen ist? Die Antwort lautet: Nein, es ist nicht gerechtfertigt und außerdem extrem schädlich. Mit dem Etikett »Aufschieber« haben Sie sich als ganze Person mit einem problematischen Verhalten gleichgesetzt. Sie sind aber viel mehr als ein »Aufschieber«. Ich möchte Sie davon überzeugen, dass es besser ist, Ihre Sichtweise zu ändern und sich zu sagen: »Auch wenn ich in der Vergangenheit viel aufgeschoben habe und es gelegentlich immer noch tue, so macht mich das nicht zu einem Aufschieber.« Ähnlich verhält es sich, wenn Sie das Rauchen aufgeben wollen. Auch dann ist es leichter, wenn Sie sich als Nichtraucher sehen, der einige Zeit geraucht hat, statt als »Raucher«. Als Nichtraucher kehren Sie zurück zu Ihrer ursprünglichen Natur. Die Bezeichnung »Raucher« hingegen stempelt Sie ab als identisch mit dem Problem, das Sie verändern wollen. Wenn Sie sich als »Aufschieber« sehen, ist es das gleiche. Sie sagen sich selbst damit Folgendes: Ich habe ein stabiles, generelles Problem, das an mir selbst liegt. Sie können Ihre Probleme jedoch leichter lösen, wenn Sie deren Ursachen in einer Wechselwirkung zwischen äußeren Bedingungen und Ihrer Persönlichkeit sehen. Daraus folgt dann auch, die Ursachen für Probleme als veränderbar anzusehen. Und damit haben Sie eine Chance.

Weil dieser Punkt so wichtig ist, möchte ich Sie bitten, sich ein Bild vorzustellen: Denken Sie an einen Obstkorb, gefüllt mit Bananen, Äpfeln, Birnen, Pflaumen, Orangen, Mandarinen, Passionsfrüchten und so weiter. Manche der Früchte sind frisch und lecker, einige haben jedoch braune Stellen und ein paar sehen gar nicht mehr gut aus. Halten Sie es deshalb für gerechtfertigt zu sagen, der Obstkorb sei vergammelt? Auch Sie haben gute und schlechte Eigenschaften, Stärken und Schwächen, Sie sind eine facettenreiche Persönlichkeit mit einer einzigartigen Lebensgeschichte – und keinesfalls identisch mit Ihren problematischen Verhaltensweisen. Sie verfügen über hunderte von Eigenschaften und Fähigkeiten, nicht nur über die Gewohnheit des Aufschiebens. Es ist auch für Ihre Selbstachtung besser, wenn Sie sich als prinzipiell fähig sehen, Ihre Angelegenheiten zu erledigen, auch wenn Sie das seit Tagen, Wochen, Monaten oder Jahren nicht in jeder Hinsicht zu Ihrer Zufriedenheit tun.

Am Anfang wird es sich falsch anfühlen, wenn Sie sich so verhalten, als hätten Sie diese Überzeugung bereits. Das macht aber nichts. Allmählich werden Sie lernen, sich in vernünftiger und positiver Weise wahrzunehmen.

Nur weil Sie Probleme mit dem Aufschieben haben, sind Sie noch lange kein wandelndes Problem! Beginnen Sie damit, sich und Ihr Aufschieben zu akzeptieren. Um das zu erreichen, müssen Sie Ihr inneres Selbstgespräch verändern, weg von Anschuldigung, Angst und Zweifeln hin zu positiven Aussagen über sich. In den folgenden Kapiteln erwerben Sie die Fertigkeiten, die Sie brauchen, um komplizierte und ängstigende Situationen zu bewältigen. Dabei darf auch einmal etwas schief gehen, und Sie können es lernen, gerade dann kompetent zu handeln. Zu Ihren Fähigkeiten gehört auch die Kraft, sich vom Aufschieben zu befreien. Oder, mit Proust gesagt:

»...unsere größten Befürchtungen gehen sowenig wie unsere größten Hoffnungen über unsere Kraft, wir können schliesslich die einen bezähmen und die anderen trotz allem verwirklichen«. (Proust, VII, S. 489)

Sich selbst als jemanden zu akzeptieren, der zur Zeit aufschiebt, ist die Basis jeder Veränderung. Sich zu akzeptieren heißt nicht, zu resignieren oder sich nie wieder anzustrengen. Es bedeutet vielmehr, von der Realität auszugehen, wie Sie sie wahrnehmen. Sie kennen sich als jemand, der bislang Dinge eher aufschob, also akzeptieren Sie dieses Verhalten. Es hatte schließlich seine Gründe. Warum sollten Sie es sich dauerhaft übelnehmen, wenn Sie sich bisher – weil Sie nicht anders konnten und es nicht besser wussten – so gut es geht zu schützen versucht haben? Wenn Sie weniger Energie darauf verwenden müssen, sich abzulehnen oder gegen erwartete Ablehnung durch andere anzukämpfen, steht Ihnen mehr Power für die wirkliche Lösung Ihres Problems mit dem Aufschieben zur Verfügung.

Tipp: Wünschen Sie sich nicht länger, zum Macher zu werden. Nehmen Sie sich stattdessen das Aufschieben nicht mehr so übel. Akzeptieren Sie sich als jemand, der manche Dinge bislang liegen ließ.

Mit dieser Einstellung werden die Veränderungen möglich, von denen Proust berichtet:

»Man glaubt, dass man nach seinem Wunsch und Willen die Dinge um sich her ändern kann, man glaubt es, weil man außerhalb davon keine günstige Lösung sieht. Man denkt nicht an die, die sich am häufigsten einstellt und die in der Tat auch die günstigste ist: Wir gelangen nicht dazu, die Dinge nach unseren Wünschen zu ändern, aber ganz allmählich macht unser eigenes Wünschen eine Wandlung durch. Die Situation, die wir zu ändern hofften, weil sie uns unerträglich war, wird dann uninteressant für uns. Wir haben das Hindernis zwar nicht überwinden können, wie wir es durchaus wollten, aber das Leben hat uns dazu geführt, es zu umgehen, daran vorbeizugleiten ...« (Proust, XI, S. 53 f)

Das Annehmen Ihrer Schwierigkeiten ermöglicht es Ihnen, nicht länger an immer derselben unnachgiebigen Stelle mit dem Kopf durch die Wand zu wollen. Sie schlagen sich damit keine neuen Wunden und die alten dürfen endlich abheilen. Sprechen Sie mit anderen über Ihr Problem. Sie bekommen auf die Weise nicht nur Anteilnahme, Verständnis und vielleicht sogar gute Tipps. Sondern Sie praktizieren dadurch das Akzeptieren Ihrer Schwierigkeiten. Denn wenn Sie etwas für sich wirklich akzeptiert haben, dürfen es auch alle wissen.

Tipp: Ein guter Weg, ein problematisches Verhalten zu akzeptieren, liegt darin, es nicht länger schamhaft zu verschweigen. Je mehr Sie anderen Ihr Problem enthüllen, desto leichter werden Sie es akzeptieren.

Sich zu akzeptieren setzt voraus, sich zu kennen. In Ihrer Selbsterkenntnis können Sie in diesem Kapitel nochmals einen Schritt vorankommen. Vergessen Sie darüber jedoch nicht, dass Sie – egal wieviel Einsicht Sie in Ihre Konflikte haben – immer noch eine gute Portion an Know-how brauchen werden, um zukünftig weniger aufzuschieben.

Sich selbst erkennen

Denken Sie an *ein* konkretes aufgeschobenes Vorhaben, das wirklich bedeutungsvoll für Sie ist, und bleiben Sie bei diesem, wenn Sie die folgenden Kapitel durcharbeiten. Widerstehen Sie der Versuchung, zu einem anderen Projekt zu wechseln, das Sie auch vor sich her schieben. Sie wissen ja jetzt, dass dieser Wechsel zu etwas anderem ein Kernmerkmal des Aufschiebens ist, vor allem dann, wenn sich unangenehme Gefühle einstellen. Sie würden dieses sinnlose Muster nur wiederholen. Also bleiben Sie bei der Stange, es lohnt sich.

Bitte gehen Sie die folgenden Fragen durch und notieren Sie Ihre Antworten schriftlich. Denken Sie nicht zu lange über die einzelnen Fragen nach. Ihre Antworten werden Ihnen wertvolle Hinweise darauf geben, was es mit Ihrem Aufschieben auf sich hat.

1. Was schieben Sie auf?
2. Wie schieben Sie auf?
3. Was würde passieren, wenn Sie nicht aufschöben? Positives? Und Negatives?

4. Welche Gefühle tauchen auf, wenn Sie sich vorstellen, die aufgeschobene Sache zu erledigen/anzupacken etc.?
5. Wann tauchte das Problem mit dem Aufschieben erstmals auf?
6. Was war damals los in Ihrem Leben? Welche Ereignisse fallen Ihnen ein?
7. Welche Gefühle verbinden Sie mit dieser Zeit und den Ereignissen?
8. Was haben Sie damals gemacht?
9. Welche Nebeneffekte hatten die Ereignisse noch?
10. Wie wirken sich die Ereignisse noch heute auf Ihr Leben aus?
11. Welche Folgen hat das Aufschieben für Sie noch (außer, dass Sie Ihre Ziele nicht erreichen)? Positives? Und Negatives?
12. Was fehlt in Ihrem Leben?
13. Glauben Sie, dass Sie nichts Besseres verdienen?
14. Was ist also der Lohn Ihres Aufschiebens? Womit müssten Sie sich auseinandersetzen, wenn Sie nicht aufschieben?

Als Beispiel ist der Fragebogen abgedruckt, den Beate ausgefüllt hat.

1. Was schieben Sie auf?
Die Anfertigung meines Marketingkonzepts.

2. Wie schieben Sie auf?
Ich suche endlos nach neuem Material, um mich abzusichern und etwas besonders Gutes zustande zu bringen.

3. Was würde passieren, wenn Sie nicht aufschöben? Positives? Und Negatives?
Positiv: Ich würde das Konzept endlich fertig machen und damit einen wichtigen Karriereschritt machen.
Negativ: Ich könnte mit meinen Ideen abgelehnt werden, die Kollegen würden über mich lachen. Oder neidisch werden, wenn ich Erfolg hätte. Man würde mehr von mir erwarten, und ich müsste das nächste Mal noch bessere Resultate bringen.

4. Welche Gefühle tauchen auf, wenn Sie sich vorstellen, die aufgeschobene Sache zu erledigen/anzupacken etc.?

Ich fühle mich gut bei der Idee, es fertig zu haben. Wenn ich mir vorstelle, es jetzt zu beenden und keine neuen Sachen mehr einzuarbeiten, spüre ich Angst.

5. Wann tauchte das Problem mit dem Aufschieben erstmals auf?

Ich habe es in der Oberstufe schon vor mir hergeschoben, mir wirklich über meine Zukunft Gedanken zu machen, darüber, was ich einmal werden will, welche Stärken ich habe, wohin ich in meinem Leben will.

6. Was war damals los in Ihrem Leben? Welche Ereignisse fallen Ihnen ein?

Ich stand vor dem Abitur. Meine Lehrer und meine Eltern überschätzten mich ständig. Ich weiß noch, wie ich meinem Klassenlehrer einmal etwas von meinen Unsicherheiten über das richtige Studienfach sagte. Darauf er: Wenn nicht einmal Sie so etwas wissen, was sollen dann erst die anderen sagen?

7. Welche Gefühle verbinden Sie mit dieser Zeit und den Ereignissen?

Ich fühlte mich blöd, als hätte ich mich zu wichtig genommen, aber ich war auch sauer, weil ich mich nicht ernst genommen fühlte. Aber so war es die ganze Zeit: Ich fühlte mich allein und hilflos, und keiner wollte davon etwas wahrnehmen. Es war so, als hätten alle mich aufgefordert, pflegeleicht und problemlos zu sein.

8. Was haben Sie damals gemacht?

Ich habe versucht, mich von der ganzen Sache abzulenken und mir gesagt, ich würde die Antwort auf meine Fragen eben später finden.

9. Welche Nebeneffekte hatten die Ereignisse noch?

Ich habe meine außerschulischen Aktivitäten noch verstärkt.

10. Wie wirken sich die Ereignisse noch heute auf Ihr Leben aus?

Ich habe den Eindruck, ich lebe immer noch so. Ich verzettele mich mit zu vielen Dingen. Eigentlich weiß ich nicht, ob ich mit diesem Konzept wirklich groß rauskommen will. Ich habe den Eindruck, mir fehlt immer noch die Basis und dieses ist ein weiterer Versuch, mit Aktionismus der Frage, was ich eigentlich will, zu entgehen.

11. Welche Folgen hat das Aufschieben für Sie noch (außer, dass Sie Ihre Ziele nicht erreichen)? Positives? Und Negatives?
Positiv: Ich kann mir vormachen, dass ich ungeheuer beschäftigt und aktiv bin und deswegen gar keine Zeit habe, mich mehr um mich zu kümmern. Jetzt, wo ich das hier schreibe, fällt mir auf, dass mir das offenbar als positiv erscheint. Eigentlich schadet es mir aber. Wirklich positiv ist an meinem Aufschieben gar nichts.
Negativ: Ich habe jede Menge Stress, bin dauernd unterwegs, meine Freunde verlassen mich, weil ich zu wenig Zeit für sie habe.

12. Was fehlt in Ihrem Leben?
Ein Sinn, ein Mann, eine Richtung.

13. Glauben Sie, dass Sie nichts Besseres verdienen?
Eine echt schwere Frage. Es ist natürlich leicht, »Nein« hinzuschreiben, aber da ist irgendwo doch ein Gefühl in mir, als hätte ich es wirklich nicht besser verdient. Mir fallen dazu meine Eltern ein, die mich zwar auf das Gymnasium gehen ließen, aber auch darunter litten, von mir abgehängt zu werden. Ich habe mich auch oft schlecht gefühlt, weil ich Zugang zu einer Welt hatte, die ihnen verschlossen blieb. Vielleicht darf es mir nicht besser gehen als ihnen.

14. Was ist also der Lohn Ihres Aufschiebens? Womit müssten Sie sich auseinandersetzen, wenn Sie nicht aufschieben?
Mit dem, was ich wirklich aus mir machen möchte, und der Frage, wie ich das herausfinden kann. Damit, ob es mir besser gehen darf als meinen Eltern. Damit, dass ich bisher jeden Freund nach kurzer Zeit verjagt habe.

Sie sehen, wie schnell die Fragen in diesem Bogen von der Oberfläche des Aufschiebens hin zu zentralen Konflikten führen. Beate ist dabei klar geworden, dass ihr Perfektionismus das Instrument ist, mit dem sie aufschiebt. Den Motor bilden jedoch Konflikte, die sie aus Kindheit und Jugend noch mit sich herumschleppt: Angst und Schuldgefühle, die Eltern zu übertrumpfen, das Gefühl, überschätzt und mit wichtigen Entscheidungen allein gelassen zu werden, die Angst vor der Nähe zu einem Freund. Als Beate diesen Bogen nach einiger Zeit erneut ausfüllt, hat sie zu diesem letzten Konfliktbereich noch einen sehr wichtigen Einfall: Wenn sie sich auf einen Mann einlässt, fürchtet sie, ihre eigene Karriere ihm unterordnen zu müssen. Noch später fällt ihr ein: Wenn sie heiraten würde, könnte sie es sich sparen, unter vielen Ängsten herauszufinden, was sie wirklich will. Hier entdeckt Beate dann einen neuen Konflikt, der darin besteht, dass sie sich heimlich herbeisehnt, die eigene Entwicklung zu verpassen, wovor sie sich doch auch so sehr fürchtet.

Tipp: Füllen Sie diesen Bogen nach ein paar Tagen nochmals aus. Sie werden sehen, dass Ihnen weitere wichtige Aspekte einfallen, die Ihnen dabei helfen herauszufinden, was hinter Ihrem Aufschieben steckt.

Zu Ihrer Selbsterkenntnis kann ein *emotionales Erinnern* beitragen: Gehen Sie zurück in die Zeit, in der Sie Ihr Aufschieben erstmals als Problem empfunden haben. Betrachten Sie Fotos von damals, sprechen Sie mit Ihren Angehörigen, lesen Sie in Ihrem alten Tagebuch, suchen Sie sich Literatur, Theaterstücke oder Filme aus, die starke Gefühle in Ihnen auslösen. All das kann Ihnen helfen, wirklich wichtige Dinge über sich herauszufinden. Unser Gehirn ist so organisiert, dass die linke Gehirnhälfte spezialisiert ist auf logisches und bewusstes Denken und Sprechen und damit bei nahezu allen Menschen die dominante Rolle innehat. Die rechte Gehirnhälfte – unabhängig davon, ob Sie Links- oder Rechtshänder sind – ist zuständig für Gefühle, unbewusste Denkprozesse, Kreativität, Erinnerung an Sinneseindrücke und so weiter. Die rechte Gehirnhälfte anzusteuern kann Ihnen dabei helfen, Zugang zu tieferen Schichten Ihres Erlebens und Fühlens zu finden. Sie kennen vielleicht die berühmte Stelle aus *Auf der Suche nach der verlorenen Zeit*, in der Marcel Proust schildert, wie der Geschmack der Madeleines, eines Gebäcks, das in Tee eingetaucht wird, überwältigend die Erinnerungen an seine Kindheit heraufbeschwören:

»Sobald ich den Geschmack jener Madeleine wiedererkannt hatte, die meine Tante mir, in Lindenblütentee eingetaucht, zu verabfolgen pflegte (obgleich ich immer noch nicht wusste und auch erst späterhin würde ergründen können, weshalb die Erinnerung mich so glücklich machte) ... stiegen jetzt alle Blumen unseres Gartens und die aus dem Park von Monsieur Swann, die Seerosen auf der Vivonne, die Leutchen aus dem Dorfe und ihre kleinen Häuser und die Kirche und ganz Combray und seine Umgebung, alles deutlich und greifbar, die Stadt und die Gärten auf aus meiner Tasse Tee.« (Proust, I, S. 66)

Der Proustsche Protagonist aktiviert seine Erinnerung durch eine ganz konkrete, nur für ihn wirksame Methode. Falls Tee und Gebäck Ihnen keinen Zugang zu Ihrer rechten Gehirnhälfte verschaffen, dann probieren Sie doch einmal die Strategie aus, die von der amerikanischen Autorin Karen Peterson empfohlen wird:

Tipp: Schreiben Sie Ihre Antworten in dem obigen Fragebogen zunächst einmal mit Ihrer bevorzugten Hand, im üblichen Fall also mit der rechten. Gehen Sie die Fragen dann nochmals durch und schreiben Sie mit der nichtdominanten, also der linken Hand. Sie werden merken, dass Ihnen dabei andere Antworten einfallen. Beides zusammen ergibt ein vollständigeres Bild Ihrer Konflikte und Erfahrungen.

Sich akzeptieren lernen

Wenn Sie Ihr gegenwärtiges Problem mit einem aufgeschobenen Projekt erkannt haben und dazu auch Ihre dahinterstehenden Konflikte, dann stellt sich Ihnen als nächstes die Aufgabe, beides zu akzeptieren. Akzeptieren heißt zugestehen, dass etwas da ist, ob es Ihnen passt oder nicht, und den überflüssigen Ärger auf sich selbst aufzugeben.

Schauen wir uns die Struktur von Konflikten, die durch das Aufschieben entstehen und vertagt werden, für einen Moment noch etwas genauer an. Dazu setzen wir uns die Brille der Rational-Emotiven Therapie (RET) auf, die der amerikanische Psychotherapeut Albert Ellis entwickelt hat.

Rational-Emotive Therapie kurzgefasst

Die RET beruft sich auf den griechischen Philosphen Epiktet, von dem die Aussage stammt: »Menschen werden nicht durch die Dinge an sich beunruhigt, sondern durch die Meinungen, die sie darüber haben.« Dieses Prinzip verweist darauf, dass unsere Sichtweise von Dingen eine Funktion unserer Wahrnehmung und Bewertung ist, die ihrerseits unsere individuellen Wertsysteme reflektieren. Rational-Emotive Therapie geht aus von den beiden Werten des Überlebens und Genießens. Solange Sie sich dafür entscheiden, am Leben zu bleiben und es zu genießen, kann RET Ihnen helfen. Wenn Sie allerdings den Wunsch haben, zwar weiter zu leben, aber sich dieses Leben zur Hölle machen wollen, dann kann RET nichts für Sie tun.

Die Werte des Überlebens und Genießens stehen in Beziehung mit Zielen wie:

- befriedigende Beziehungen zu anderen Menschen;
- tiefe persönliche Beziehungen zu einigen anderen Menschen;
- Erfülltsein durch persönlich bedeutsam Aufgaben.

RET nimmt an, dass Kognitionen, Emotionen und Verhalten eine Ganzheit bilden und konzentriert sich auf den Zusammenhang zwischen diesen Komponenten. Gedanken, Annahmen, Schlussfolgerungen und Bewertungen, in der Psychologie als Kognitionen bezeichnet, werden als notwendige und hinreichende Bedingungen für das Entstehen von Gefühlen betrachtet: »*You feel the way you think!*« Bestimmte kognitive Prozesse, wie Übertreibung, unzulässige Vereinfachung, Übergeneralisation, unlogische, ungültige Annahmen, unlogische Schlussfolgerungen und absolutistische Annahmen führen entweder zu irrationalen Einstellungen *(irrational beliefs)* oder entsprechen ihnen. Irrationale Einstellungen erzeugen unangemessene Gefühle und/oder Verhaltensweisen. Sie entstehen zum Teil auf der Grundlage angeborener Voraussetzungen, noch mehr aber durch Umwelteinflüsse und werden durch beständige individuelle und gesellschaftliche Reindoktrination aufrechterhalten.

Ob Ihre Kognitionen, Emotionen und Verhaltensweisen rational oder irrational sind, ist daran erkennbar, wie sehr sie Ihnen helfen, Ihre Ziele zu erreichen. Rationales Denken und Verhalten bringt die Werte des Überlebens und Genießens mit Ihren Zielen, Ihrer Umwelt und Ihrer Persönlichkeit in Einklang. Rational bedeutet dabei in keinem Fall emotionslos. Ob Sie rational oder irrational denken, zeigt sich darin,

- wie häufig,
- wie lange andauernd und
- wie intensiv

Sie unter belastenden Gefühlen zu leiden haben.

RET ist nicht nur eine der effektivsten psychotherapeutischen Methoden, sondern eignet sich auch als ausgezeichnete Selbsthilfestrategie. Sie bietet dazu ein einfaches ABC-Schema an.

A: *(activating event)*	Ein Ereignis geschieht.
B: *(beliefs)*	Sie machen sich Gedanken über das Ereignis, schätzen es ein, bewerten es.
C: *(consequences)*	Ihre Gedanken führen zu Konsequenzen, zu Gefühlen und konkreten Handlungen. Diese können Ihnen helfen, Ihre Ziele *(effects,* E) zu erreichen (E+), oder ihnen entgegengerichtet sein (E−).

Mit der Annahme, dass die Art und Weise, wie Sie über A denken, Ihre Gefühle und Verhaltensweisen bestimmt, haben Sie einen Schlüssel zu Veränderungen in der Hand.

Hier können Sie ein ABC nachlesen, das Helmut aufgeschrieben hat:

A Ich sitze an meinem Schreibtisch, vor mir Stapel von Briefen und Akten.

B 1 Ich hätte diese Sachen schon längst bearbeiten müssen. Ich kriege bestimmt jede Menge Ärger, wenn mein Chef erfährt, dass ich diese vielen Sachen nicht erledigt habe.

B 2 Diese Kunden sind doch zu blöde, wegen jedem Mist zu schreiben.

B 3 Andere haben nicht die Hälfte von dem zu tun, was ich hier vor mir habe. Es ist ungerecht, dass ich so viel Arbeit habe.

B 4 Es ist einfach zu viel, ich weiß gar nicht, wo ich anfangen soll.

B 5 Ich muss mir erst einmal einen Kaffee holen und die Hausnews lesen.

C   Gefühle: Angst (aus B 1), Ärger (aus B 2 und B 3), Hilflosig-
    keit (aus B 4)
    Verhalten: Aufstehen und weggehen (aus B 5)

Mit einer weiteren Frage, nämlich »Und wie finde ich das?«, können
Sie einen wichtigen Schritt machen, hin zu den unausgesprochenen Bewertungen Ihrer Gedanken:

B 1   Ich hätte diese Sachen schon längst bearbeiten müssen. Ich
      kriege bestimmt jede Menge Ärger, wenn mein Chef erfährt,
      dass ich diese vielen Sachen nicht erledigt habe. *Und das fin-
      de ich eine Schweinerei!*
B 2   Diese Kunden sind doch zu blöde, wegen jedem Mist zu
      schreiben. *Und jetzt muss ich mich mit diesem Mist herumär-
      gern.*
B 3   Andere haben nicht die Hälfte von dem zu tun, was ich hier
      vor mir habe. Es ist ungerecht, dass ich so viel Arbeit habe.
      Und das finde ich auch eine Schweinerei!
B 4   Es ist einfach zu viel, ich weiß gar nicht, wo ich anfangen soll.
      Und das finde ich fies, so überfordert zu werden!
B 5   Ich muss mir erst einmal einen Kaffee holen und die Haus-
      news lesen. *Und das geschieht allen recht, den Kunden und
      dem Chef.*

Dieser Nachtrag ermöglicht es Helmut zu sehen, dass im Grunde genommen alle seine Bewertungen der Situation und seiner Gedanken auf
eines hinauslaufen:

C Gefühle: ÄRGER, ÄRGER, ÄRGER!

Insofern ist sein Verhalten in perfekter Übereinstimmung mit diesem
überwältigenden Gefühl: Er geht aus dem Felde und dreht allen, die etwas von ihm wollen, eine lange Nase.
    Als nächstes stellt sich die Frage, wie Helmut seinen vielen Ärger und

sein Ausweichverhalten findet. Ein 2. ABC enthält die innere Stellungnahme zu seinem 1. ABC:

A   Mein Ärger, mein Weggehen zum Kaffeetrinken und Zeitunglesen

B 1   *Ich finde es eigentlich gut,* dass ich mich in dieser Tretmühle nicht unterkriegen lasse.

B 2   *Es wäre mir lieber,* wenn ich nicht immer so verärgert wäre.

B 3   Ich weiß nicht, ob ich das überhaupt noch ändern kann. Ich bin so schnell vergrätzt und dann handle ich einfach bescheuert.

B 4   Ich sollte mir schon längst einen neuen Job gesucht haben, aber ich habe zu viel Angst vor etwas ganz Neuem. *Das finde ich nicht gut. Ich sollte mutiger sein!*

B 5   Eigentlich bin ich ein ziemlicher Papiertiger, *und das finde ich blöd.*

Wenn Helmut so über seinen Ärger auf der Arbeit und über sich als den immer ärgerlichen Menschen nachdenkt, kommt er zu einer widersprüchlichen Selbstbewertung seines konkreten Erlebens und Verhaltens: Einerseits findet er, dass er ein ganzer Kerl ist, der sich nicht unterkriegen lässt, andererseits findet er sich feige. Seine daraus resultierenden Gefühle sind diese:

C   Gefühle: Stolz (aus B 1), Angst (aus B 3), Ärger (aus B 3, B 4 und B 5).

Und was macht Helmut, wenn er so über sich nachdenkt? Sie ahnen es schon, er vermeidet es die meiste Zeit, aber wenn er es doch tut, dann spürt er Ärger und könnte am liebsten auf irgendetwas einschlagen. Nein, so richtig kann er sich nicht akzeptieren.

C   Verhalten: an etwas anderes denken, Fäuste ballen sich.

Helmuts Gedanke B 2 enthält ein Ziel. Die entscheidende Frage wird sein, ob Helmut es mit diesem Ziel ernst meint. Denn in einer gegebenen Situation hat er eine sehr hohe Übereinstimmung von Gedanken, Gefühlen und Verhalten, mit anderen Worten, eine sehr fest gefügte Überzeugung. Sein hauptsächliches Motiv, sich nicht unterkriegen zu lassen, wird mächtig angeregt, alter Ärger steigt auf und Helmut ist gewohnt darin, aus dem Feld zu gehen. Will er das wirklich ändern?

Für Helmut ist es sehr wichtig, sein Ärgerproblem zu verstehen. Er ist nun einmal so, bis auf weiteres. Das kann er nicht ganz akzeptieren, er regt sich auch über sich selbst auf. Seine ABCs zeigen ihm, dass er besonders dann, wenn ihn etwas ängstigt, auf die Barrikaden geht. Dann fühlt er sich mächtiger und nicht so hilflos. Er pumpt sich auf, ahnt aber, dass er nicht so stark ist, wie er tut. Sein Ärger überdeckt seine Ängstlichkeit. Und die muss Helmut zunächst einmal akzeptieren, wenn er an ihr etwas verändern will. Helmut glaubt, dass sein Ärger auf sich selbst ihn zu Veränderungen motivieren könnte, schließlich ist er ja unzufrieden mit sich. Aber er lenkt sich mit seinem Ärger auf sich selbst nur von dem tiefer liegenden Problem, der Ängstlichkeit, ab. Auf diese Weise schiebt er die Auseinandersetzung mit der wichtigeren Aufgabe vor sich her.

Ein 1. ABC einer konkreten Aufschiebesituation und ein 2. ABC über Ihre Reaktion auf Ihre angeregten Gefühle und Verhaltensweisen zu machen, bringt Ihnen wichtige Informationen darüber, was Sie akzeptieren müssen, wenn Sie es ändern wollen. Etwas nicht zu akzeptieren bedeutet, es nicht wahrhaben zu wollen, es also aus dem Bewusstsein auszuschließen. Auf diese Weise können Sie es nie verändern, weil Sie nichts von ihm wissen. Sie werden feststellen, dass Sie meistens die Gedanken des 2. ABC zunächst werden verändern müssen. Ihr 1. ABC zeigt Ihnen ein Röntgenbild Ihres Symptoms, aber Ihr 2. ABC zeigt Ihnen den Stress, mit dem Sie auf das Symptom reagieren.

Ihre individuellen Gedanken und Schlussfolgerungen lassen sich zusammenfassen zu drei destruktiven übergeordneten »Glaubenssätzen«:

- Katastrophisieren: Die Überbewertung negativer Folgen als mehr als 100 Prozent schlecht.
- Selbstabwertung: Die Übergeneralisierung von Versagen oder Misserfolg in einem Bereich auf die ganze Person.

- Geringe Frustrationstoleranz: Die Übersteigerung von Wünschen in Forderungen und das Bestehen auf einer sofortigen, einfachen und risikolosen Erfüllung dieser Forderungen.

Diese irrationalen Einstellungen können Sie sich mit Hilfe des ABC-Schemas bewusst machen. Sobald Sie Ihre wenig hilfreichen Gedanken identifiziert haben, können Sie daran gehen, sie zu überprüfen.

Gedanken und Überzeugungen entdecken lernen

Die ABC-Methode gibt Ihnen auch ein kraftvolles Instrument an die Hand, um Gedanken und Überzeugungen, die Ihr Aufschieben in Gang halten, zu verändern. Sie können nämlich Ihre Gedanken überprüfen (Punkt D: Debatte, *debate*). Sie brauchen dazu lediglich Ihren Annahmen und Bewertungen mit folgenden Fragen zu Leibe zu rücken:

- Ist das wahr, was Sie denken? Ist es im obigen Sinne rational? Stimmen Ihre Schlussfolgerungen und Bewertungen?
- Und was wäre, wenn die Schlussfolgerungen und Bewertungen zutreffen würden?

Diese Fragen wechseln sich immer wieder gegenseitig ab. Sie kommen dabei Ihren heimlichen Annahmen und Unterstellungen ebenso auf die Spur wie Ihrem *awfulizing*, das heißt Ihrer Tendenz, Dinge, die Ihnen nicht gefallen, als schrecklich und unerträglich abzustempeln und Ihrer *musturbation*, das heißt der zwanghaften Annahme, dass bestimmte Dinge einfach so sein *müssen*, wie Sie es sich vorstellen.

Schauen wir uns nun Helmuts Debatte an. Er setzt sich mit einem zentralen Glaubenssatz seines 2. ABC auseinander:

B 1 *Ich finde es eigentlich gut,* dass ich mich in dieser Tretmühle nicht unterkriegen lasse.

Tipp: Helmut hat sich ein Veränderungslogbuch zugelegt: Eine Kladde, mit der er seinen Veränderungsprozess begleitet. Dort trägt er seine Notizen, Beobachtungen und Vorhaben ein, aber auch seine RET-Aufschiebedebatten. Das Veränderungslogbuch kann auch für Sie ein wichtiges Mittel sein, um sich über Ihre Gefühle, Reaktionen und schrittweisen Veränderungen klar zu werden.

Ist das wahr? Was heißt es, dass ich es gut finde? Gut, in einer Tretmühle gegen die Mühlräder zu kämpfen? Das ist ein ziemlich seltsames Leben. Ich habe immer zu sehr auf das »nicht unterkriegen« geachtet. Wenn ich darüber nachdenke, erscheint mir aber jetzt die »Tretmühle« wichtiger zu sein. Ich finde es richtig, in einer Tretmühle zu sein: Nein, das ist nicht wahr, das finde ich nicht. Wenn ich schon in einer Tretmühle bin, wäre es besser, nach einem Ausweg zu suchen, statt hier rumzufighten.

Und was, wenn? Wenn ich mich doch unterkriegen lasse? Dann verliere ich jede Selbstachtung. Ich habe sowieso nicht so viel davon, sonst wäre ich ja nicht in dieser blöden Abteilung hängengeblieben. Das kommt wegen meiner Angst vor etwas Neuem. Weil ich die habe, verliere ich auch so viel an Selbstachtung. Ich kämpfe also um meine Selbstachtung. Wenn ich die gänzlich verliere, dann bin ich ein Nichts und habe mich von meinem Chef, diesem Menschenschinder, einmachen lassen.

Ist das wahr? Nein, nicht wenn ich mich wirklich kritisch frage, ob das stimmt. Aber es fühlt sich irgendwie richtig an, wahrscheinlich weil ich es schon mein Lebtag lang so denke. Ich bin dann natürlich kein Nichts und ich habe mich auch nicht einmachen lassen. Irgendwie kommt mir das alles wie ein Nebenkriegsschauplatz vor. Tatsache ist doch, dass ich mich in der Abteilung einerseits unterfordert fühle, aber vor was Neuem Angst habe, und andererseits überfordert, weil ich mit diesen vielen Anfragen nicht klarkomme.

Und was, wenn? Was wäre, wenn ich ein Nichts wäre? Ein unscheinbarer kleiner unbedeutender Angestellter? Das wäre schrecklich, denn dann wäre genau das aus mir geworden, was mein Vater mir immer prophezeit hat: Du wirst als kleiner Mann enden! Und wenn ich so ende? Dann muss ich mich selbst verachten?

Ist das wahr? Muss ich mich wirklich selbst verachten? Nein, ich muss nicht, es gibt keinen zwingenden Grund dafür. Nur weil mein Vater als Mann der Kirche auf alle herabsah, die er »Krämerseelen« nannte, muss ich das noch lange nicht mit mir selbst machen. Ich würde mich aber dafür entscheiden und hätte auch den Eindruck, dass andere mich verachten würden. Das wäre furchtbar. Jetzt denken die wenigstens noch, ich wäre ein Kämpfer – obwohl es auch sein kann, dass mich manche für eine Art Don Quichotte halten, eine traurige Gestalt.

Und was, wenn? Wenn ich mich dafür entscheide, mich selbst zu verachten, fange ich an, mir das Leben zur Hölle zu machen. Das jedenfalls will ich nicht, so masochistisch bin ich nicht. Ich werde mich selbst nicht verachten. Das wäre wirklich eine Grenze, die ich nicht überschreiten will. Dann überwinde ich noch lieber meine Angst und riskiere den Wechsel in eine andere Abteilung.

Seine Debatte hat Helmut auf sein wesentliches Problem gebracht, von dem er sich durch den Kleinkrieg mit seinem Chef immer wieder ablenkt: auf die Angst vor dem längst überfälligen Wechsel. Ihn immer wieder zu vertagen, ist viel schlimmer als das ewige Aufschieben seiner Pflichten. Und, ironisch genug: Wenn dem Chef der Geduldsfaden reißt, wird Helmut möglicherweise in eine andere Abteilung versetzt. Dann hat er, was er will, ohne selbst dafür die Verantwortung übernommen zu haben. Wenn sein Chef ihn versetzen ließe, könnte er auf den wütend sein, falls es ihm in der neuen Abteilung nicht gefallen würde. Eine eigene Fehlentscheidung würde er hingegen sich selbst übelnehmen.

Helmut weiß nun, dass er seine Angst vor einer Veränderung und dem Risiko, das sie in sich birgt, verändern müsste. Das zu tun, ist der nächste Schritt. Unter der Annahme, dass er seine Angst mit seiner Denkweise selbst erzeugt, kann er nach entsprechenden Kognitionen fahnden. Dazu geht er zurück in sein 2. ABC von oben:

B 4 Ich sollte mir schon längst einen neuen Job gesucht haben, aber ich habe zu viel Angst vor was ganz Neuem. *Das finde ich nicht gut. Ich sollte mutiger sein!*

B 5 Eigentlich bin ich ein ziemlicher Papiertiger, *und das finde ich blöd.*

C Gefühl: Ärger auf mich selbst

Klar ist, dass er seine Ängstlichkeit nicht akzeptiert, sondern sich vorwirft. Wieder ist er lieber böse als verängstigt. Sein Ärger auf sich hilft Helmut allerdings nicht, seine Angst zu verändern. Deswegen fertigt er ein neues ABC an, das sich auf seine Befürchtungen bei einem Wechsel in einen anderen Arbeitsbereich bezieht.

A Ich bin jetzt seit 2 Wochen in einer neuen Abteilung.

B 1 Der Chef hier ist genauso schlimm wie der alte, und *das finde ich schlecht.*

B 2 Ich habe mich verschlechtert: Die Arbeit ist noch öder und die Kollegen sind mir unsympathisch. *Das finde ich wirklich ätzend.*

B 3 Gut, dass ich diesen Schritt nicht schon vor Jahren gemacht habe, weil ich mich hier ganz unwohl fühle.

B 4 Ich verstehe die neuen Aufgaben nicht schnell genug und erfülle die Erwartungen nicht, die in mich gesetzt werden. *Das finde ich beschämend.*

B 5 Ich stehe unter Beobachtung als derjenige, der hierher zwangsversetzt wurde, und fühle mich jeden Tag unwohl. *Das ist entsetzlich.*

B 6 Ich muss mir eingestehen, dass ich einfach zu langsam und zu unorganisiert bin, wenn es hier auch nicht anders läuft als auf der alten Arbeitsstelle. *Das ist peinlich.*

C Gefühl: Ärger auf andere, Ärger auf mich selbst, Angst
Verhalten: Weiß ich nicht.

Typischerweise stellen sich auch bei dieser imaginären Situation sofort wieder Gedanken ein, die den schon bekannten Ärger auslösen. Helmuts Gedanken B 4 bis B 6 enthüllen, dass er sich vor unangenehmen Gefühlen, aber auch vor einer peinlichen Einsicht fürchtet: Dass er wirklich nicht über die Fertigkeiten verfügt, die aus ihm einen guten Mitarbeiter machen. Es fehlt ihm an Vorstellungsvermögen, was er in einer solchen Situation tun könnte. Helmut wird daher eine Doppelstrategie einschlagen: Er wird seine Angst reduzieren und verbesserte Arbeitstechniken erlernen.

Tipp: Für das Reduzieren der Ängste gibt es eine hervorragende Methode: Lernen Sie Autogenes Training oder ein anderes Entspannungsverfahren. Solche Kurse werden über Krankenkassen und Volkshochschulen angeboten, aber auch von Beratungsstellen und psychotherapeutischen Praxen.

Wenn Sie bereits eine eigene Methode haben, sich zu entspannen, benutzen Sie diese für die folgende Übung: Stellen Sie sich vor, wie Sie in der Situation, vor der Sie sich ängstigen, kompetent handeln. Denken Sie dazu zunächst an eine ähnliche Gelegenheit, bei der Sie mit Ihrem Verhalten zufrieden waren. Sicher fällt Ihnen eine Situation ein, in der Sie selbstbewusst aufgetreten sind oder entschlossen gehandelt haben, eine Unverschämtheit zurückgewiesen oder jemanden mit fester Stimme um einen Gefallen gebeten haben. Natürlich sollte diese Begebenheit, an die Sie sich erinnern, Ähnlichkeit mit jener haben, vor der Sie sich fürchten.

Stellen Sie sich vor, wie Sie in der ängstigenden Lage kompetent handeln. Helmut vertiefte sich zunächst in die Vorstellung, wie er kürzlich einem geschwätzigen Versicherungsvertreter bestimmt und selbstsicher, aber nicht aggressiv gegenübergetreten war. Er fühlte sich noch einmal ein in seine ruhige gelassene Stimmung, in die Überzeugung, das Gespräch mit dem Vertreter in seinem Sinne gestalten zu können. Danach vertiefte er sich in die Angst auslösenden Kognitionen:

B 4 Ich verstehe die neuen Aufgaben nicht schnell genug und erfülle die Erwartungen nicht, die in mich gesetzt werden. *Das finde ich beschämend.*

B 5 Ich stehe unter Beobachtung als derjenige, der hierher zwangsversetzt wurde, und fühle mich jeden Tag unwohl. *Das ist entsetzlich.*

B 6 Ich muss mir eingestehen, dass ich einfach zu langsam und zu unorganisiert bin, wenn es hier auch nicht anders läuft als auf der alten Arbeitsstelle. *Das ist peinlich.*

Diesen Gedanken setzt er die folgende Phantasie entgegen:

»Ich stelle mir vor, dass ich mit meinen neuen Aufgaben nicht klarkomme. Ich arbeite zu langsam und fühle mich unwohl. Ich stehe von meinem Schreibtisch auf und gehe zum Büro des Chefs. Ich fühle mich flau, aber ich atme tief durch und zähle bis sieben. Ich frage, ob ich ihn einen Moment sprechen kann. Er sieht mich eher erwartungsvoll als missmutig an. Ich sage ihm, dass ich mich in diese neuen Aufgaben erst einarbeiten muss und dass ich in meiner alten Arbeit nicht mit einem Personalverwaltungssystem zu tun hatte. Ich frage ihn, ob es ein Weiterbildungsangebot gibt. Ich sage ihm, dass ich daran gerne teilnehmen möchte, mich aber auch selbst um eine Schulung außerhalb der Firma kümmern würde. Ich schaue ihn dabei die ganze Zeit immer wieder an und spreche mit ruhiger Stimme.«

Wenn Sie sich in eine solche Szene hineinversetzen, werden Sie vielleicht Aufregung spüren. Gut so, denn dann sind Sie motiviert, Ihre Vorstellungskraft für sich arbeiten zu lassen. Nachdem Helmut diesen Ablauf von Ereignissen fünfmal durchgegangen war, fühlte er sich viel weniger aufgeregt. Derartige Vorstellungsübungen können Ihnen sehr dabei helfen, die Angst zu reduzieren, die Sie vor unbekannten Ereignissen empfinden.

Zusammenfassung

Wenn Sie bereit sind, sich als Mensch zu akzeptieren, der zur Zeit noch einige Vorhaben aufschiebt, können Sie sich auf einer tieferen Ebene kennenlernen. Dabei können Ihnen die Methoden der Rational-Emotiven Therapie (RET) helfen. Forschen Sie nach Konflikten, die Ihr Leben belasten und entdecken Sie die irrationalen Einstellungen, mit denen Sie ihnen bislang begegnet sind. Die Strategie der Befragung Ihrer Gedanken, die schon Sokrates im alten Athen anwendete, ist immer noch aktuell und eine mächtige Waffe im Kampf um Veränderung. Enttarnen Sie die Irrationalität Ihrer alten Einstellungen, mit denen das

Aufschieben verknüpft war. Bauen Sie neue, angemessenere Überzeugungen auf, die Ihr Aufschieben relativieren und es Ihnen schließlich fremd werden lassen.

11.
Sich besser fühlen: Gefühle entdecken und ändern

Wie können Sie Ihre Stimmungen und Gefühle ändern, um so Ihr Aufschieben zu überwinden und Ihre Vorhaben zu erledigen? Steigern Sie Ihre Kreativität und lernen Sie, Ihre Spontaneität zielorientiert einzusetzen statt – wie früher – zur Vermeidung. Je besser Sie die Gefühle steuern können, die Ihnen bisher in die Quere kamen, desto mehr Selbstvertrauen werden Sie bekommen. Für Angst, Ärger, Perfektionismus und andere Gefühle, die Sie zum Aufschieben anstiften wollen, finden Sie hier die richtigen Gegenmittel.

Im vorigen Kapitel haben Sie bereits gelernt, Ihr inneres Selbstgespräch zu verändern. Ihr Denken und Ihre Überzeugungen bestimmen, was Sie mit welcher Intensität fühlen. Wenn Sie Ihr Denken verändern, wirken Sie direkt auf Ihre Gefühle ein. Stellen Sie sich vor, dass Sie in einem Bus stehen. Plötzlich knallt Ihnen jemand von hinten schmerzhaft den Ellenbogen in die Nieren und will sich an Ihnen vorbeidrängen. Sie denken in Bruchteilen einer Sekunde etwas in der Art wie: »Welch ein ungehobelter Flegel, was hat der hier zu drängeln!« und ärgern sich. Je nachdem, wie erregbar Sie sind und an welche Überzeugungen über die Notwendigkeit rücksichtsvollen Verhaltens Sie glauben, können Sie mehr oder weniger böse werden. Nehmen wir an, Sie sind ziemlich sauer, drehen sich zu dem anderen Fahrgast um und wollen ihn zur Rede stellen. In dem Moment sehen Sie, dass er die gelbe Binde mit den drei charakteristischen schwarzen Punkten trägt: ein Blinder. Mit diesem Anblick wird Ihr Zorn verrauchen, denn Ihre Wahrnehmung wird in Ihrem Gehirn sofort verarbeitet, etwa in der Form: »Ach je, der ist ja blind, der kann nichts dafür, armer Kerl.« Eventuell werden Sie sich sogar ein wenig beschämt fühlen, weil Sie einem Behinderten gegenüber eine derartige Wut empfunden haben. Die äußere Situation: Ihnen wird von einer anderen Person Schmerz zugefügt, ist unverändert, aber je nachdem, wie Sie die Angelegenheit wahrnehmen und gedanklich verarbeiten, erleben Sie unterschiedliche Gefühle.

Tipp: Wenn Sie mit Gefühlen, die das Aufschieben in Gang halten, wie beispielsweise Scham, Ärger, Angst und Hilflosigkeit Probleme haben, dann sollten Sie in Ihrem Veränderungslogbuch jeden Tag eine Diskussion der Gedanken einplanen, die diese Gefühle auslösen.

Sie können aber auch andere Wege ausprobieren, um diese Gefühle zu verändern. Am wirksamsten sind Handlungen, bei denen Sie genau das tun, wovor Sie sich fürchten oder schämen und damit Ihrem Perfektionismus entgegen handeln. Am zweitwirksamsten sind Vorstellungsübungen und mentales Training, mit dessen Hilfe Sie Ihre eingefahrenen emotionalen Reaktionen umpolen.

Kreativität und Spontaneität

Möglicherweise denken Sie, dass Spontaneität und Aufschieben eng zusammengehören, und dass Ihre Impulsivität, mit der Sie etwas anderes machen als das, was Sie sich vorgenommen hatten, ein Zeichen für einen kreativen Lebensstil sei. Doch dieser Gedanke ist trügerisch! Schöpferische und produktive Menschen unterscheiden sich von denjenigen, die aufschieben, in ihrer inneren Einstellung:

Wer aufschiebt, denkt:	Kreative denken:
»Ich *muss* etwas zustande bringen«	»Ich *entscheide* mich dafür, etwas zu tun.«
»Ich muss *fertigwerden*!«	»Wann kann ich *anfangen*?«
»Das ist einfach *zuviel*!«	»Ich werde erstmal *einen* Schritt machen.«
»Ich muss *perfekt* sein!«	»Die Sache ist einen *Versuch* wert.«
»Ich habe *keine Zeit* für Spaß!«	»Ich *nehme* mir *Zeit* für Vergnügungen.«

Kreative versetzen sich mit diesen grundsätzlich positiven Gedanken in eine erwartungsvolle Stimmung, wenn sie an Vorhaben herangehen. Sie konzentrieren sich auf den Prozess statt auf das Ergebnis. Damit schaffen sie es nicht nur, Ideen zu produzieren, sondern sind auch findig darin, sich zur Erledigung ihrer Vorhaben zu motivieren, und gehen neue Wege, wenn sie in Schwierigkeiten geraten. Untersuchungen an besonders produktiven und originellen Studierenden der verschiedensten Fachrichtungen haben verblüffende Übereinstimmungen ergeben, egal ob es sich um angehende Architekten, Künstler, Lehrer, Physiker oder Psychologen handelte. Im Unterschied zu jenen, die sich nicht besonders hervortun, haben sie die besseren Strategien um

- ihr Verhalten angemessen zu bewerten;
- ihre Vorhaben zu organisieren und Material zu strukturieren, zum Beispiel durch Gliederungen und Veranschaulichungen;
- Informationen zu suchen, ihr Vorgehen zu planen und sich Ziele zu setzen.

In ihrem Vorgehen bei der Aufgabenerledigung fällt auf: Schöpferische Studierende

- arbeiten meistens an mehreren Aufgaben gleichzeitig,
- verteilen die zur Verfügung stehende Zeit besser als andere,
- ändern ihre Umgebung, um sich das Arbeiten zu erleichtern,
- machen Aufzeichnungen über ihren Arbeitsfortschritt,
- gehen diese Aufzeichnungen immer wieder durch und überwachen dadurch ihre Arbeitsfortschritte,
- arbeiten mit vielen Wiederholungen und Zusammenfassungen,
- können Aufgaben so lange neu definieren, bis sie lös- oder handhabbar geworden sind,
- haben gut geübte Problemlösungsstrategien, die automatisch ablaufen,
- suchen sich soziale Unterstützung.

Kreativität bedeutet also mehr, als nur brillante Einfälle zu haben. Sie zeigt sich auch in der Anwendung optimaler Arbeitstechniken. Kreative Menschen zeichnen sich weiterhin durch ein hohes Maß an Flexibilität aus. Sie ändern mit Leichtigkeit ihre ursprünglichen Herangehensweisen, wenn es Schwierigkeiten gibt, und sie arbeiten mit Ausdauer und Energie.

Selbst die berühmten Schreibblockaden können kreative Schriftsteller nicht massiv in ihrer Originalität und Produktivität behindern. Denken Sie zum Beispiel an Proust. Seiner Berufung zum Schriftsteller stand lange Zeit eine Trägheit entgegen, die er als Willensschwäche erlebte, von der er aber auch sagte, sie habe ihn vor »allzu leichtem Schreiben geschützt«. Und dennoch hinterließ er ein monumentales Werk. Natürlich sind kreative Menschen gegen Konflikte ebenso wenig gefeit wie andere. Der *writer's block* kann sie als eine unbewusste Form des Aufschiebens ereilen. Üblicherweise aber wenden Autoren eine Fülle von Strategien an, um produktiv zu sein:

- sie arbeiten planmäßig, mit gut definierten Ausgangsbedingungen und Zielen, die das Schreiben strukturieren;
- sie setzen sich hierarchisch geordnete Unterziele, mit denen sie allerdings flexibel umgehen;
- sie legen *mind maps* an, das heißt, sie kreieren ein Netzwerk von Ideen, die miteinander in Verbindung stehen und neue reizvolle Ziele hervorbringen können;
- sie überarbeiten nicht kleinteilig einzelne Abschnitte, sondern ihr Gesamtmanuskript. Ihr Prinzip ist: *think and work big*.

Sie können Ihre eigene Kreativität steigern, indem Sie diese Rezepte einmal ausprobieren. Anders als im landläufigen Vorurteil sind schöpferische Menschen in der Regel keine Chaoten, die ihre Einfälle dem exzessiven Gebrauch von Drogen verdanken, sondern Menschen mit konstruktiven Einstellungen, die deshalb erfinderisch und phantasievoll vorgehen. Sie unterdrücken ihre Spontaneität nicht, sondern schaffen im Gegenteil Voraussetzungen, um sie besser als durch bloßes impulshaftes Wechseln von einer Tätigkeit zu einer anderen einzusetzen. Vor allem dann, wenn Probleme im Vorgehen auftauchen, können spontane *zielgerichtete* Handlungen und Impulse verhindern, dass Sie sich festbeißen. Sie bleiben so weiter auf die Erledigung Ihres Vorhabens ausgerichtet, lassen sich aber etwas einfallen, womit Sie besser als vorher bei der Sache bleiben oder einen Schritt weiter kommen können.

Tipp: Bislang haben Sie Ihren spontanen Impulsen dann nachgegeben, wenn Sie sich damit von negativen Gefühlen bei der Erledigung einer Sache ablenken konnten. Aber Spontaneität und Aufgabenerledigung schließen sich nicht gegenseitig aus. Werden Sie sensibel für Ihre spontanen Einfälle, die auftauchen, während Sie bei der Sache sind. Sie werden parallel zu Ihrer Tätigkeit eine Fülle von Bildern, Ideen und Assoziationen registrieren, unter denen viele sind, die Ihnen helfen können, auch dann durchzuhalten, wenn es einmal zäh wird.

Beate hat neulich eine gute Erfahrung gemacht: Sie arbeitete an einem Exposé, in dem es um die Internetpräsentation des Verlags ging, und hatte sich festgefressen. Sie kam einfach nicht über die Klippe hinweg, ob sie erst die technischen Voraussetzungen oder lieber zunächst die inhaltlichen Argumente bringen sollte. Statt sich immer blockierter zu fühlen, achtete sie auf ihre Gedanken. Ein Bild drängte sich ihr auf: wie sie einmal mit einem großen Schraubenschlüssel eine festsitzende Mutter gelöst hatte. Sie nahm diesen Einfall als kreativen Hinweis darauf wahr, die technische Seite an den Anfang zu stellen und fand in ihrer Textverarbeitung ein entsprechendes Piktogramm.

Selbstvertrauen aufbauen

Das auslösende Moment für Ihr Aufschieben sind gewisse Ängste und Befürchtungen, die häufig aufgrund mangelnden Selbstvertrauens entstehen. Sie sollten also daran arbeiten, dieses Selbstvertrauen Schritt für Schritt aufzubauen, um das Aufschiebeproblem an der Wurzel zu packen.

Angst überwinden

Jeder von uns ist seit den Kindertagen ein Experte in der Überwindung von Ängsten. Ob Sie nun die Furcht ablegten, in den dunklen Keller zu gehen, die Angst vor dem Wasser beim Schwimmenlernen, die Furcht, sich beim Skifahren zu verletzten oder die Angst vor dem anderen Geschlecht, Sie schafften es stets auf die gleiche Weise: indem Sie das taten, wovor Sie sich fürchteten. Klug, wie Sie damals schon waren, machten Sie es nicht nur einmal, sondern oft. Zuerst erlebten Sie dabei ein Gemisch von Angst und Lust, dann verschwand die Angst ganz. Dieses alte Rezept können Sie auch gegen Angst als Motiv des Aufschiebens anwenden. Erst wenn Sie beginnen, gegen die Angst anzukämpfen, haben Sie eine Chance, dass sie allmählich geringer wird. Je länger Sie sich der Angst fügen, desto ängstlicher werden Sie.

Ich möchte Sie noch einmal daran erinnern, dass es generell nützlich ist, wenn Sie ein Entspannungsverfahren erlernen, wie autogenes Training oder die progressive Muskelrelaxation. Gehen Sie im entspannten Zustand die Situationen durch, die Sie ängstigen. Meistens bringt es mehr, sich gleich voll in das Entsetzen zu stürzen und sich nicht in langsamen Steigerungen heranzutasten. Je häufiger Sie im entspannten Zustand Ihre schlimmsten Befürchtungen wahr werden sehen, desto weniger wird die Vorstellung Sie ängstigen. Sie werden sich daran gewöhnen. Beim ersten Gruselfilm, den Sie gesehen haben, waren Sie vor Angst noch ganz starr. Beim zehnten tut sich in der Richtung bei Ihnen nicht mehr viel. Sie können Ihre Phantasie auch dazu benutzen, die ängstigenden Situationen ins Groteske zu übersteigern, so dass Ihre Furchtgedanken unglaubwürdig werden.

Beates Angst vor dem Erfolg hat sich gelegt, nachdem sie sich wiederholt in die folgende Phantasie vertiefte: Sie würde dem Vorstand ihr Konzept überreichen. Die Herren würden das Werk in Leder mit Goldprägung binden lassen und wie eine alte Bibel in einer Vitrine in der Eingangshalle des Verlagshauses ausstellen, zusammen mit einem Foto von Beate. Alle Angestellten müssten Konzept und Verfasserin jeden Morgen beim Betreten des Hauses durch eine Verbeugung grüßen. Die neidischen Kollegen würden sich aus dem Internet Geheimrezepte herunterladen und zu Giftmischern werden. Beate bekäme eine Vorkosterin zugeteilt. Wo sie vorbeiging, färbten sich ihre Neider knallgrün ein. Das Lachen, das Beate mit diesen Vorstellungen verband, wirkte als Angstbremse.

Tipp: Angst ist ein unangenehmes Gefühl, das Sie möglichst bald loswerden wollen. Der sicherste Weg besteht darin, gerade das zu tun, wovor Sie Angst haben. Machen Sie etwas, was ein wenig Angst auslöst, so lange, bis Sie keine Angst mehr spüren. Oder stellen Sie sich sehr ängstigende Situationen so lange in entspanntem Zustand vor, bis sich Ihre Anspannung deutlich gelegt hat.

Wut und Ärger abbauen

Als jemand, der bislang aus Trotz aufgeschoben hat, müssen Sie zunächst Ihre Selbstwahrnehmung verbessern, um feststellen zu können, wie häufig Sie Ihr Verhalten als Gegenbewegung gegen die vermeintlichen Wünsche, Forderungen und Aufträge anderer erleben. Tragen Sie in Ihr Veränderungslogbuch ein, wann Sie wegen einer solchen »Ungerechtigkeit« aufgeregt und verärgert waren und was Ihnen dabei durch den Kopf ging. Später setzen Sie sich in der oben beschriebenen

Weise mit Ihren Gedanken auseinander. Fragen Sie sich, ob das wahr ist, was Sie gedacht haben. Und: Was wäre geschehen, wenn Sie Ihre kritischen, zornigen Gedanken gleich geäußert hätten? Falls Sie negative Reaktionen befürchten: Wie könnten Sie Ihre Einwände formulieren, ohne dass die »Gegenseite« (Ihre Verhandlungspartner!) sich gleich zurückgewiesen fühlt?

Sie können es lernen, die Äußerungen Ihrer Vorgesetzten, Ihrer privaten Partner und auch die Bemerkungen Unbekannter als Bitten, Vorschläge und Wünsche wahrzunehmen statt als Forderungen, denen Sie zu genügen haben. Bitten, Vorschläge und Wünsche können Sie auch ablehnen oder über sie sprechen und verhandeln. Damit erweitern Sie Ihr eingefahrenes Verhaltensspektrum wesentlich. Sie können lernen, Ihre üblichen Reaktionen (sofortige Zustimmung, wütende Ablehnung, Aufschieben) um eine Fülle von Handlungsmöglichkeiten zu erweitern, indem Sie beispielsweise unterscheiden, welche Widerstände in der Art der Aufgabe begründet sind und welche in der reinen Tatsache, dass Sie mit dieser Aufgabe beauftragt werden. Zu beidem könnten Sie Vorschläge machen (»Diese Aufgabe erscheint mir noch sehr unüberschaubar ... Könnte noch jemand mit mir zusammen an diesem Vorhaben arbeiten?«). Auch können Sie Verabredungen darüber herbeiführen, wer wie lange wofür zuständig sein soll. So kann Helmut sich mit seiner Frau einigen, wer zukünftig Reiseprospekte holen soll und wer nicht. Bei der Arbeit kann vielleicht die Übernahme von Aufgaben für eine bestimmte Zeit vereinbart werden. Weiterhin besteht die Möglichkeit, dass Sie mit Ihren Vorgesetzten Zusatzbedingungen aushandeln, wie zum Beispiel die Entlastung von Routineaufgaben, wenn Ihnen eine neue Aufgabe gestellt wird. Trauen Sie sich, Einwände und Gegenvorstellungen zu formulieren, die anderen zeigen, dass Sie nicht grundsätzlich gegen Arbeit oder Verpflichtungen sind, sondern im Gegenteil kritisch darüber nachdenken, wie die Dinge leichter und besser zu erledigen sein könnten.

Helmut hatte sich vorgenommen, seiner Frau zu sagen, dass er sich herumgeschubst und fremdbestimmt fühlte, wenn sie ihn aufforderte, die Reiseprospekte mitzubringen. Für ihn ging es um Selbstachtung, für sie um die praktische Erledigung einer Besorgung. Natürlich hatte er Angst, dass sie ihm Überempfindlichkeit vorwerfen würde. Früher wäre allein der Gedanke daran schon ausreichend gewesen, um innerlich gleich wieder in die Luft zu gehen. Nun wappnete sich Helmut gegen diese Vorstellung, indem er sich sagte, das könne sie ruhig so sehen, wenn sie darauf nur Rücksicht nehmen würde. Bei näherem Nachdenken fand er nämlich die Idee, ihr zu sagen, sie solle selbst in die Stadt fahren und ins Reisebüro gehen, zu schroff. Er fürchtete, dass eine solche Äußerung unnötig Spannungen aufbauen würde in einer Situation, in der er eigentlich auf das Verständnis seiner Frau hoffte. Also würde er einen Kompromiss vorschlagen: Sie könnten ja beide am nächsten Samstag gemeinsam zum Reisebüro fahren, nachdem sie vorher über ihre unterschiedlichen Urlaubspläne gesprochen und gemeinsam ein Reiseziel festgelegt haben würden.

Natürlich kann es einige Zeit dauern, bevor Sie Wut und Ärger in den Griff bekommen. Je stärker Sie Ihre eigenen Interessen und Wünsche verwirklichen, desto mehr Anlässe für Wut und Ärger entfallen. Machen Sie sich bewusst, was Sie selbst dafür tun können, Ihr Verhalten zu ändern.

Hier noch ein paar Tipps:

- Gewöhnen Sie sich an, rechtzeitig den Stöpsel aus dem aufgeblähten Ballon Ihrer gerade übertrieben erlebten Wichtigkeit zu ziehen, bevor er platzt.
- Verändern Sie Ihre Sprache: Sagen Sie, was Sie meinen, und vermeiden Sie die Sprache der Kriegführung, der Schuldzuweisungen und der Verallgemeinerungen. Gelassene Formulierungen, im Umgang mit anderen sind besser als ein zurechtweisender, vorwurfsvoller Kommandoton, der meist nur den Beginn eines Machtkampfes bedeutet.
- Lernen Sie einige Notfallreaktionen neu, falls die alte Wut doch einmal in Ihnen hochkocht. Prägen Sie sich Äußerungen ein wie: »Darüber würde ich gerne einen Moment nachdenken«, »Ich würde gerne in den nächsten Tagen noch einige Vorschläge zu dieser Aufgabe machen« oder »Lass uns mal eine Pause machen«.
- Achten Sie auf Ihre Körpersprache. Vermeiden Sie es, die Fäuste zu ballen oder mit dem ausgestreckten Zeigefinger auf andere loszustechen.
- Machen Sie ein Selbstsicherheitstraining mit, das möglicherweise an einer Volkshochschule in Ihrer Nähe angeboten wird.

Perfektionismus ablegen

Finden Sie heraus, in welcher Weise der Perfektionismus Sie bislang zum Aufschieben animiert: Sind Sie jemand, der eher gar nicht erst mit Aufgaben anfängt, oder verlieren Sie sich wie besessen in den kleinsten Details? Finden Sie heraus, warum Sie meinen, perfekt sein zu müssen. Wo steht das außer in Ihrem Kopf? Was passiert, wenn Sie es nicht sind, außer dass Sie sich fertigmachen? Müssen Sie also wirklich vollkommen sein? Wovor ängstigen Sie sich? Wenn Sie einem perfektionistischen Ideal folgen, sagen Sie sich, Sie sollten anders sein als Sie sind: klüger, kompetenter, knackiger. Wieso? Warum dürfen Sie nicht so sein, wie Sie sind? Wer verbietet es Ihnen außer Sie selbst?

Stellen Sie fest, wie Sie vermeiden. Welche Gefühle stellen sich dabei ein? Was kommt bei Ihrem Streben nach Vervollkommnung heraus? Entdecken Sie Schuld- oder Schamgefühle, die sich hinter Ihrem Perfektionismus verbergen, und debattieren Sie diese. Beherzigen Sie die folgenden Punkte:

- Streben Sie hervorragende Ergebnisse statt perfekter an.
- Orientieren Sie sich an realistischen Maßstäben statt an Idealen.
- Üben Sie, sich selbst zu akzeptieren, statt sich zu verdammen.
- Machen Sie absichtlich Fehler.
- Ändern Sie Ihre Alles-oder-Nichts-Haltung.

Vermeiden Sie Ihre gewohnte Terminologie, die womöglich gespickt ist mit den kraftvoll klingenden Leerlaufverben *sollte* und *müsste*. Besser ist es, wenn Sie stattdessen mehr von dem sprechen, was Sie wollen, möchten, wählen und wofür Sie sich entscheiden.

Um Ihren Perfektionismus zu durchbrechen, kann es auch hilfreich sein, die Routine Ihres Alltag zu durchbrechen. Hierbei können Ihnen die folgenden kleinen Übungen helfen.

- Lassen Sie sich regelmäßig einen Drei-Tage-Bart stehen. Wenn Sie schon bärtig sind, dann lassen Sie ihn färben, immer wieder in einem neuen Farbton.
- Kleiden Sie sich einen Tag lang in der gewohnten peniblen Weise, am nächsten schlampig.
- Richten Sie sich irgendwo in Ihrer Wohnung eine Chaosecke ein, in der Sie die Zeitungen, die Sie aufheben, um sie irgendwann einmal zu lesen (Sie kommen nur nie dazu!), wild durcheinander hin-

schmeißen, dazu alle Unterlagen, Akten, alte Broschüren, Kataloge und Bücher, die Sie schon lange einmal wegwerfen wollten. Erzählen Sie anderen von dieser Dreckecke und davon, dass Sie sich darin üben, als »Messie« zu leben (Messies sind unordentliche Menschen, die irgendwann einen Entrümpelungsdienst kommen lassen müssen).

Abhängigkeiten und Überbeschäftigung reduzieren

Um diese Quellen des Aufschiebens trockenzulegen, brauchen Sie einen Überblick über Ihre Vorhaben und die Zeit, die Sie ihnen einräumen können und wollen. Tragen Sie in Ihr Veränderungslogbuch eine entsprechende Tabelle ein oder benutzen Sie Ihren Kalender, um eine Zeit lang aufzuschreiben, wie Sie Ihren Tag verbringen. Zur Auswertung stellen Sie sich am Ende jeden Tages folgende Fragen:

- Was war mir wichtig?
- Was war wichtig für andere, aber nicht wirklich für mich?
- Auf welche Aktivitäten hätte ich verzichten können?
- Bei welchen habe ich zu viel Zeit verbraucht?
- Welche Aktivitäten habe ich versäumt, die mir wichtig gewesen wären?
- Welche Aktivitäten haben den meisten Stress ausgelöst?

Eine große Hilfe sind *to-do*-Listen, auf denen Sie verzeichnen, was Sie jeden Tag zu erledigen haben. Sie bilden die Grundlage für die Planung Ihrer Vorhaben. Falls Sie auf das Reizwort *Planung* allergisch reagieren, kann es Ihnen helfen, sich über das Ziel klar zu werden, nämlich ein Maximum an Zeit für Ihre Hobbies und Prioritäten zu gewinnen. Bitte machen Sie sich den folgenden entscheidenden Unterschied zu eigen zwischen Prioritäten und Anforderungen: *Prioritäten* sind die Dinge, die für Sie persönlich eine Bedeutung haben und die Sie tun *wollen*, während *Anforderungen* das sind, was für andere bedeutungsvoll ist, und bei denen Sie das Gefühl haben, Sie sollten es tun.

Um sich weniger abhängig zu fühlen, müssen Sie das tun, was Ihre Autonomie fördert. Wenn Sie sich bisher von Anforderungen überwältigen ließen, dann in der Annahme, keine Wahl zu haben. Möglicherweise waren Sie zusätzlich als *overdoer* verliebt in ein Image, das mehr mit Superman oder Superwoman zu tun hatte, als mit Ihnen.

Um sich von Ihrer Tendenz zu Abhängigkeit und Überbeschäftigung zu lösen, können Ihnen folgende Hinweise weiterhelfen:

- Verabschieden Sie sich von dem Mythos, alles schaffen und mit dreiunddreißig Terminen gleichzeitig hantieren zu können. Gewöhnen Sie sich an den Gedanken, dass Sie in diesem Kampf nicht gewinnen können, ihn aber auch nicht zu führen brauchen.
- Sehen Sie das Leben als ein Abenteuer, nicht als einen Kampf. Machen Sie sich klar, dass es im Leben viel mehr als nur Arbeit gibt.
- Verändern Sie Ihre Haltung zur Zeit: Sehen Sie in ihr nicht Ihren Gegner oder eine Ressource, die sich Ihnen stets entzieht, sondern einen Partner, mit dem Sie kooperieren können: Sie werden am heutigen Tag einige der Dinge tun, die Ihnen wichtig sind, und einige, die von Ihnen verlangt werden.
- Versuchen Sie, Ihre Abhängigkeit von der Zustimmung und Anerkennung anderer zu reduzieren. Üben Sie sich im Neinsagen.
- Beschäftigen Sie sich damit, wie Sie Kontrolle über die Dinge bekommen können, statt das Gefühl zu kultivieren, die Dinge kontrollierten Sie. Schalten Sie Ihr Mobiltelefon öfter einmal ab und verweigern Sie sich souverän der jederzeitigen Erreichbarkeit, die Sie hinterher nur als belastend einstufen werden.
- Sprechen Sie mehr über Ihre Möglichkeiten, als über Ihre Verpflichtungen. Ersetzen Sie »Ich kann (nicht), ich sollte, ich muss unbedingt« durch »Ich will (nicht), ich möchte, ich entscheide mich für ...«.
- Sprechen Sie positiver über die Zeit, in der Sie nicht arbeiten.
- Stellen Sie sich nicht länger als überwältigt und machtlos dar.
- Besorgen Sie sich Hilfe, indem Sie um Rat fragen, um Unterstützung bitten, Teilaufgaben delegieren und zur Not jemanden stundenweise anheuern, um Ihnen zur Hand zu gehen.

Scham los werden

Wenn Schamgefühle für Ihr Aufschieben eine besondere Bedeutung haben, dann werden Sie mit Hilfe von Übungen gegen dieses Gefühl hervorragend angehen können. Je mehr Dinge Sie machen, bei denen Sie fürchten, sich öffentlich zu blamieren, desto besser. Wenn Sie sich dazu überwinden, eine Banane an einem Band wie Ihren Hund spazierenzuführen und mit ihr zu sprechen, werden Sie eine ganze Menge Aufregung und Beklemmung spüren. Aber Sie werden nach einer gewissen Zeit merken, dass Passanten, die Sie sehen, Sie weder anstarren noch auslachen oder mit spöttischen Bemerkungen traktieren, wohl aber selbst mit einem Gefühl von Peinlichkeit zu kämpfen haben.

Die Wahrnehmung des Letzteren ist eine Erfahrung, die Ihnen ein richtiges Hochgefühl bescheren kann. Jahrelang haben Sie sich mit der Angst vor tausend unbarmherzigen Augen in ein Gefängnis gesperrt – nur um jetzt zu merken, dass die Beschämung bei den anderen liegt! Sie werden es genießen, wenn die Kinder zu Ihnen kommen und fragen, wie Ihre Banane denn heißt! Die Erwachsenen trauen sich das in der Regel nicht.

Hier noch ein paar bewährte Tipps, wie Sie Ihre Schamängste ablegen können:

- Schlagen Sie den Blick nicht nieder. Schauen Sie Ihr Gegenüber an. Gehen Sie in Kaufhäuser, Bahnhöfe und auf Plätze und sehen Sie den anderen freundlich ins Gesicht, ohne sie anzustarren. Versuchen Sie, Fremde auf der Straße freundlich zu grüßen.
- Lassen Sie sich die Haare so schneiden und färben, dass es Ihrer Meinung nach die anderen schockieren wird. Wenn Sie dazu befragt werden, sagen Sie, dass Sie gegen Ihre Angst vor Beachtung ankämpfen.
- Feilschen Sie in der Boutique um den Preis.
- Verhalten Sie sich auch sonst in einer für Sie ungewohnten Weise: Wenn Sie üblicherweise schweigsam sind, dann erzählen Sie anderen jetzt etwas von sich. Sie können immer davon reden, dass Sie sich gerade das Aufschieben abgewöhnen. Wenn Sie sonst ernst sind, machen Sie jetzt Witze. Sind Sie gewöhnlich

jovial und launig, dann seien Sie jetzt ein paar Tage schroff und wortkarg.
- Rufen Sie laut im Bus oder in der U-Bahn den Namen der nächsten Haltestelle aus.
- Bitten Sie Menschen, die Sie interessant finden, um ein Treffen.
- Üben Sie sich im Neinsagen. Lehnen Sie ein paar Tage lang Vorschläge ab, weisen Sie Bitten zurück und machen Sie das nicht, was andere von Ihnen wollen.

Sie sehen, dass hier das gleiche Prinzip zum Tragen kommt wie bei der Bekämpfung von Angst: Tun Sie das, was für Sie mit dem Risiko von Beschämung verbunden ist und finden Sie heraus, dass Sie weniger Scham erleben werden, als Sie erwartet haben und dass Sie weniger unangenehme Beachtung und Bewertung durch andere spüren werden. Wie oft haben Sie sich heimlich darüber geärgert, dass sich scheinbar überall die Dreisten und Lauten durchsetzen. Wenn Sie sich selbst etwas mehr herausnehmen als früher, werden Sie Ihr negatives Bild von diesen vielleicht nur selbstbewussten Menschen revidieren.

Bitte machen Sie die hier vorgeschlagenen Übungen nicht nur einmal, sondern so häufig, bis Sie keine oder nur noch milde Reste von Schamangst erleben. Das ist deswegen so wichtig, weil es eben nicht darum geht, dass Sie sich einmalig zu einer heroischen Aktion aufraffen, sondern um eine Veränderung eines Fühl- und Verhaltensmusters, die Sie nur durch wiederholtes Üben erreichen.

Das Ergebnis wird Sie überraschen. Sie werden feststellen, dass Sie vielleicht zum ersten Mal ein Gefühl dafür entwickeln können, welche Freiheit in Ihrem Leben steckt. Angst vor Scham ist so ein wirkungsvolles Mittel gewesen, Sie einzuschüchtern und klein und gefügig zu halten. Dabei sind Sie ein freier Mensch, der tun und lassen kann, was er will. Lesen Sie sich die Vorschläge noch einmal durch: Keiner verstößt gegen etwas anderes als Ihre Angst vor Beschämung, keiner fordert Sie auf, ein Gesetz zu übertreten. Und wenn Sie doch einmal beschämt werden? Dann trösten Sie sich mit Proust:

»Daher gibt es denn auch keine Demütigung – und wäre sie noch so groß –, mit der man sich nicht leicht in dem Bewusstsein abfinden sollte, dass nach einigen Jahren unsere in der Versenkung verschwundenen Fehler nur noch ein unsichtbarer Staub sein werden, über den der heiter-blühende Friede der Natur sich breitet.« (Proust, VII, S. 369)

Aus der Tagtraum

Um in der Wirklichkeit mehr Verantwortung zu übernehmen, hilft ausnahmsweise die Visualisierung optimistischer Vorstellungen einmal nicht so viel. Als verträumter Mensch mit Neigung zum Herauszögern machen Sie sich ohnehin gerne Illusionen und betrachten sich durch eine rosarote Brille. Stellen Sie sich zur Abwechslung lieber einmal vor, Sie seien Murphy selbst, der Begründer von Murphy's Gesetz, nach dem alles schiefgehen wird, was schiefgehen kann, auf jede denkbare Art, auf die es schiefgehen kann. Natürlich geht es dabei nicht um ein Horrorszenario, mit dem Sie sich jeden Mut nehmen. Wohl aber um eine realistische Überprüfung Ihres Vorhabens, Ihrer Voraussetzungen und der Umstände auf Faktoren, die zum Misslingen beitragen könnten und gegen die Sie rechtzeitig etwas unternehmen könnten. Ihr euphorisches Hochgefühl, mit dem Sie Ihre Einfälle erleben, wird so ergänzt um eine realitätsbezogene Nüchternheit. Nutzen Sie dazu die folgenden fünf W-Fragen:

• Warum habe ich diese Wunschvorstellung?
• Was kann ich realistisch tun, um sie zu verwirklichen?
• Wohin muss ich mich wenden?
• Wie werden die Leute dort reagieren?
• Welche Reaktion kann ich erwarten?

Anja, die davon träumt, als Model über den Laufsteg zu schweben, hat ihren Traum mit diesen W-Fragen an der Wirklichkeit gemessen. Dabei ist Folgendes herausgekommen:

• *Ich habe diese Vorstellung, weil ich gerne von anderen begehrt und attraktiv gefunden werden möchte.*
• *Ich könnte einen Kurs mitmachen, um zu lernen, wie man sich als Model bewegt und schminkt.*
• *Ich müsste mich an eine oder besser mehrere Modelagenturen wenden.*
• *Verglichen mit all dem jungen Gemüse, das sich um eine Karriere als Model bewirbt, habe ich zwar keine schlechte Figur, das werden die Leute dort auch sehen. Aber es lässt sich nicht verleugnen, dass ich zwei Kinder geboren habe und zur Zeit ein wenig Übergewicht mit mir herumschleppe.*
• *Wahrscheinlich werden Sie mich höflich, aber bestimmt ablehnen.*

Die Antworten, die Anja gefunden hat, haben zwar zunächst etwas Desillusionierendes. Genau darin steckt aber auch die Möglichkeit, einen Wunschtraum entweder zu einem Ziel werden zu lassen, das sie dann ernsthafter verfolgen könnte, oder aber diese Vision aufzugeben.

Durch einen solchen Realitätstest einer angenehmen Vorstellung können Sie sich mit den Augen der anderen sehen. Wenn Sie zu verklärenden Tagträumen neigen, haben Sie zumeist ein gutes Gefühl, solange Sie ihnen nachhängen. Beachten Sie aber, dass es einen Unterschied macht, ob Sie ein gutes Gefühl haben oder ob Sie ein gutes Gefühl sich selbst gegenüber haben! Verlieben Sie sich nicht in ein privates Image, das von niemandem außer Ihnen geteilt wird. Denken Sie daran: Träume sind etwas anderes als Ziele.

Von Robert Musil stammt der Aphorismus, dass der Wunsch ein Wille sei, der sich selbst nicht ganz ernst nimmt. Ersetzen Sie daher in Ihren Äußerungen vage Formulierungen wie »Ich hätte es gerne, würde mir wünschen, werde versuchen« durch ein »Ich will!« Streichen Sie ungenaue Zeitangaben wie »bald einmal, irgendwann« aus Ihrem Wortschatz, äußern Sie sich präzise, spezifisch und verbindlich, wenn es um Zeiten und Fristen geht.

Sorgloser werden

Wenn Sie ein Mensch sind, der sich Sorgen macht und vor Veränderungen Angst hat, profitieren ebenfalls von Vorstellungsübungen, in denen Sie konkreten Phantasien über das nachgehen, was Sie bei einer Veränderung erwarten könnte. Falls Sie dabei auf »Katastrophenideen« stoßen, können Sie diese schriftlich diskutieren und so Distanz gewinnen zu Ihrem übertrieben negativen Denken. Auch folgende Tipps können hilfreich sein:

- Wenn Sie entschlusslos sind und sich das vorwerfen, dann machen Sie sich bitte klar, dass Sie in Wirklichkeit auch einen Beschluss fassen, wenn Sie keine Entscheidung treffen. Auf diese Weise sparen Sie sich wenigstens den Selbstvorwurf.
- Bekämpfen Sie Ihre Ängste, indem Sie bei einem Schritt in Neuland hartnäckig und aufmerksam nach dem suchen, was positiv sein und Ihnen Freude machen könnte. Wenn Sie wirklich nichts dergleichen

finden, quälen Sie sich wahrscheinlich mit einem Projekt ab, das Ihnen im Grunde nichts bietet.

- Ändern Sie im Denken und Sprechen die kindliche Haltung, mit der Sie sich klein machen. Ersetzen Sie Ihr »Ich weiß nicht« durch »Eines weiß ich genau …«, das »Ich kann doch X nicht« durch ein »Vielleicht kann ich X nicht, aber ich kann Y«.
- Stöbern Sie die vielen rhetorischen Fragen in Ihrem Denken auf. Geben Sie sich Antworten auf Überlegungen wie: »Was wäre, wenn …?«
- Ersetzen Sie Ihre vagen unentschlossenen Formulierungen wie »vielleicht«, »ein bisschen«, »eventuell«, »könnte sein« und so weiter durch klare Aussagen.

Helmut bemerkte, dass er seine Pläne, sich beruflich zu verändern, bisher nicht über einen bestimmten Punkt hinaus durchdacht hatte. Seine bevorzugte Äußerung war: »Man müsste das alles hier hinschmeißen und was ganz anderes machen.« Dann dachte er flüchtig daran, dass er damit in völlig neue unbekannte Situationen geraten würde, und fühlte sich sofort ängstlich. Inzwischen wusste er, dass er die aufkommende Angst vor einer ungewissen Zukunft sofort durch Ärger auf seine gegenwärtige Situation beseitigte. So landete er stets bei demselben Gefühl, aus dem nichts folgte, außer dass sich sein innerer Widerstand vermehrte.

Helmut ging daran, seine vage Vorstellung zu verändern. Er prägte sich den Satz ein: »Ich habe die Möglichkeit, andere Dinge zu machen, die mich mehr interessieren«. Statt frei in der Angst herumzuschwimmen, hatte er sich einen Anker geschaffen: die Frage nämlich, was ihn interessierte. Auch hier arbeitete er sich durch einen Wust von vorgelagerten, verschwommenen Visionen hindurch: »Mich würde vielleicht interessieren, konkret mit anderen Menschen zu tun zu haben« erwies sich als ein Ausgangspunkt. In den Wörtern »würde«, »vielleicht«, »konkret«, »mit anderen Menschen« und »zu tun zu haben« verbargen sich jedoch weitere ungenaue Phantasien, die Helmut für sich nach und nach klärte. Dabei tauchten sowohl ängstigende Gedanken als auch positive auf. »Mich würde vielleicht interessieren« lieferte beispielsweise den Zugang zu einer passiven Haltung, in der Helmut bestimmte Umstände erwartete, die er nicht beeinflussen könnte. Er stellte sich im Grunde genommen keine aktive Suche und Mitgestaltung eines neuen Aufgabengebiets vor, sondern eine Situation ähnlich der, wenn er den Fernseher einschaltete und es nur ein Programm gab, das ihn entweder interessierte oder nicht. Mit Glück würde das neue Arbeitsprogramm ihn motivieren, möglicherweise aber auch nicht. Es gelang Helmut, diese Art ohnmächtiger Konsumentenhaltung zu ersetzen durch eine aktive Vorstellung: »Ich interessiere mich dafür, unter welchen Arbeitsbedingungen ich welche Tätigkeiten gerne ausüben werde« war eine Idee, die ihm seine Handlungsfähigkeit viel stärker vor Augen führte und ihn weniger ängstigte.

Krisen managen

Sich von dem *thrill* eines Lebens am Rande des Kliffs zu verabschieden ist gar nicht so einfach, weil er Ihnen das Gefühl gibt, außergewöhnlich zu sein.

Auch Anja braucht diesen besonderen Kick, der die außergewöhnliche Note ihres Lebens darstellt. Anja gehört zu den Menschen, die einen dauernden Ausnahmezustand herbeiführen, mit Chaos um sie herum, Tränen und Streit. Unter diesen stressigen Bedingungen schüttet ihr Körper jede Menge Adrenalin aus, so dass Anja sich mächtig angekurbelt und lebendig fühlt. Sie dreht dann auf, bis der Absturz kommt. Sie reagiert einerseits zu heftig, dann wieder zu wenig, wenn sie mit einer Aufgabe konfrontiert ist, wie bei der Vorbereitung auf Horsts Reise. Sie langweilt sich schnell und hat eine heimliche Verachtung für Leute, die ihre Sachen methodisch angehen und kühl durchziehen. Ein wenig von dieser Verachtung bekommt auch Horst zu spüren, wenn er ihr zu lange etwas aus der Welt der Paragraphen erzählt: »Ach, du mit deiner langweiligen Juristerei«, sagt sie dann und schmollt, »sei doch mal geistreich!« Anja inszeniert starke Gefühle, um überhaupt etwas fühlen zu können. Hinter der Fassade der vor Energie sprühenden temperamentvollen Frau verbergen sich Ängste davor, innerlich hohl und unlebendig zu sein.

Falls Sie an sich ein ähnliches Verhalten beobachten und es verändern wollen, müssen Sie sich auf der einen Seite das Leben der »stinknormalen« Menschen schmackhafter machen, auf der anderen Seite das *high pressure living* ein wenig seiner Attraktivität entkleiden. Das ist nicht leicht und es erfordert von Ihnen Augenmaß, damit Sie nicht neue Ängste erzeugen.

Ihre lebhafte Phantasie kann Ihnen hier gute Dienste erweisen: Nehmen Sie eine Gestalt, die ein abenteuerliches Leben führt, wie James Bond oder Philip Marlowe, den hartgesottenen Detektiv aus den Romanen von Raymond Chandler, Humphrey Bogart als Rick in »Casablanca«, Modesty Blaise oder die Detektivin V. I. Warshawski, eine Gestalt, die die amerikanische Schriftstellerin Sara Paretsky sich ausgedacht hat (falls Sie die noch nicht kennen: Die Lektüre lohnt sich). Personen also, die exzentrisch sind, aber trotzdem methodisch und cool vorgehen. Stellen Sie sich vor, dass Sie in Hinblick auf ein aufgeschobenes Projekt ebenso professionell und überlegt handeln. Gehen Sie diese Phantasie immer wieder durch. Stellen Sie sich vor, wie Sie ruhig und gelassen unter Stress handeln, bewundert von allen, die von Ihnen eher den 19. Nervenzusammenbruch erwartet hatten.

Tipp: Grenzen Sie Ihre Temperamentsausbrüche und Szenen auf bestimmte Bereiche Ihres Lebens ein und leben Sie sie dort aus, aber seien Sie in den Bereichen, in denen Sie aufschieben, kontrolliert und gelassen. Beginnen Sie damit, so zu tun, als ob Sie schon so abgebrüht seien wie Ihre Vorbilder. Agieren Sie in dem Bereich, in dem Sie sonst aufschieben, für einen Monat so, als seien Sie kühl wie eine Hundeschnauze. Versuchen Sie für Ihre heftigeren Darstellungsbedürfnisse ein anderes Ventil zu finden, beispielsweise in einer Laienspielgruppe oder einer ausgefallenen Sportart.

Gewöhnt an die Treibhausatmosphäre Ihrer Emotionsstürme, erscheint Ihnen ein ruhigeres Vorgehen möglicherweise als langweilig. Machen Sie sich klar, dass es auch andere Motivationen gibt, um mit einer bis zur letzten Minute aufgeschobenen Sache anzufangen, als Termindruck, einstürzende Aktenstapel und erregtes Anschreien. Machen Sie sich eine Liste von alternativen Gründen dafür, warum es attraktiv sein kann, rechtzeitig tätig zu werden. Zu ihnen gehören eventuell die folgenden:

- mehr Spaß haben;
- für die anderen durch unerwartetes Verhalten unberechenbarer werden;
- an Macht, Bewunderung und Zuwendung gewinnen;
- überhaupt mal etwas anders machen als sonst immer;
- finanzielle oder materielle Vorteile anstreben;

- die Beziehungen zu wichtigen Menschen entspannen;
- die eigene berufliche oder private Lage verbessern.

Machen Sie auf keinen Fall ein emotionales Interesse an der Sache zur Voraussetzung, um überhaupt anfangen zu können. Appetit kommt beim Essen und Spaß an der Sache oft auch. Akzeptieren Sie eine Zeit lang überhaupt keine Gefühle als Begründung für Verhalten. Wenn Sie an Ihr Vorhaben denken, konzentrieren Sie sich auf die Tatsachen und nicht auf Ihre Gefühle. Analysieren Sie die Situation mit dem Kopf, nicht mit dem Bauch und stellen Sie die Frage nach Ihren Gefühlen ans Ende.

> **Tipp:** Vergessen Sie die tägliche Krise. Wichtiger sind Ihre Antworten auf die folgenden Fragen:
>
> - Welche Aufgaben stehen an, egal ob es Ihnen passt oder nicht?
> - Was kommt dabei heraus, wenn Sie jetzt nicht mit ihnen anfangen?
> - Wie sieht in einem solchen Fall Ihre Situation übermorgen, in einer Woche, in einem Monat aus?
> - Wie werden Sie sich dann fühlen?

Ändern Sie Ihre Sprache: Vermeiden Sie exaltierte und dramatisierende Äußerungen wie die, eine Aufgabe sei »todlangweilig« oder »wahnsinnig ermüdend und nervend«. Verabschieden Sie sich von globalen und extremen Bewertungen wie der, das Anliegen Ihres Chefs sei »total ätzend« oder die ruhigeren Kollegen seien »scheintote Papierexistenzen«. Gewöhnen Sie sich Ihren Alltagsradikalismus ab und eine abwägende Sprache an, zu der Formulierungen gehören wie: »Wenn ich es recht bedenke, finde ich …«, »Vernunft und gesunder Menschenverstand sagen mir, dass …«, »Ich werde noch einmal darüber nachdenken«. Fassen Sie über Aufgaben, Mitmenschen und sich selbst sachliche, rationale Gedanken. Das fällt Ihnen leichter, wenn Sie nicht wie gewohnt schnell aus der Hüfte eine Bemerkung abschießen, sondern sich Zeit lassen, noch einmal zu überlegen.

Zusammenfassung

Ihre Gefühle können einen ebenso wichtigen Beitrag zur Überwindung des Aufschiebens leisten wie zu seiner Entstehung. Wenn Sie manches vermeiden, um nicht mit Gefühlen konfrontiert zu werden, die unangenehm sind, so können Sie sich nun beständig fragen: Wie fühlen Sie sich, wenn Sie aufschieben? Und wie möchten Sie sich fühlen, welche emotionalen Ziele haben Sie? Welche Handlungen müssen Sie ausführen, um sich diesen Zielen zu nähern? Wenn Sie die in diesem Kapitel vorgeschlagenen Übungen ausführen, werden Sie sich ein paarmal sicher recht unbehaglich fühlen. Aber genau dadurch gewöhnen Sie sich an das Ertragen milder negativer Gefühle, so dass Sie vor denen nicht mehr zu flüchten brauchen. Noch eines: Wenn Sie diese Vorschläge nicht ausprobieren wollen, suchen Sie nicht nach Ausreden und Begründungen, wie beispielsweise, das alles könne doch nicht klappen und habe keinen Sinn, es sei sowieso zu schwierig. Lehnen Sie sich zurück und sagen Sie entschlossen: »Ich entscheide mich gegen diese Übungen. Ich wähle das Aufschieben.« Dann haben Sie wenigstens das Gefühl mit sich in Übereinstimmung zu sein und ersparen sich das schlechte Gewissen.

12.

Schluss mit dem Schlendrian

Sie sind dabei, einen ernsthaften Versuch zu machen, Ihr Aufschieben zu überwinden. Sehr gut so! Aus dem *BAR*-Programm haben Sie die Punkte *B*ewusstheit und *A*ktionen schon umgesetzt. Sie wissen viel über das Aufschieben und haben ebenso gelernt, Ihre Kognitionen, die das Vertrödeln und Herauszögern begleiten, zu identifizieren und zu überprüfen, wie auch Ihre Gefühle durch Handlungen zu beeinflussen. Nun sind Sie für die nächsten Schritte bereit. Dazu gehören Vorschläge und Strategien, um

- sich effektiv realistische Ziele zu setzen;
- sich so zu steuern, dass Sie Ihre Ziele auch erreichen;
- sich mit Hilfe von Belohnungen und eventuell auch Bestrafungen Ihren Veränderungsprozess möglichst leicht zu machen.

Sie können in diesem Kapitel Ihre Arbeit an dem konkreten Vorhaben, das Sie sich in den vorigen Abschnitten vorgenommen hatten, fortsetzen. Sie können sich auch einem neuen Problem zuwenden. Aber bleiben Sie dann bitte bei dem einmal gewählten Projekt. Erinnern Sie sich daran, dass dieser Wechsel zu einer anderen Sache typisch für das Aufschieben ist, vor allem dann, wenn sich unangenehme Gefühle einstellen. Verzichten Sie darauf, dieses sinnlose Muster zu wiederholen.

In den vorangegangenen Kapiteln haben Sie Ihre Kognitionen durchgearbeitet und gelernt, Ihre Gefühle zu beeinflussen. Ihr Globalziel dabei war es, das Aufschieben zu überwinden. Jetzt kommt es darauf an, dieses Ziel zu konkretisieren, in das geeignete Verhalten zu übersetzen und durchzuhalten. Aus Erfahrung wissen Sie, dass es bei Ihren Zielen zwei Ebenen gibt: die verbal bejahte und die, die sich im Verhalten bisher durchgesetzt hat. Bislang waren Sie in einem Zielkonflikt: Sie wollten Ihre Vorhaben erledigen, sich aber auch vor Ängsten, Konflikten und anderen Gefahren schützen, die für Sie mit Ihrem Projekt verbunden waren. Und diese letzte Tendenz setzte sich durch – bewusst oder unbewusst. Wenn Sie nun die andere Seite des Konflikts stärken wollen, dann helfen Ihnen konkrete Teilziele, an denen Sie sich entlanghangeln können wie an einer Sicherheitsleine. Bitte vergegenwärtigen Sie sich noch einmal, dass Sie dabei zwar einen Teil der bislang vermiedenen Spannungen auf sich nehmen werden. Aber Sie sind inzwischen ja besser gerüstet! Nun können Sie weitere geeignete Strategien erlernen, um sich noch sicherer zu fühlen. Mit Ihren neuen positiv formulierten Zielen entscheiden Sie sich dafür, *etwas* Angst vor Ablehnung, Beschämung und Scheitern und *ein paar* unbehagliche Gefühle nicht länger zu vermeiden. Sie haben den Mut dazu und Sie werden es aushalten können.

Sie können sich im Übrigen natürlich auch dafür entscheiden, sich als jemanden zu akzeptieren, der manche Vorhaben aufschiebt, ohne zunächst die Erledigung Ihrer Vorhaben weiter anzustreben. Für manche ist das sicher nicht der schlechteste Weg. Es kann ja durchaus sein, dass Sie die Anstrengungen, die mit einer weitreichenden Veränderung Ihres Verhaltens verbunden sind, momentan als nicht lohnend einstufen. Ihr Ziel könnte es dann sein, sich über Ihr Aufschieben möglichst wenig aufzuregen und auch etwaige negative Folgen zu minimieren bzw. zu akzeptieren. Auch hierbei kann Ihnen das autogene Training oder ein anderes Entspannungsverfahren gut helfen.

> **Tipp:** Stellen Sie sich im entspannten Zustand immer wieder vor, wie Sie aufschieben, bis alles zu spät ist, wie die negativen Folgen eintreten, die Sie bis jetzt so sehr fürchten. Gehen Sie entspannt durch, wie Sie sich dann fühlen werden und welche Handlungsmöglichkeiten Ihnen bleiben. Auf der kognitiven Seite können Sie versuchen, den bisher lähmenden Horrorphantasien durch eine genaue Debatte Ihrer Gedanken auf die Spur zu kommen.

Anja ist klar geworden, dass ihre vielbeschworenen, alternativen Lebenspläne sich nicht mehr stellen bzw. doch nicht so erwünscht sind: Für eine Modelkarriere, findet Anja, sei es zu spät und ein Studium sei auch nicht das Richtige. Sie hätte schon gerne eine Boutique, aber irgendwie sei das auch anrüchig, meint sie: Gelangweilte Gattin wird mit Heilpraktikerinpraxis oder Lädchen ruhiggestellt. Sie kann sich dafür noch nicht entscheiden. Manchmal überlegt sie, ob sie doch den Job in der Apotheke wieder aufnehmen sollte. Sie wirft sich ihre Unentschlossenheit vor. Das Aufschieben zu akzeptieren, erscheint ihr unmöglich, denn sie fürchtet sich sehr vor negativen Folgen, wie ihr 2. ABC zeigt:

A   Mein Aufschieben
B 1 Ich schiebe mein wirkliches Leben auf und das finde ich schrecklich.
B 2 Eines Tages werde ich mit dem Aufschieben böse auf die Nase fallen, dann werde ich es bitter bereuen.
C   Gefühl: Ärger auf sich selbst, Angst
C   Verhalten: Vermeiden, an das Aufschieben zu denken.

Anjas neues Ziel ist es nun nicht, eine ihrer Visionen zu verwirklichen, sondern zu akzeptieren, dass sie sich nicht festlegt:

E   Ziel: Aufschieben ohne Reue, Angst verlieren

Dazu überprüft sie zunächst ihre Kognitionen:

B 1 Ich schiebe mein wirkliches Leben auf und das finde ich schrecklich.

Ist das wahr? Nein, ich schiebe etwas Bestimmtes auf, aber nichts sagt mir, dass es sich dabei um etwas so Ominöses wie mein »wirkliches Leben« handelt. Außerdem klingt das geschwollen. Ich tue damit so, als ob mein Leben mit Horst und mit den Kindern so etwas wie ein falsches Leben sei. Tatsächlich fühle ich mich manchmal ja auch so. Kein Wunder, wenn ich so denke. Möchte ich die Kinder lieber nicht haben oder wieder zurückgeben? Nein, auch wenn sie eine Menge Arbeit machen und mir eine ganz neue Rolle auferlegt haben, an die ich mich immer noch nicht gewöhnt habe.

Möchte ich lieber allein leben, ohne Horst, so wie früher? Wenn ich ehrlich bin, nicht. Manchmal fällt es mir schwer, Horst so zu nehmen, wie er ist – obwohl auch das nicht stimmt. Was mir wirklich schwer fällt zu akzeptieren ist, dass ich einfach nicht mehr alle Möglichkeiten im Leben habe, dass ich mich in einer bestimmten Weise festgelegt habe und dass ich durch mich selbst noch festgelegter bin, als ich dachte. Ich habe mir ja lange versucht einzureden, dass ich jederzeit auf und davon gehen könnte, in ein anderes Leben, aber ich muss mir eingestehen, dass ich weder die Kinder noch Horst so einfach verlassen könnte. Ich schiebe also nicht mein wirkliches Leben auf, sondern tue manchmal so, als ob ein paar verpasste Lebensmöglichkeiten das »wirkliche« Leben wären. Richtig verpasst sind die Möglichkeiten vielleicht noch nicht. Ich könnte mich als Model bewerben, und ich könnte sicher mit Horsts Hilfe eine Boutique eröffnen. Und ich könnte auch eine Mappe zusammenstellen und mich an der Kunsthochschule bewerben. Das schiebe ich also auf.

Ist es wahr, dass ich das schrecklich finde? Ich tue oft so, das ist wahr. Aber ehrlich gesagt finde ich es nicht so schrecklich, dass ich mich nicht aktiv als Model bewerbe oder an der Mappe arbeite. Ich weiß nicht, ob mir so ein freies Studium überhaupt gut tun würde. Entscheidend ist, dass ich das Gefühl habe, es jederzeit tun zu können, dass diese Möglichkeiten mir noch offen stehen. Es ist ja sogar ein gewisses Kokettieren dabei. Wenn ich wirklich Model wäre, dann müsste ich in der Weltgeschichte herumfliegen und mich mit der oberflächlichen Glanz- und Glamoursociety beschäftigen, aus der ich ja damals unbedingt weg wollte. Und in meinem Alter noch einmal studieren, noch dazu mit den schrillen jungen Leuten aus der Kunstszene? Ich glaube, was ich wirklich schrecklich finde, ist das Älterwerden. Aber das ist ein anderes Thema, das ich demnächst einmal verfolgen werde. Wirklich? Oder schiebe ich hier schon wieder etwas auf? Älterwerden heißt für mich, dass meine Schönheit vergeht, dass ich nicht mehr alles machen kann und mir nicht mehr alle Türen offenstehen. Beim Schreiben merke ich, dass ich es offenbar hasse und fürchte, mich festgelegt zu fühlen. Ich bin richtig Mami und Hausfrau, aber es ist, als wäre das etwas Furchtbares und als müsste ich mir ständig einreden, ich könnte ja noch was ganz anderes werden. Wie meine Mutter, bei der ich das gehasst habe, wenn sie immer wieder davon anfing, wie sie sich für uns geopfert hat. Das mache ich allerdings nicht und will es auch nicht. Aber ein bisschen damit zu kokettieren gehört offenbar auch zu mir. Also werde ich weiter die Verwirklichung dieser Träume aufschieben, denn dass ich als Model auch nicht mehr so taufrisch wäre, ist mir schon klar. Und als typische »Gattin«, die sich sonst langweilt, im Laden zu stehen, den der Mann ihr finanziert, ist auch nicht gerade eine prickelnde Vorstellung. Ich sollte mit Horst einmal darüber reden, wie er mein Theater eigentlich einschätzt. Manchmal denke ich, er weiß, dass es eine Art Spiel ist und spielt halt mit, aber an anderen Tagen bin ich mir nicht sicher, ob er nicht doch enttäuscht von mir ist.

B 2 Eines Tages werde ich mit dem Aufschieben böse auf die Nase fallen, dann werde ich es bitter bereuen.

Ist das wahr? Nein, ich weiß nicht, ob ich eines Tages mit dem Aufschieben Schiffbruch erleiden werde, und noch weniger, ob ich es dann bitter bereuen werde. Was wäre eigentlich das Schlimmste, was passieren könnte? Horst könnte die Lust an unserem »Spiel« verlieren und mich verlassen. Ob ich das überstehen würde? Ich neige zum Dramatisieren, das merke ich auch an dieser Frage. Wenn ich mit Horst spreche, wird er mich besser verstehen und auch sonst wird er mich sicher nicht einfach verlassen. Was schiebe ich sonst noch auf? Die Eheberatung. Aber da sollte ich Jutta mal reinen Wein einschenken, dass es mir mit meinen Klagen über Horst doch nicht so ernst ist. Wahrscheinlich weiß sie das ja auch sowieso schon. Und bislang hat sie mir deswegen die Freundschaft nicht gekündigt.

Und was, wenn? Wenn mich alle verlassen, dann wäre ich frei, aber ernsthaft glaube ich schon, dass ich vorher genügend Möglichkeiten hätte, das zu verhindern. Im Grunde ist dieser Gedanke so etwas wie eine innere Fortsetzung eines bösen Fluches: Du wirst schon merken, es wird noch einmal böse enden mit dir!

Anja hat im Laufe ihrer Debatte auch gleich Hinweise aufgeschrieben, wie sie ihr neues Ziel, das Aufschieben zu akzeptieren, erreichen kann. Häufig ist es so: Wenn Sie ein Problemverhalten ernsthaft zu akzeptieren versuchen, zeigt sich erst, welche Funktion es für Sie hat. Und das können dann ruhig auch die anderen Menschen, die in das Problem einbezogen sind, wissen. Anja kann ihre restliche Angst vor negativen Folgen (Verlust von Liebe und Freundschaft) dadurch reduzieren, dass sie Horst und ihrer Freundin Jutta erzählt, wie sie die Sache sieht. Auch in deren Augen wird sich dann das Thema Aufschieben relativieren und sie werden weniger Zeit mit unproduktiven Streitereien verbringen. Je weniger sie auf Anjas Angebote zu Verwicklungen einsteigen, desto mehr wird Anja gezwungen sein, sich mit ihrer gegenwärtigen Rolle auseinanderzusetzen.

Realistische Zielsetzungen

Wenn Sie gar keine Ziele haben, sind Sie ohne Orientierung, denn genau das ist es, was Ziele bieten: Wie Leuchttürme ragen sie aus dem Alltag auf und geben Ihrem Vorgehen eine Richtung. Ziele können Sie sich selbst suchen, sie können Ihnen aber auch vorgegeben werden. Selbstbestimmte Ziele sind manchmal schwerer zu finden als solche, die sich aus der Natur der Sache ergeben oder die Ihnen Ihr Chef aufdrückt. Andererseits haben selbstgewählte Ziele den Vorteil, dass Sie sie nach Ihren eigenen Standards und Werthaltungen maßschneidern können. Langfristige selbstbestimmte Ziele (beispielsweise eine Karriere anzustreben) können einen Sog entfalten und Ihnen über einen großen Zeitraum hinweg Kraft geben. Allerdings sind Sie bei dieser Art von Zielen nur sich selbst Rechenschaft schuldig. Manche Menschen empfinden gerade fremdbestimmte Ziele als verbindlicher, weil sie oft weniger Spielräume für das Aufschieben einräumen.

Tipp: Egal, ob Sie selbst- oder fremdbestimmte Ziele bei Ihrem Projekt verfolgen: Machen Sie sich klar, warum Sie dieses Ziel haben bzw. welche Vorteile Sie sich von ihm versprechen.

Arbeiten Sie an einem Projekt, von dem Sie sich Geld, Macht, Ansehen und Einfluss erhoffen? Oder geht es darum, Ihren Job zu behalten, nicht aufzufallen? Mit anderen Worten: Verfolgen Sie positive Zielsetzungen oder versuchen Sie lediglich, mit einem minimalen Aufwand unangenehme Konsequenzen zu vermeiden?
Je stärker ein Ziel Ihre Selbstverwirklichung fördert, desto größer ist in der Regel seine motivierende Wirkung. Allerdings liegt auch hier die

Wahrheit in der Mitte. Es gibt Menschen, für die jene vielgerühmten postmodernen Werte von Selbstverwirklichung und Selbstbestimmung zum Alptraum geworden sind, weil sie lieber mit klaren Anweisungen und Rollenvorschriften leben und arbeiten. Wenn das auf Sie zutrifft, sollten Sie sich nicht mit solchen Metavorhaben abquälen, sondern im gegebenen Rahmen Ihre Zielsetzungen prüfen.

Ziele können rational oder irrational sein. »Ich werde nie wieder aufschieben« ist ein irrationales Ziel, weil es Ihre Lerngeschichte vernachlässigt und eine totalitäre Forderung einführt (»nie wieder«). Wie rational oder irrational eines Ihrer Ziele ist, entscheidet sich aber auch vor dem Hintergrund Ihrer Persönlichkeits- und Motivationsstruktur. Über beide wissen Sie inzwischen besser Bescheid. So haben Sie die Chance, sich Ziele zu setzen, die sowohl Ihrer Persönlichkeit als auch Ihren Motiven angemessen sind. Persönlich angemessene Ziele berücksichtigen Ihre Eigenheiten ebenso wie Ihr persönliches Tempo und verlangen nicht, dass Sie sich über Nacht auf magische Art verwandeln. Ziele, die Ihrer Leistungsmotivation angemessen sind, berücksichtigen realistisch Ihr bisheriges Leistungsniveau. Sie wissen, dass zu niedrig angesetzte Ziele Ihnen keine Erfolgserlebnisse bringen und zu hoch gesteckte Misserfolge begünstigen. Dass Ihre Ziele in dieser Hinsicht realistisch sein sollten, ist eine ganz wichtige Voraussetzung dafür, dass Sie Ihr Verhalten später entsprechend darauf ausrichten können. Wenn Sie sich mit einem Ziel permanent unterfordern, werden Sie zu korrigierenden Handlungen genauso wenig motiviert sein, wie bei einer dauernden Überforderung.

Ihre Ziele werden häufig einen Leitbildcharakter haben, eine visionäre Darstellung dessen, was Sie langfristig anstreben. Anja sah sich auf dem Laufsteg, im Atelier oder in ihrer Boutique, Beate als Marketingvorreiterin ihres Verlags, Helmut als derjenige, der es allen irgendwie zeigt. Mit diesen Bildern sind in erster Linie bestimmte Affekte verknüpft. Diese Vorstellungen lösen Wohlbehagen aus. Jedoch gehören auch konkrete Pläne zur Umsetzung dazu und schließlich vor allem einzelne Handlungsschritte.

Es gibt Ziele, die starke Gefühle mit sich bringen, bei denen aber die gedanklichen Komponenten der Umsetzung nur schwach ausgeprägt sind. Im Allgemeinen steigt die Wahrscheinlichkeit, dass Sie wirklich zielbezogen handeln werden, wenn Sie positive Gefühle mit Ihrer Zielvorstellung verbinden. Aber das gilt nicht in jedem Fall:

Anja möchte unheimlich gern zu einem Rockfestival nach England fahren. Sie spürt förmlich die Energie der Bands und der riesigen Fangemeinde. Allerdings findet das Festival dann doch ohne sie statt, denn wie sie nach England kommen könnte und wer in der Zeit ihrer Abwesenheit für die Kinder sorgt, daran hat Anja keinen konkreten Gedanken verschwendet.

Solche »Ziele« sind eigentlich eher Wünsche. Umgekehrt gibt es Ziele, an die viele Gedanken verwendet werden, die aber längerfristig nur schwache gefühlsmäßige Beteiligung auslösen:

Helmut weiß alles über Umweltverschmutzung, er sieht jede Fernsehsendung dazu und liest Bücher über das Thema. Er weiß genau, wie unverantwortlich der Umgang seiner Freunde und Bekannten mit der wertvollen Ressource Umwelt ist, und macht ihnen das oft genug klar. »Eigentlich müsste man bei Greenpeace mitmachen«, sagt er, aber dazu aufraffen kann er sich dann doch nie.

Helmut vertritt Werthaltungen, aus denen scheinbar folgt, dass er sich auch konkret engagieren müsste. Die Kluft zwischen Einstellung und Verhalten kommt bei ihm dadurch zustande, dass er die Ziele des Umweltschutzes zwar gedanklich oft umkreist, seine Aufmerksamkeit aber nicht auf konkrete Handlungen und deren Ausführung richtet. *Dass man was tun müsste, ist ihm klar. Was er selbst wann und wie tun will,* darüber denkt er nicht nach. Dahinter steht, wie wir bereits wissen, sein Unbehagen, das Helmut immer dann erlebt, wenn er einen Schritt in etwas Unbekanntes machen will. »Wohin wird das führen? Was wird mich dort erwarten?«, fragt er sich dann. Sein Verhalten zeigt, welches Ziel er entgegen seinen verbalen Äußerungen bislang verfolgt hat: sich eben nicht einzulassen auf etwas Neues, zumal Greenpeace meistens offen in Gegenposition zu den gesellschaftlich und wissenschaftlich herrschenden Interessen steht, was ihn latent reizt, vor allem aber ängstigt.

Tipp: Verknüpfen Sie, wenn es um Ihre Ziele geht, *Bewusstheit* mit einer klaren *Orientierung auf Aktionen:* Verfolgen Sie rationale Ziele,

- die zu Ihren persönlichen Interessen und Motiven passen;
- die positive Gefühle auslösen und

- richten Sie Ihre volle Aufmerksamkeit auf die erforderlichen Handlungen.

Bislang haben wir uns mit Zielen auf einer Metaebene beschäftigt. Sobald Sie jedoch ein konkretes Ziel bestimmt haben, stellt sich die Frage nach seiner Umsetzung. Dazu müssen Sie Ihr Ziel handhabbar machen, das heißt Sie müssen festlegen,

- welche Schritte Sie machen werden;
- wann genau Sie sie machen werden und
- was Sie tun werden, wenn Schwierigkeiten auftauchen.

Dieser Vorgang der Operationalisierung von Zielen ist von entscheidender Bedeutung. Die folgenden Strategien der Selbststeuerung bauen darauf auf, dass Sie die Schritte genau festgelegt haben, mit denen Sie Ihr Ziel ansteuern wollen. Operationalisierungen wie »Ich werde um neun Uhr mit meiner Arbeit anfangen« sind nicht konkret genug. Als Experte im Aufschieben werden Sie keine Mühe haben, um neun Uhr Ihr Buch anzustarren und sich zu fragen, ob Sie diesen Text nicht schon einmal gelesen und wieso Sie alles vergessen haben. Oder Sie beginnen damit zu liebäugeln, erst einmal Ihren Keller aufzuräumen. Hilfreich gegen Ablenkungen sind möglichst konkrete, überprüfbare Festlegungen, die Ihnen unwillkommene Spielräume gar nicht erst eröffnen. Bloße Absichtserklärungen kommen dafür nicht in Frage, sondern nur beschreibbares Verhalten in messbaren Größen:

- Sie werden von 09.00 Uhr bis 09.45 die Seiten 3-5 in Ihrem Buch lesen;
- Sie werden sich aus jeder Seite mindestens einen Satz herausschreiben;
- Sie werden von 09.45 bis 10.00 eine Pause machen;
- Sie werden von 10.00 bis 10.45 die Seiten 6-8 Ihres Buches lesen ... und so weiter.

Wenn Sie Ihre Ziele auf diese Weise in konkretes Verhalten übersetzen und zudem durch kleine überschaubare und überprüfbare Verhaltensaufgaben handhabbar machen, bringen Sie die Stimmen des nagenden Zweifels und der Ambivalenz (»Ob ich es wohl gut mache?«, »Ist das die richtige Art, einen Anfang zu machen?«, »Komme ich schnell genug voran?« und so weiter) zum Schweigen. Ziele, die so wie hier definiert wurden, können Sie nur erledigen und sich somit Erfolgserlebnisse verschaffen. Wenn Sie so geplante Vorhaben nicht erledigen können, dann geht Ihr Problem über das gewöhnliche Aufschieben weit hinaus und Sie benötigen fachkundige Hilfe. Sich das zweifelsfrei bestätigt zu haben, ist auch ein Anlass zur Befriedigung.

Apropos Hilfe: Es ist nützlich, wenn Sie Ihre Ziele schriftlich fixieren oder sie mit anderen Personen vereinbaren. Zielvereinbarungen sind ein wichtiges Managementelement und treten mehr und mehr an die Stelle von Anweisungen.

Helmut hat sich entschlossen, seinem Chef reinen Wein über sein Aufschiebeproblem einzuschenken. Um aber nicht einfach eine sinnlose und demütigende Bankrotterklärung abzuliefern (als die sich Helmut das Eingeständnis von Schwierigkeiten stets vorgestellt hat), wird er seinem Chef einen Vorschlag machen, der auf eine Zielvereinbarung hinausläuft: Er wird die Rückstände (es sind genau 65 Vorgänge aus dem letzten halben Jahr) innerhalb von drei Wochen aufarbeiten. Helmut schlägt vor, dass er vor- und nachmittags jeweils zwei Stunden an diesen Akten arbeitet. Außerdem bietet er an, an zwei Samstagen unbezahlte Überstunden zu machen. Er schlägt weiter vor, dass er in dieser Zeit um einen Teil der sonst bei ihm landenden neuen Anfragen entlastet wird. Sein Chef ist erleichtert, dass Helmut endlich aus der Rolle des schwierigen Mitarbeiters heraustritt, und ist durchaus bereit, Helmut entgegenzukommen. Außerdem imponiert es ihm, dass Helmut sein Problem aktiv mit eigenen Vorschlägen angeht.

Auch der weiteste Weg beginnt mit einem ersten Schritt. Überprüfen Sie, ob Ihre globalen Ziele rational sind und zu Ihren Werten und Motiven passen. Setzen Sie sich Zwischenziele, die möglichst konkret und erreichbar sind. Verengen Sie unwillkommene Spielräume, indem Sie Ihr Vorgehen in kleinen Schritten definieren, die Sie zweifelsfrei bewältigen können. Aus Ihrem Erfolg holen Sie sich zusätzliche Motivation, um bei der Sache zu bleiben.

Selbststeuerung

Nachdem Sie beschlossen haben, dem Schlendrian ein Ende zu machen und sich neue realistische Ziele gesetzt haben, können Sie nun Ihre Fähigkeiten und Fertigkeiten zur Steuerung Ihres eigenen Verhaltens verbessern. Sie haben sich damit schon zum dritten Teil Ihres *BAR*-Veränderungsprogramms vorgearbeitet. Es geht jetzt darum, wie Sie sich selbst in einer motivierenden und hilfreichen Form Rechenschaft ablegen können über Ihre Fortschritte. Dazu machen Sie die folgenden vier Schritte:

- Selbstbeobachtung: Sie richten Ihre Aufmerksamkeit auf Ihr gegenwärtiges Verhalten.
- Selbstkontrolle: Sie überprüfen, ob Sie sich noch auf Ihr Ziel hin bewegen oder vom Weg abgekommen sind.
- Selbstbewertung: Am Ende Ihrer jeweiligen Arbeitseinheit bewerten Sie Ihr Verhalten.
- Selbstverstärkung: Sie belohnen sich für Ihre Erfolge.

Selbstbeobachtung

Die Grundlage aller Veränderung bildet eine genaue Erhebung dessen, womit und wie Sie Ihre Tage verbringen. Wenn Sie nicht wissen, wo Ihr Geld bleibt, Sie aber gegen Monatsende stets pleite sind und daran etwas ändern wollen, dann werden Sie sich ein Haushaltsbuch zulegen, in das Sie eine Zeitlang alle Einnahmen und Ausgaben eintragen. Wenn Sie wissen wollen, wo Ihre Zeit eigentlich bleibt und wann Sie Dinge, die Sie bisher aufgeschoben haben, überhaupt in Ihren Tagesablauf einbauen können, dann brauchen Sie eine *baseline*: Notieren Sie für mindestens drei Wochen in Ihrem Veränderungslogbuch alles, was Sie an jedem Tag *tun*. Gehen Sie dabei in Abschnitten von jeweils 30 Minuten vor. Bald werden Sie sehen, wo Sie Prioritäten setzen können. Sobald Sie Ihren bisher vermiedenen Vorhaben Ziele zugeordnet haben, können Sie die Planungs- und Organisationshilfen aus dem nächsten Kapitel anwenden. Dann tragen Sie zusätzlich zu dem, was Sie konkret machen, auch noch ein, was Sie *denken* und *fühlen*. Damit bereiten Sie den Boden vor für Eingriffe und Steuerungsmöglichkeiten, wenn Sie in Ihre alten Gewohnheiten zurückzufallen drohen.

Hier ist eine Samstag-Seite aus Beates Veränderungslogbuch *vor* der Festlegung neuer Ziele:

Stunde	Aktivität	Gedanken	Gefühle	Bemerkungen
09.00	Körperpflege	Bloß nicht zu viel Zeit verlieren!	Hektik, Eile	
09.30	Frühstück	An Einkäufe	Unruhe	Sind Einkaufszettel zwanghaft?
10.00	Fernsehen	Darf ich nicht!	Schuldig	
10.30	Lese Notizen am Schreibtisch	Geht alles viel zu langsam	Ungeduld, Angst	
11.00	Desgl.	Desgl.	Desgl.	
11.30	Desgl.	Desgl.	Desgl.	
12.00	Lese einen alten Artikel	Kann mir nichts merken!	Ärger	Alles vergessen.
12.30	Surfe im Internet	Suche nach Marketingfragen	Schuldig, bin ausgewichen	Versuchung zu groß gewesen!
13.00	Immer noch im Internet, Modeseiten	Mir ist jetzt alles egal	Erleichterung, Entspannung	Endlich aufgegeben.
13.30	Einkaufen	Am Nachmittag weiterarbeiten!	Stress	
14.00	Desgl.	Desgl.	Desgl.	
14.30	Mittagessen zubereiten	Mit Kochen die Zeit vertändeln	Ungeduld	Fastfood hätte auch gereicht
15.00	Mittagessen	?	Satt, Völlegefühl	
15.30	Nickerchen gehabt	Traum von Ferien	Sehnsucht	
16.00	Suche meine alten Aufzeichnungen	Ich muss sie finden!	Angst, Ärger auf mich	
16.30	Konzepttext am Computer aufgerufen	Klingt so hölzern, unvollendet	Unzufriedenheit	Kann doch nicht wieder von vorn anfangen!
17.00	Desgl.	Desgl.	Desgl.	
17.30	Schreibe zwei neue Absätze	Aktivismus!	Selbstironie	Ich tue mir leid.
18.00	Lese die Absätze	Gefallen mir nicht	Mutlos	
18.30	Drucke das Konzept aus	Vielleicht doch nicht schlecht?	Leise Hoffnung	

Stunde	Aktivität	Gedanken	Gefühle	Bemerkungen
19.00	Tagtraum: Vorstand lacht mich aus	Doch schlecht!	Panik, Ärger	Warum mache ich mir bloß den Stress?
19.30	Telefoniert, Verabredet	Bloß weg	Erleichterung	

Beates Selbstbeobachtung ließ sie schnell einige der gröbsten Fehlerquellen erkennen:

- keine Vorausplanung, Durcheinander von Trödeln, notwendiger Haushaltserledigung, Freizeit und aufgabenbezogenem Arbeiten;
- hinsichtlich ihres Vorhabens des Marketingkonzepts: keine klaren Arbeitsziele, keine Operationalisierung, zu massiertes Arbeiten, zu wenig Pausen;
- ungeeignete Ernährung;
- keine geplante, sondern erschlichene Freizeit mit schlechtem Gewissen und Ungeduld.

Obwohl Beate sich insgesamt mehr als fünf Stunden in der einen oder anderen Weise mit ihrem Bericht beschäftigt hatte, war das Ergebnis für sie doch unbefriedigend. Zwar ergab sich immerhin ein bisschen Hoffnung, dass ihr erster Entwurf »vielleicht doch nicht so schlecht« sei. Leider aber konnte sie aus dieser globalen Bewertung natürlich wenig Honig saugen.

Mit ihrer Bestandsaufnahme überzeugte sie sich zudem noch einmal davon, wie sehr die Gedanken, die sie durch den Tag begleiten, ihr zusetzen und einen Alptraum von Gefühlen erzeugen, den sie sich durch das Aufschieben ein wenig leichter zu machen versucht. Kein Wunder, dass es so bisher nichts werden konnte.

Beate ging daran, ihr zwiespältiges Globalziel, dem Vorstand ein neues Marketingkonzept zu präsentieren, zu konkretisieren. Zuerst einmal würde sie das bereits in Ansätzen vorhandene Konzept fertigstellen. Bislang war Beate unentschieden zwischen ihren Notizen, den schon fertig ausformulierten Passagen im Computer und weiterer Materialsuche hin und hergependelt. Jetzt legte sie sich auf die folgenden Ziele fest:

- keine weiteren Recherchen mehr;
- endgültige Gliederung des Konzepts vornehmen;

- vorhandenen Text KONZEPT.OLD ausdrucken und der Gliederung zuordnen;
- Notizen sortieren und der Gliederung zuordnen;
- daraus: Text KONZEPT.NEU zusammenstellen;
- diesen Text überarbeiten
- daraus: Text KONZEPT.ENDGÜLTIG.

Um diese Ziele zu erreichen, gab Beate sich zwei Monate Zeit. Dabei berücksichtigte sie sowohl ihr Arbeitstempo und ihre anderen Verpflichtungen als auch die notwendige Freizeit. Sie entschied sich dafür, acht Wochenenden sorgfältig zu planen (siehe dazu das nächste Kapitel). Für den Samstag sah ihr Plan insgesamt vier überschaubare Arbeitseinheiten von 45 Minuten Dauer vor, mit klar bestimmten Arbeitsaufträgen und Zielen. Diese waren eingebettet in einen möglichst stressfreien Tagesablauf.

Ziele für den ersten Samstag

09.00-10.30	Körperpflege und Frühstück geniessen.
10.30-11.15	Sechs Plastikkörbe mit den Titeln der einzelnen Kapitel der Gliederung beschriften.
11.15-11.30	Modezeitschrift durchblättern.
11.30-12.15	Rohfassung KONZEPT.OLD kapitelweise ausdrucken und den Körben zuordnen.
12.15-12.30	Joghurt essen, telefonisch Verabredung treffen, wenn nicht schon geschehen.
12.30-15.00	Zur freien Verfügung: zum Beispiel Einkäufe, Stadtbummel, leichtes Mittagessen, Nickerchen; Internet (keine projektbezogenen Recherchen!).
15.00-15.45	Weiter mit Zuordnung KONZEPT.OLD zu den Kapitel-Körben *oder* (falls früher fertig) Notizen sichten und den Körben zuordnen.
15.45-16.00	Espresso trinken, telefonieren.
16.00-16.45	Notizen sichten und den Körben zuordnen.
16.45-17.00	Selbstbewertung; Ende der Arbeit, Selbstverstärkung!!

Hier ist eine Samstag-Seite aus Beates Veränderungslogbuch *nach* der Festlegung neuer Ziele:

Stunde	Aktivität	Gedanken	Gefühle	Bemerkungen
09.00	Körperpflege	Hab noch viel Zeit	Entspannung	
09.30	Frühstück	Ob das klappt nachher mit der Arbeit?	Leichte Unruhe	
10.00	Frühstück	Hätte schon Lust anzufangen	Neugier	
10.30	Gliederungstitel auf Körbe übertragen	Primitive Sache, macht aber Spaß	Spaß	
11.00	Desgl.	Desgl.	Desgl.	
11.30	Kapitelweise Ausdruck von KONZEPT.OLD und Zuordnung zu Körben	Es entsteht Ordnung und Übersicht	Gut	Obwohl das alles so einfache Sachen sind, habe ich den Eindruck, es geht voran.
12.00	Desgl.	Komme gut voran	Zufrieden	
12.30	Einkaufszettel schreiben	Habe viel Zeit vor mir	Zufrieden	
15.00	Weiter mit KONZEPT.OLD und Notizen, von denen ich viele aussortiere	Es läuft richtig gut. Viele überflüssige Notizen	Gutgelaunt	Ich staune über mich.
15.30	Desgl.	Desgl.	Desgl.	
16.00	Notizen aussortieren und zuordnen	Aber ist das nicht zu einfach?	Ein bisschen Angst	Darf es mir nicht gut gehen?
16.30	Desgl.	Vielleicht einfach, aber erforderlich	Wieder ruhiger	Endlich hab ich eine Basis.
17.00	Selbstbewertung: Einschätzen, wie erfolgreich		Sehr zufrieden	Vorfreude auf den freien Abend

Beate ist an diesem ersten Samstag überrascht, wie gut sie vorangekommen und wie zufrieden sie mit ihrer Leistung ist. Als Perfektionistin neigt sie natürlich dazu, diese »einfachen« Aktivitäten in ihrer Wichtigkeit zu unterschätzen. Ist nicht die gekonnte Textkomposition, das Niederlegen überzeugender gedanklicher Entwürfe, das eigentlich Wahre?

214

Allerdings gibt ihr der Vergleich mit ihrem Selbstbeobachungsbogen *vor* der Festlegung neuer Ziele doch zu denken: Damals folgte sie ihrem Ideal, fühlte sich aber total unzufrieden. Jetzt hat sie den Eindruck, etwas geschafft zu haben. Sie würde sogar gerne noch weiter machen, erinnert sich aber an die Regel, auf jeden Fall dann aufzuhören, wenn die vereinbarte Grenze erreicht ist. Bei der Selbstbewertung ihrer Arbeitsleistung kann sie nicht umhin, sich eine Eins zu geben: Sie hat alle Ziele für diesen Samstag erreicht. Und das Beste ist: Sie hat ihre freie Zeit genossen. Und der Abend liegt noch vor ihr.

Tipp: Ich empfehle Ihnen, selbst einmal auszuprobieren, Ihr komplexes Vorhaben, an dem Sie sich bisher aufgerieben haben, in kleine Einheiten zu unterteilen und dabei mit den »mechanischen« Schritten anzufangen. Sicher merken auch Sie dann, wie wichtig eine Gliederung und Ordnung außerhalb derer, die flüchtig in Ihrem Kopf existiert, sein kann.

Beate hatte es in der Vergangenheit versäumt, ihrem Projekt durch eine klare schriftliche Darstellung mehr Verbindlichkeit zu verschaffen. Sie saß auf Bergen von Zetteln, einigen Ausdrucken und verfügte über weitere Texte im Computer. All dem fehlte jedoch ein Ort, an dem sich diese vielen bisher schon erbrachten Leistungen sinnlich und verbindlich niederschlagen konnten. Die Gliederung sorgte für die Verbindlichkeit. Die sechs Körbe für die sechs Kapitel ihres Konzepts stehen nun in ihrem Zimmer und signalisieren schon allein durch ihre Masse und den Grad ihrer Füllung mit Papierseiten, dass Beate etwas geleistet hat. Dieser sinnliche Eindruck ist ein wirksames Mittel gegen die rein gedanklichen Forderungen, dass es immer etwas mehr, etwas Besseres und etwas anderes sein müsste.

Dazu dient auch Ihr Veränderungsjournal. Sie sollten es immer dabei haben, wenn Sie sich mit der bisher aufgeschobenen Sache beschäftigen. Schreiben Sie weiterhin zu bestimmten Zeiten auf, was Sie gerade denken, fühlen und machen, und notieren Sie unter »Bemerkungen« die störenden und ablenkenden Ereignisse oder Einfälle, die Sie gegebenenfalls kontrollieren müssen. Sie stärken damit das bewusste Handeln bei der täglichen Aufgabenerledigung. Ihre strukturierte Selbstbeobachtung zeigt Ihnen schnell die Problembereiche, in denen Sie eingreifen müssen.

Selbstkontrolle

Veranschaulichungen und Konkretisierungen, wie Beate sie verwendet, können Ihnen dabei helfen, sich von fordernden und überfordernden Gedanken und Verhaltensweisen aus der Zeit, als Sie noch perfektionistisch waren, zu distanzieren. Selbstkontrolle werden Sie auch dann ausüben müssen, wenn Ihnen etwas dazwischen kommt. Dann ist es wichtig, bei dem einmal gefassten Plan zu bleiben, die Störung als solche wahrzunehmen, ihr aber nicht zu folgen. Durch klare Arbeitsschritte und deutliche Zielvorgaben wird es Ihnen wesentlich leichter fallen als bisher, bei der Sache zu bleiben, auch wenn unverhofft das Telefon klingelt oder wenn die Unlust Ihnen zum Fernsehen rät. Im Übrigen haben Sie bereits gelernt, wie Sie diesen Störenfrieden das Wasser abgraben können: indem Sie sich anhand der oben vorgestellten Strategien der Rational-Emotiven Therapie fragen, ob Sie wirklich *müssen, jetzt* und *sofort*.

Tipp: Machen Sie es sich zur Gewohnheit, sich aufdrängende Impulse, die Sie von Ihrem Vorhaben ablenken, in Ihr bereitliegendes Veränderungslogbuch einzutragen. Praktizieren Sie für zwei Minuten die Rational-Emotive Therapie und fragen Sie sich, ob das, was der Impuls Ihnen sagt, wahr ist.

Ist es wahr, dass Sie jetzt Fernsehen *müssen*? Nein, Sie *denken* nur, dass Sie es müssen, um von Ihrem Projekt Urlaub nehmen zu können. Das Telefon klingelt. *Müssen* Sie rangehen? Falls Sie es tun, *müssen* Sie jetzt ein langes Gespräch führen? Warum den Anrufer nicht auf später vertrösten? Natürlich meldet sich der alte Aufschiebeimpuls. Aber *müssen* Sie ihm nachgeben? Nein, Sie müssen nicht, Sie könnten sich höchstens dafür entscheiden. Warum jedoch sollten Sie das tun, jetzt, wo Sie mitten in etwas ganz anderem stecken? Sie können dem alten Fluchtgedanken entgegenkommen, indem Sie ihn notieren und sich ihm ein andermal zuwenden. Den Zeitpunkt bestimmen dann allerdings Sie.

Durch dieses ständige Hinterfragen können Sie Ihre Gedanken kontrollieren. Ihre Gedanken wiederum bestimmen Ihre Gefühle, also können Sie Ihre Gefühle kontrollieren. Je beiläufiger Sie darauf reagieren, dass sich störende Gefühle einstellen, desto leichter wird es Ihnen fallen, sie zu kontrollieren. Erinnern Sie sich: Mit Ihrem Vorhaben, das Aufschieben zu reduzieren oder zu beenden, haben Sie sich dafür entschieden, einer Gewohnheit, die sich gefühlsmäßig richtig anfühlt, etwas Neues entgegenzusetzen, was Ihnen zunächst unvertraut ist und wie falsch vorkommt. Wenn Sie mit Ihrem Auto nach England fahren, dann werden Sie sich an den Linksverkehr gewöhnen müssen, aber anfangs wird sich alles falsch anfühlen. Ihrem Impuls, auf die gewohnte Fahrbahnseite zu wechseln, sollten Sie allerdings besser nicht nachgeben. Es wird also von Ihnen erwartet, dass Sie eine Zeitlang die Anstrengung auf sich nehmen, bewusst und willkürlich entgegen einem vertrauten und erneut angeregten Gefühl zu handeln. Angemessene Ziele definiert zu haben, die durch überschaubare kleine Schritte erreichbar sind, ist eine wunderbare Hilfe dabei, diese Selbstmanagementleistung zu erbringen.

Wieder können Ihnen auch Visualisierungen helfen: Stellen Sie sich abends vor dem Einschlafen wiederholt vor, wie Sie in kritischen Situationen einer Versuchung widerstehen. Sehen Sie sich selbst dabei zu, wie Sie souverän das störende Gefühl bemerken, den Impuls wahrnehmen, über beide einen kurzen Eintrag in Ihr Veränderungsjournal machen und dann ungerührt mit der nur minimal unterbrochenen Tätigkeit fortfahren. Stellen Sie sich selbst als Odysseus vor, der sich an den Mast fesseln ließ, um den einzigartigen Lockgesang der Sirenen zwar zu hören, aber gleichzeitig dafür Vorsorge getroffen hatte, ihm keinesfalls zu folgen.

Sie können auch Ihren Willen trainieren, um die erforderlichen Versagungen unmittelbarer Triebbefriedigung besser ertragen zu können und das einmal als richtig Erkannte auch unabhängig von situativen Versuchungen zu tun. Mehr darüber erfahren Sie im Kapitel *Der Geist ist willig, aber das Fleisch ist schwach?*

Selbstkontrolle hat eine strategische und eine taktische Seite. Strategisch entschärfen Sie mit dem RET-Vorgehen irrationale Haltungen, die Ihren Veränderungsprozess stören. In ganz konkreten Situationen, in denen die Versuchung wie der kleine Hunger kommt, setzen Sie RET-Instant ein und befragen sich bei jedem aufdrängenden Impuls, ob Sie sich dafür entscheiden wollen, ihm jetzt nachzugeben.

Selbstbewertung

Der Ausdruck *Selbst*bewertung bedeutet nicht, dass Sie wie früher Ihr ganzes Selbst mit einer globalen Note versehen. Gemeint ist, dass Sie *selbst* sich am Ende einer Arbeitsphase, am Ende eines Pensums oder am Ende des Tages Rechenschaft darüber ablegen, wie Sie Ihr Vorgehen heute fanden. Bewerten Sie, wie gut es Ihnen gelungen ist, sich zu kontrollieren und Ihre Ziele zu erreichen. Dazu können Sie eine fünfstufige Skala verwenden, die Sie als Formular in Ihr Veränderungslogbuch eintragen, so dass Sie Ihre Bewertungen jederzeit nachlesen und sich über Ihre Fortschritte freuen können:

- sehr gut eingehalten
- gut
- ging so
- unter Schwierigkeiten
- nicht eingehalten

Lügen Sie sich bei der Bewertung nicht in die eigene Tasche: Schwierigkeiten festzuhalten ist wichtig, um sie später analysieren und beseitigen zu können. Ein wolkiges »lief alles super« bringt Ihnen hingegen gar nichts. Aber seien Sie auch nicht zu streng mit sich: Unter Schwierigkeiten eine Zielvereinbarung einzuhalten, verdient unter Umständen mehr Anerkennung, als wenn es Ihnen mühelos gelungen ist. Deswegen gilt bei den ersten vier Punkten der Bewertungsskala die Devise: Jeder ist ein Gewinner und jeder verdient einen Preis! So können Sie Ihr Verhalten steuern, ohne dabei zu wirkungslosen Appellen und unnötiger Selbstkritik Zuflucht zu nehmen. Beobachten Sie sich, machen Sie Aufzeichnungen und wenden Sie Techniken der Selbstkontrolle an, wenn die unvermeidlichen alten Stimmen Sie zum Aufschieben auffordern. Da Sie durch Ihre Zielplanung die Zeichen auf Erfolg gestellt haben, fällt Ihre Selbstbewertung positiv aus. Sie bestärken sich durch Ihre eigenen Fortschritte. Ihr BAR-Programm von Bewusstheit, Aktionen und Rechenschaft bewährt sich, Sie kommen immer weiter voran.

Belohnungen und Bestrafungen

Selbstverstärkung

Wenn Sie sich Beates Aufzeichnungen *nach* Festlegung ihrer Ziele noch einmal anschauen, dann werden Sie bemerken, dass Beate in den Pausen nach den jeweils 45minütigen Arbeitseinheiten etwas Angenehmes macht. Aha, sagen Sie sich, hier geht es um das alte Prinzip Zuckerbrot und Peitsche. Nicht ganz falsch, aber auch nicht ganz richtig. Sie können Ihr neues Verhalten dadurch verstärken, indem Sie sich belohnen. Verstärken heißt, dass Sie die Wahrscheinlichkeit, mit der das Verhalten wieder auftreten wird, erhöhen. Der Seelöwe, der sich auf Kommando seines Dompteurs vom hohen Felsen in die Fluten gestürzt hat, wird mit einem leckeren Hering belohnt. So steigert sich die Wahrscheinlichkeit, dass er sich auch das nächste Mal ohne langes Zögern in die Tiefe wirft, denn in seinem Gehirn hat sich die Verknüpfung »Sprung – leckerer Fisch« gebildet. Sie haben den Vorteil, dass Sie selbst festlegen dürfen, mit welchen angenehmen Dingen Sie sich belohnen wollen, wenn Sie Ihre Ziele erreicht haben. Die stärkste motivierende Wirkung haben Dinge mit unmittelbarem Belohnungswert wie Freizeit, Spaß, Süßigkeiten, Zusammensein mit anderen Menschen und so weiter. Schauen Sie sich die Dinge an, die Sie bislang dann gemacht haben, wenn Sie ausgewichen sind. Darunter finden sich bestimmt auch Sachen, die Sie nun als Belohnungen verwenden können. Bei Beate war es das Betrachten von Modeseiten im Internet, aber auch telefonieren, fernsehen und essen.

Tipp: Alles, was Sie gerne und häufig machen, ist als Belohnung geeignet. Daraus folgt: Belohnen Sie sich vor allem mit etwas, was Ihnen wirklich Spaß macht oder woran Sie ein echtes Interesse haben.

Sich zu belohnen ist ganz einfach: Sie machen das, was Sie bisher mit schlechtem Gewissen gemacht haben, nun offiziell – nachdem Sie das erledigt haben, was Sie sich als Ziel gesetzt hatten. Wenn Sie Ihr Ziel nicht erreicht haben, gibt es diese Belohnung nicht. Seien Sie mit dem Fernsehen oder Telefonaten und Computerspielen als Belohnung vorsichtig: Alles, bei dem Sie es gewohnheitsmäßig schwer finden, wieder damit aufzuhören, ist weniger geeignet – es sei denn, Sie stellen sich jeweils den Wecker und bringen sich dazu, nach 15 Minuten auch wirklich aufzuhören. Belohnen Sie sich am Anfang Ihres Veränderungsprozesses für jedes erreichte Ziel. Später reicht es, wenn Sie sich am Ende Ihres Arbeitstages oder Ihres Tagespensums eine Belohnung gönnen. Setzen Sie sich auch eine Belohnung aus für das langfristige Projekt, Ihr Aufschieben am Beispiel Ihres konkreten Vorhabens weitgehend zu reduzieren oder gar ganz zu beseitigen. Wenn Sie etwas wählen, worauf Sie sich wirklich freuen, wie zum Beispiel die langersehnte Reise nach New York oder den Abenteuerurlaub im Himalaya, die neue Einbauküche oder ein tolles teures Kleidungsstück, dann haben Sie einen Anreiz dafür geschaffen, auch wirklich durchzuhalten.

Diesen Anreiz können Sie noch steigern, indem Sie Ihr Vorankommen visualisieren. Sie bestätigen sich dann noch auf einem anderen Sinneskanal Ihre Fortschritte. Geeignet sind zum Beispiel sogenannte *Token*-Systeme: Besorgen Sie sich einen Stapel von farbigen Chips, Jetons, Würfeln oder anderen attraktiven kleinen Objekten, die Sie als eine Art Gewinnpunkte betrachten können. Für jedes eingehaltene Ziel gibt es eine solche Prämie. Oder Sie machen sich einen großen Plan, den Sie an die Wand pinnen, auf dem Sie Ihre Fortschritte mit farbigen Aufklebern markieren.

Beate liebt Magneten und Magnettafeln. Sie hat sich eine an die Wand montiert und darauf ihren Plan für die insgesamt acht Wochenenden eingetragen. Für jede erledigte Arbeitseinheit setzt sie einen großen farbigen runden Magneten auf die Tafel. Das sieht nicht nur erfolgreich, sondern auch gut aus. Als Beate die Tafel in ihrem Büro im Verlag installiert, begründet sie damit ihren Ruf, sich in modernen Selbstmanagementmethoden auszukennen.

Eine andere Methode der Visualisierung hat Helmut gewählt. Schon als kindlicher Comicleser hatte er sich über die Tabellen an Onkel

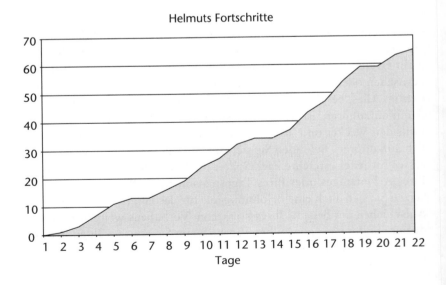

Helmuts Fortschritte

Dagoberts Wand gefreut, auf denen der festhielt, um wieviel Taler er Tag für Tag reicher geworden war.

Helmut hat sich eine ähnliche Bilanztabelle gemacht, wie Onkel Dagobert sie hatte. Er hat dazu ein Koordinatenssystem genommen, auf dessen X-Achse er die Arbeitstage der nächsten drei Wochen eingetragen hat. Auf der Y-Achse wird er die addierten Häufigkeiten der erledigten Vorgänge einzeichnen. Seine Skala reicht dort – der Anzahl der unerledigten Vorgänge entsprechend – von 0 bis 65. Das Ganze wird dann aussehen wie steigende Umsätze, mit einer nach oben weisenden Kurve. Darauf freut sich Helmut.

Das Gute an solchen Systemen ist, dass sie die von innen kommende Motivation steigern. Sie freuen sich zunehmend an der Sache selbst und an Ihrem Erfolg, die äußeren Belohnungen werden tendenziell unwichtiger. Erfolgreich zu sein, ist selbst eine ganz besonders wirksame Motivation. Und es gibt kaum einen größeren subjektiven Erfolg, als sich zu verändern und ein altes, quälendes Problem zu überwinden. Sie merken, dass Sie wieder Herr im eigenen Hause werden und nicht länger der Sklave von Konflikten und Ängsten sind.

Hier noch einmal die wichtigsten Punkte, die Sie beim Belohnen beachten sollten:

- Setzen Sie genussreiche Dinge ein als Belohnungen, *nachdem* Sie ein Vorhaben erledigt oder sich an ihren Plan gehalten haben, statt sie *anstelle* der Vorhaben in ihrem Belohnungswert zu verschleißen.
- Suchen Sie ruhig auch nach neuen Belohnungen, aber gönnen Sie sich die bewährten als Sahnehäubchen auf der erledigten Aufgabe.
- Wenn Sie die Aufgaben klein, handhabbar und erfolgsträchtig genug gestalten, haben Sie eine gute Zeit vor sich. Aber vergessen Sie nicht, sich auch wirklich zu belohnen.
- Denken Sie daran, dass Sie sich stets »komisch« fühlen werden, wenn Sie aus Ihren alten Gewohnheiten ausbrechen. Akzeptieren Sie es als begleitendes Gefühl, dass Sie sich eine Zeitlang lächerlich fühlen werden, wenn Sie die Kekse, die Sie sonst ver-

putzt haben statt zu arbeiten, jetzt *nach* der Erledigung Ihrer Aufgabe verspeisen.

- Allmählich wird Ihr Unbewusstes die Verknüpfung von Aufgabenerledigung und Belohnung erlernen – auch wenn Ihr Erwachsenen-Ich so etwas kindisch finden mag.

Bestrafungen

Sie werden Ihre Aufgaben stets leichter erledigen, wenn Sie mit ihnen eher Vergnügen und Erfolg als Isolation und Angst verbinden. Von daher ist Belohnung das überlegene Prinzip. »Warum nicht Bestrafungen?«, fragen Sie vielleicht. »Nicht nur Zuckerbrot, sondern auch einmal die Peitsche.« Nun, wenn Sie sich anschauen, wie sehr Sie sich in den letzten Jahren, Monaten oder Wochen für Ihr Aufschieben beschimpft und herabgesetzt haben, dann scheint Ihnen die Selbstbestrafung nicht viel gebracht zu haben. Methoden, die mit Druck, mit Bestrafung und Furcht arbeiten, führen generell nur dazu, dass Verhalten unterdrückt, nicht aber verändert wird. Was Sie jedoch anstreben und mit Hilfe dieses Buches erreichen können, sind neue Einstellungen und neue Verhaltensweisen. Die aber lernen Sie nur durch Erfolg und Belohnung.

Wenn Sie jedoch unbedingt auch mit Strafreizen arbeiten wollen, weil Sie sich kennen und wissen, dass Sie auf Druck reagieren, dann können Sie sich zunächst einmal ausgesetzte Belohnungen vorenthalten. Wenn Sie Ihr Ziel nicht erreicht haben, dann gibt es ohnehin nichts. Im Bestrafungsmodus versagen Sie sich dann auch gleich noch die fällige Belohnung für die nächste erfolgreiche Arbeitseinheit. Ich rate nicht zu diesem Vorgehen, kenne aber Menschen, die dieses Prinzip mit Erfolg auf sich anwenden. Wenn Sie es tun, dann achten Sie aber unbedingt darauf, die Bestrafungen auch konsequent durchzuhalten.

Es gibt einige recht brachiale Bestrafungsmethoden, die als Last-minute-Eisbrecher helfen können, überhaupt einen Fuß in die Tür eines eingefahrenen Aufschiebeverhaltens zu bekommen.

Einer meiner Klienten, Ralf, hatte unbewusst die Strategie verfolgt, mich schachmatt zu setzen, indem er seine sorgsam erarbeiteten Pläne einfach nicht in die Tat umsetzte. Dass er trotzig war und Autoritätsprobleme hatte, war für uns beide deutlich, und auch, dass unsere Sitzungen auf eine kritische Konfrontation hinauslaufen würden, die Ralf suchte und der ich um des Erfolgs der Behandlung wegen nicht ausweichen durfte. Also schlug ich ihm Folgendes vor: Er würde mir 500,- DM, einen für ihn erheblichen Geldbetrag, in fünf 100 DM-Scheinen übergeben. Er hätte noch fünf Mal die Gelegenheit, einen sorgfältig geplanten und von ihm immer wieder als sinnvoll bestätigten Arbeitsplan zu einem festgelegten Zeitpunkt umzusetzen. Wenn er sich daran hielt, würde er jeweils 100,- DM zurückbekommen. Wenn nicht, würde ich vor seinen Augen einen Schein nach dem anderen verbrennen und mich am Ende als für ihn ungeeigneten Therapeuten betrachten. Ralf ließ es sich 200,- DM kosten, dann war er zumindest von meiner Ernsthaftigkeit überzeugt und fing an, hinter dem vordergründigen Ausmanövrieren der vermeintlichen Autorität seine eigenen selbstschädigenden Tendenzen zu erkennen. Gleichzeitig damit setzte er erfolgreich seinen Arbeitsplan um.

Sie können in ähnlicher Weise in hoffnungslosen Situationen die unmittelbaren negativen Folgen des Aufschiebens so steigern, dass Sie es vorziehen, Ihr Vorhaben doch anzupacken. Geben Sie einen Geldbetrag, dessen Verlust Sie schmerzen würde, an eine Person, der Sie vertrauen und machen Sie mit ihr einen Vertrag. Schreiben Sie genau auf, welches Ergebnis Sie bis zu welchem Zeitpunkt in einer genau überprüfbaren konkreten Form dieser Person Ihres Vertrauens vorlegen wollen. Dritteln Sie das Vorhaben, wenn es umfangreich ist. Wenn Sie es schaffen, bekommen Sie ein Drittel Ihres Geldes zurück. Wenn nicht, überweist Ihr Vertrauter vor Ihren Augen das Geld an eine Organisation, die Ihnen verhasst ist und deren Ziele Sie verabscheuen. Sie können natürlich auch ein Buch auf diese Weise einbüßen oder Ihre Netzkarte für die öffentlichen Verkehrsmittel für diesen Monat abgeben und mit dem Fahrrad fahren müssen. Was immer Sie unbedingt vermeiden wollen eignet sich gerade dadurch als negative Konsequenz für Ihr Aufschieben.

Zusammenfassung

Sie überwinden den Schlendrian, indem Sie klare, zu Ihnen passende Ziele definieren und sie in kleinen Etappen verwirklichen. Ihre Fortschritte erreichen Sie durch eine gute Selbstbeobachtung, die es Ihnen ermöglicht, bei Schwierigkeiten und Störungen rechtzeitig mit kleinen, aber wirkungsvollen Eingriffen in Ihr Verhalten bei der Sache zu bleiben. Wenn Sie sich für Ihre positiven Veränderungen, die nicht ausbleiben werden, belohnen, lernen Sie es schnell, Ihre Vorhaben zukünftig müheloser und erfolgreicher umzusetzen.

13.
Motiviertes Handeln: Wann, wenn nicht jetzt?

Sie haben in den vorangegangenen Kapiteln mit der Anwendung des BAR-Programms das Know-how erworben, um Ihre konkreten Vorhaben oder Entscheidungen nicht länger aufzuschieben. Sie haben Ihre kognitive Haltung ebenso verändert wie Ihre begleitenden Gefühle. Sie haben gelernt, sich Ziele zu setzen, die Sie in genau überprüfbaren Schritten erreichen. Sie haben die erforderlichen *skills* erworben, um sich selbst besser als bisher zu steuern, wenn es hart wird, wenn der Schlendrian Sie lockt oder sich sehr unangenehme Spannungen in Ihnen aufbauen. Durch Selbstbelohnung haben Sie sich in eine positive Lernhaltung versetzt. Damit verfügen Sie über die erforderlichen Fertigkeiten, um Ihre Projekte ohne Verzögerungen durchzuziehen. In diesem Kapitel können Sie das Arsenal Ihrer Antiaufschiebestrategien um langfristig wirksame Instrumente ergänzen. Planung und Selbstorganisation machen Ihnen auf Dauer die Erledigung von Aufgaben leichter und senken das Risiko, dass Sie überhaupt in Verzug geraten. Sie helfen Ihnen ebenso wie ein besseres Zeitmanagement.

Ziel aller Planung, Selbstorganisation und des Managements Ihrer Zeit ist eine Verbesserung Ihrer Effizienz. Effizient handeln Sie dann, wenn Sie mit einem sparsamen Einsatz von Mitteln Ihre Leistungsziele erreichen, das heißt einen hohen Nutzen erzielen. Gemeint ist damit:

- dass Sie relativ mühelos in Schwung kommen, um Ihre Vorhaben zu erledigen;
- dass Sie ohne übermäßige Anstrengung Ideen für neue Projekte entwickeln und kreative Einfälle haben zur Bewältigung des gegenwärtigen Vorhabens;
- dass Sie bei der Aufgabenerledigung auf Klarheit, Wohlbefinden und

sparsamen Einsatz der Mittel und ein Maximum an Erfolg bedacht
sind;
- dass Sie über Bewältigungsfertigkeiten verfügen, falls Sie Rückschläge und Enttäuschungen überwinden müssen;
- dass Sie soziale Fertigkeiten haben, die es Ihnen ermöglichen, Unterstützung zu finden und sich in den Standpunkt des anderen einzufühlen.

Bitte denken Sie noch einmal daran, dass Sie sich dann motiviert fühlen werden, Planungs- und Organisationsfertigkeiten zu erlernen, wenn es bei den Vorhaben, die Sie erledigen wollen, um Dinge geht, die Ihren persönlichen Werthaltungen entsprechen. Wenn Sie einer Mode hinterherhecheln oder sich an einer Sache abarbeiten, die nicht auf einem Weg mit Herz zu erreichen ist, dann können Ihnen Techniken zwar kurzfristig über Klippen helfen, Sie werden aber keine *skills* verinnerlichen.

Von Planung, Selbstorganisation und optimierter Verwendung Ihrer Zeit können Sie vor allem dann erheblich profitieren, wenn Sie kein allzu intensives Aufschiebeproblem mehr haben. Solange Sie noch ein hartgesottener Aufschiebeprofi sind, werden Sie wahrscheinlich alles daransetzen, auch die besten Vorschläge als wirkungslose Tipps erscheinen zu lassen, denn schließlich zielen alle Ratschläge darauf ab, Sie mit Ihren aufgeschobenen Vorhaben wieder in Kontakt zu bringen. Dadurch aber rücken auch die vermeintlichen Gefahren wieder näher, denen Sie sich früher nicht zu stellen wagten. Erst nachdem Sie diese Drohungen für Ihr Selbstwertgefühl als übertrieben erkannt, Ihre Einstellungen verändert und Ihr Ich gestärkt haben, können Sie es sich leisten, die aufgeschobenen Projekte erneut in Angriff zu nehmen und Ihre Herangehensweisen zu verbessern. Arbeiten Sie daher unbedingt die entsprechenden Kapitel in diesem Buch durch, bevor Sie die hier beschriebenen Techniken ausprobieren. Wenn Sie Ihr Aufschieben ernsthaft loswerden wollen, dann müssen Sie zuerst eingefahrene Verhaltensweisen in Ihrem Leben ändern.

Motiviertes Handeln wartet nicht auf die 100-prozentig gute Laune. Es stellt durchaus Unlust und Trägheit in Rechnung, ohne diese zu dramatisieren. Sie werden diese Hindernisse in Ihrer Planung berücksichtigen und ihnen mit Hilfe einer guten Selbstorganisation den Wind aus den Segeln nehmen. Auch ein anderes Verhältnis zur Zeit kann Ihnen helfen. Früher trösteten Sie sich mit der faulen Ausrede, Sie hätten für Ihr Vorhaben keine Zeit, da etwas anderes wichtiger sei. Später wurde dann die Zeit immer knapper und parallel dazu hatten Sie den Eindruck, immer mehr davon zu benötigen. Ein gutes Management Ihrer Zeit unterstützt Sie bei Ihren Vorhaben und ermöglicht es Ihnen, diese Ressource optimal zu nutzen.

Planung

Über Planung ist häufig und gelungen gespottet worden, so zum Beispiel bei Bertolt Brecht in der *Dreigroschenoper:*

> »Ja, mach nur einen Plan,
> Sei nur ein großes Licht
> Und mach dann noch 'nen zweiten Plan
> Gehn tun sie beide nicht.«

Andererseits geben Unternehmen und Verwaltungen viel Geld für Organisation und Planung aus. Umstrukturierungen, Produktivitätssteigerungen und langfristiges, zielorientiertes Handeln sind ohne sie nicht möglich. Zuviel Planung führt zur Erstarrung, wie der Zusammenbruch der planwirtschaftlichen Systeme im Osten gezeigt hat. Zuwenig Planung bewirkt kopflosen Aktionismus. Ein Optimum an Planung schafft Verbindlichkeit, ordnet Vorhaben Terminen zu und gibt Ihnen Klarheit, was Sie wann tun wollen. Sie können das als Festlegung erleben und mit Widerstand darauf reagieren. Dann haben Sie ein ernsthaftes Problem. Vermeiden Sie jedoch abstrakte Diskussionen darüber, ob sich Ihr spezielles Vorhaben überhaupt planen lässt. Mit Sicherheit lässt es sich planen, aber das heißt natürlich noch lange nicht, dass Sie planen *müssen*. Sie können sich dafür entscheiden, Sie können es ausprobieren und erleben, welche Vorteile Planung für Sie mit sich bringt. Die Erledigung von Vorhaben zu planen bedeutet nicht, Ihre liebgewonnene Spontaneität und Ihre persönliche Entscheidungsfreiheit *ein für alle Mal* aufzugeben. Selbst ausgestattet mit Monats-, Wochen- und Tagesplänen verwandeln Sie sich nicht automatisch in einen Ordnungsfanatiker. Sie bedienen sich lediglich bewährter Instrumente. Die Grundprinzipien von Planung haben Sie bereits im vorigen Kapitel kennengelernt:

- Definieren Sie Ihre Ziele.
- Machen Sie sich klar, warum Sie diese Ziele verfolgen und was Sie von Ihrer Verwirklichung erwarten.

- Konkretisieren Sie ein Vorhaben, das Ihre Ziele erreichen hilft und das Sie mit Priorität umsetzen werden.
- Bestimmen Sie die Handlungen, die Sie Ihrem Ziel näher bringen werden.
- Legen Sie die Zwischenschritte fest, die Sie machen müssen, um Ihr Ziel bei Ihrem Projekt zu erreichen.

Aus der Art Ihres Zieles, Ihrem persönlichen Tempo und dem Zeitbudget, das Ihnen zur Verfügung steht, ergibt sich, wie lange Sie brauchen werden, um Ihr Ziel zu erreichen. Und so landen Sie bei einer Planung, die Jahre, Monate, Wochen oder auch nur Tage umfassen kann. Sie brauchen, um sich Ihre Pläne vor Augen halten zu können, einen großen Wandkalender oder eine selbstgefertigte Tabelle, in die Sie mit unterschiedlichen Farben Ziele und Zwischenziele, erforderliche Handlungen und Deadlines eintragen. In diesen großen Übersichtsplan können Sie dann auch Ihre Belohnungspunkte einkleben, wenn Sie sich für die Visualisierung Ihrer Selbstverstärkungen entschieden haben. Detailliertere Angaben zur Anfertigung solcher Pläne finden Sie in einschlägigen Büchern zum Thema, von denen eine Auswahl in der Literaturliste am Ende des Buches angegeben ist.

Ich möchte hier das Thema Planung nur in bestimmten, für die Überwindung des Aufschiebens besonders wichtigen Ausschnitten behandeln. Dabei gilt der Grundsatz, dass die Planung Ihre Motivation steigern soll. Sie werden diesem Prinzip dadurch gerecht, dass Ihre Planung zu folgenden Ergebnissen führt:

- mehr Lebensqualität in der Freizeit und
- mehr Qualität in der Arbeit.

Tipps und Anregungen zur Detailplanung von Arbeitsvorhaben finden Sie im Abschnitt *Zeitmanagement*.

Im großen Maßstab bezieht sich Ihre Planung darauf, das Aufschieben in Dingen, die Ihnen wichtig sind, zu beenden. Dazu gehören unter Umständen auch Fragen der Lebensplanung.

Helmut hatte begriffen, dass er einen etwaigen Wechsel seiner Arbeitsstelle oder gar seines Arbeitgebers von langer Hand planen musste. Seine bisherigen Gedankenspiele hatten zu nichts Gutem geführt, sondern ihn eher entmutigt. Das lag auch daran, dass er bisher stets nur aus Trotz an andere Jobs gedacht hatte. Seine widerborstige Haltung hatte sich durch intensive Arbeit an seinen Einstellungen deutlich verringert. Helmut beschloss, eine Analyse dessen zu machen, was er gut konnte und was er gerne tun würde. Als Ergebnis kam heraus, dass er seine Stärken mehr im direkten Umgang mit anderen Menschen und weniger in der Bearbeitung von Akten sah. Dementsprechend hätte er lieber eine Tätigkeit, die ihn mit Publikum in Kontakt bringen würde, mit einem eigenen Entscheidungsspielraum. Helmut ließ seine Phantasie spielen, bis hin zu der Möglichkeit, Croupier (!) zu werden. Aber so radikal umzusteigen, erschien Helmut wegen seines Sicherheitsbedürfnisses als zu riskant. Helmut plante die folgenden Schritte, die er im Laufe eines halben Jahres umsetzte:

- *Er machte einen Kurs für effektive Selbstpräsentation und besseren Umgang mit anderen Menschen mit.*
- *Er nahm an einem Assessment Center und an einem Bewerbungstraining teil.*
- *Er suchte systematisch in Anzeigen und im Internet nach neuen Jobs.*
- *Er entwarf ein Bewerbungsschreiben, das er nach und nach optimierte.*

Nachdem Helmut zu zwei Einstellungsgesprächen bei verschiedenen Unternehmen eingeladen worden war, wechselte er schließlich in das neu eingerichtete Kundenberatungszentrum einer großen Krankenkasse. Im direkten Gespräch mit Kunden fand er eine Befriedigung, die es ihm möglich machte, die auch hier natürlich immer wieder ähnlichen Anliegen ohne Ärger und Ungeduld zu erledigen. Er verdiente besser als in seinem alten Unternehmen, profilierte sich durch Initiative und Leistungen und wurde nach nur zwei Jahren Leiter des Kundendienstzentrums.

Das hier beschriebene Vorgehen eignet sich naturgemäß besonders für längerfristige Projekte. Beate konnte mit einer konkreten Planung von zwei Monaten endlich das so lange schon ausstehende Marketingkonzept fertigstellen. Statt eines großen Auftritts vor der gesamten Verlagsspitze präsentierte sie es bescheidener nur Ihrem direkten Vorgesetzten. Der zeigte sich über ihre Initiative erfreut, geriet aber keineswegs vor Begeisterung aus dem Häuschen. Weder bestätigten sich Beates Ängste, noch löste sie den zwiespältig erhofften Jubel aus. Helmuts Planung seines Jobwechsels erstreckte sich über ein halbes Jahr. Anjas Weg dauerte noch länger.

Anja plante gleichzeitig verschiedene wichtige Veränderungen in ihrem Leben. Sie wollte

- *ihre Rolle als Mutter und Hausfrau besser als bisher, aber auch stressfreier, erfüllen;*
- *eine andere Verteilung der Lasten zwischen sich und Horst, ihrem Mann, herbeiführen;*
- *herausfinden, welche ihrer verschiedenen Vorstellungen über mehr Selbstverwirklichung sie in die Tat umsetzen wollte.*

Auch Anja griff zurück auf das vertiefte Bewusstsein für sich selbst und ihre Konflikte, das sie in der Zwischenzeit gewonnen hatte. Sie verwirklichte ihre Ziele in mehreren Schritten:

- *Sie analysierte die Probleme in der Gegenwart und legte die angestrebten zukünftigen Situationen fest: Sie würde gerne entspannter mehr Zeit mit den Kindern genießen, sie würde es gerne sehen, wenn Horst sich ebenfalls mehr am Familienleben beteiligen würde und sie würde gerne zwischen ihren alten Ideen Kunst oder Modeling abwägen, vielleicht auch etwas Neues finden.*
- *Sie überlegte sich gründlich das Für und Wider der angestrebten Veränderungen. Insbesondere machte sie sich klar, dass eine Veränderung ihrer familiären Verhältnisse den Druck auf sie erhöhen würde, nun auch wirklich mehr für ihre eigene Entwicklung zu tun als bisher.*
- *Sie legte fest, welche Schritte sie machen müsste, um diese Ziele zu erreichen. Ganz oben an stand das Gespräch mit Horst, den sie für die angestrebten Neuerungen gewinnen wollte. Sie machte sich bewußt, dass sie das gewiss nicht in einer einmaligen Aussprache erreichen könnte, und stellte auch Widerstände bei Horst in Rechnung.*
- *Sie machte einen Plan, wie sie diese Schritte umsetzen würde. Anders als sonst, würde sie Horst nicht zwischen Tür und Angel mit ihren Vorstellungen überfallen, sondern das Thema bei ihrem nächsten Urlaub zur Sprache bringen, wo beide mehr Zeit füreinander hatten und die Bereitschaft größer war, aufeinander einzugehen. Sie entwickelte konkrete Vorschläge zur Lösung der Probleme und übte mit Jutta, ihre Vorschläge im Gespräch zu unterbreiten und zu begründen.*

Schließlich, in den Ferien, setzte Anja ihren Plan um. Sie hatte Horst schon darauf vorbereitet, dass sie mit ihm sprechen wollte. Der erste

Punkt war schnell erledigt: Horst hatte nichts mehr dagegen einzuwenden, dass an zwei Tagen in der Woche eine Haushaltshilfe kommen würde. Während er früher Anjas Unzufriedenheit gespürt und allergisch darauf reagiert hatte, ging jetzt von ihr eine neue Entschlossenheit aus, die Horst beruhigte. Offenbar wusste sie, was sie wollte. Ihren Vorschlag, die Kinder generell nur noch bis mittags im Kindergarten zu lassen, fand er ebenso gut wie ihre Idee, sich regelmäßig die ständig benötigten Getränke und Lebensmittel vom Supermarkt liefern zu lassen. Auf diese Weise würde dann auch für Geschäftsessen und Parties immer ein Vorrat im Haus sein. Widerstand leistete Horst gegen Anjas Wunsch, dass auch er sich mehr am Familienleben beteiligen sollte. Er wies auf seinen übervollen Kalender hin, auf Gerichtstermine, die er wahrzunehmen habe und auf deren Festlegung er keinen Einfluss habe. Hier sah er keinen Spielraum. Dass sie ihre Vorstellungen von Selbstverwirklichung außerhalb der Familie ernsthafter verfolgen wollte, gefiel ihm. Er war froh, dass ihr alter Modelspleen, wie er ihn nannte, kein Thema mehr war. An die Karriere als Künstlerin hatte er ohnehin nie geglaubt. Dass sie nicht mehr in der Apotheke stehen wollte, leuchtete ihm ein. Dafür hatte er selbst eine Idee: Neulich war ihm Anja eingefallen, als einer seiner Geschäftsfreunde, der eine große Werbeagentur leitete, dringend eine repräsentative Empfangsdame für eine Halbtagstätigkeit suchte. Anja wäre dafür genau richtig, fand Horst, mit ihrem Aussehen und ihrer Kontaktfreudigkeit. Anja war nicht abgeneigt, es einmal zu probieren. Als sie am Abend nach diesem Gespräch eine Eintragung in ihrem Veränderungslogbuch macht, spricht aus ihr die Freude über einen so wichtigen, gelungen Schritt: »Ich habe das Gefühl, alles wendet sich zum Guten – ich bin froh, mein Puppenheim und die Rolle der Unzufriedenen endlich aufgeben zu können. Horst steht hinter mir, das ist ein schönes Gefühl.«

In welchen Schritten sollten Sie vorgehen, wenn Sie planen, das Aufschieben aufzugeben?

- Analysieren Sie strategisch Ihre jetzige Ausgangssituation, Ihre Zielvorstellungen und legen Sie die erforderlichen Schritte dafür fest, Ihre Ziele anzusteuern.
- Denken Sie dabei auch daran, dass Veränderungen dauerhaft negative Aspekte mit sich bringen und dass immer etwas schiefgehen kann.

- Planen Sie ganz konkret, wie Sie die einzelnen Schritte umsetzen wollen und beziehen Sie Ihre Planung auf den dafür erforderlichen Zeitraum.
- Berücksichtigen Sie bei der Planung Ihre Persönlichkeit und Ihre Konflikte sowie die der beteiligten anderen Personen
- Dann handeln Sie und schließlich überprüfen Sie das Resultat.

Selbstorganisation

Mental und im Verhalten gut organisiert zu sein, kann Ihnen das Leben enorm erleichtern. Seien Sie ehrlich: Im kreativen Chaos immer wieder die Unterlagen auszugraben, die Sie für Ihre Seminararbeit an der Universität brauchen, ist nur zur Hälfte spaßig. Zur anderen Hälfte bedeutet es Stress. Wenn Sie gerne basteln und werkeln, aber Ihr Handwerkszeug immer erst zusammensuchen müssen, bevor Sie loslegen können, dann haben Sie Verdruss an den Anfang einer angenehmen Freizeitbeschäftigung gesetzt. Denken Sie an die Millionen und Abermillionen an finanziellen Mitteln, die weltweit operierende Unternehmen einsetzen, um ihre interne Organisation zu verbessern, die durchgeführten Maßnahmen auszuwerten und erneut die Strukturen zu optimieren. Oder an die katholische Kirche, die seit Jahrhunderten auch wegen ihrer guten Organisation überlebt hat und weiter funktioniert.

Wenn Sie gut organisiert sind, dann werden Sie sich nicht so schnell überwältigt fühlen von den vielen Einzelheiten, die sich mit Ihrem aufgeschobenen Vorhaben verbinden. Und damit senken Sie die Wahrscheinlichkeit, ins Aufschieben abzugleiten. Zwischen Freizeit und Arbeit, zwischen Ihren sozialen Bedürfnissen und dem nach Alleinsein werden Sie ebenfalls leichter umschalten können, wenn Sie Ihr Leben organisiert haben. Organisation, Fertigkeiten der Selbststeuerung, Ausdauer und ein Sinn für Herausforderungen sind die besten Mittel gegen die Versuchung, sich vom Leben und seinem Trott leben zu lassen.

Auch die Organisation Ihres Lebens hat eine mentale und eine handlungsorientierte Seite. Sie machen sich zunächst die Vorteile einer guten Organisation klar, analysieren Ihre derzeitigen Schwachstellen, entwickeln Pläne für Verbesserungen, führen die durch und werten Ihre Erfahrungen aus.

Die Vorteile einer gelungenen Organisation liegen auf der Hand:

- Sie fühlen sich besser, weil Sie Ihre Angelegenheiten unter Kontrolle haben.
- Sie handeln kompetenter und effizienter, weil Sie weniger Aufwand mit Vorbereitungen treiben müssen.
- Sie erleben weniger Angst und Hilflosigkeit, weil Sie sich eine Struktur geschaffen haben, die Ihnen Halt und Sicherheit gibt.
- Sie gewinnen Zeit, die Sie zur freien Verfügung haben.

Von positiven Rückmeldungen Ihrer Familie, Kollegen oder Chefs ganz zu schweigen! Wie aber können Sie es erreichen, sich besser als bisher zu organisieren? Vorweg ein wichtiger Tipp:

Tipp: Sich gut zu organisieren ist eher eine Kunst als eine Sache, die Sie aus Büchern lernen können. Hier finden Sie nur Anregungen und Hinweise, was Sie alles machen können. Wenn Sie herausfinden wollen, was Ihnen wirklich hilft, müssen Sie diese Anregungen ausprobieren und kreativ weiterentwickeln.

Vielleicht gehören Sie ja zu den Menschen, die ein sichtbares Chaos auf Ihrem Schreibtisch brauchen und doch jederzeit genau wissen, wo in welchem Stapel die gerade benötigten Unterlagen stecken. Möglicherweise arbeiten Sie jedoch effizienter mit einem System von Eingangs- und Ausgangskörbchen. Das müssen Sie testen. Die größten Chancen herauszufinden, mit welchen Organisationshilfen Sie am besten klarkommen, haben Sie, indem Sie so viele Tipps wie möglich aus dem nachfolgenden Katalog ausprobieren:

- Planen Sie einen ungefähr gleichen Level an Aktivitäten und Erledigungen an jedem Tag. Vermeiden Sie hektische 16-Stunden-Tage, gefolgt von Leere.
- Führen Sie einen vernünftigen Kalender oder verwenden Sie einen Organizer: Ein System von Kalenderblättern, *to-do*-Listen, Formularen und Vordrucken für Besprechungsnotizen und so weiter.
- Richten Sie sich ein praktikables Ablagesystem ein, sowohl durch Ordner als auch auf Ihrer Festplatte. Wenn Sie dabei jeweils dieselben Kategorien verwenden, ersparen Sie sich lästige Sucharbeit.
- Experimentieren Sie mit Eingangs- und Ausgangskörben, wenn Ihre Vorhaben das erfordern.

- Verwenden Sie optisch attraktive Ordner, Schnellhefter und andere Ordnungshilfen, deren Anblick Sie gerne haben.
- Legen Sie Vorhaben mit Priorität fest und erledigen Sie diese statt anderer, weniger wichtiger Vorhaben.
- Ordnen Sie diesen Vorhaben Zeit zu, die Sie zur Erledigung brauchen. Und verdoppeln Sie anschließend dieses Zeitbudget. Nur so sind Sie als (ehemaliger) Aufschiebeexperte realistisch!
- Schreiben Sie die Vorhaben des Tages auf eine to-do-Liste und arbeiten Sie diese ab.
- Suchen Sie sich ein Vorhaben aus, das Sie an diesem Tag unbedingt erledigen wollen und machen Sie das zum Kriterium für einen gelungenen Tag.
- Berücksichtigen Sie dabei Ihren Biorhythmus und Ihre Tagesform. Wenn Sie am Abend am besten schreiben können, hat es wenig Sinn, das für den Morgen zu organisieren.
- Arbeiten Sie mit Hinweisen auf Ihr Vorhaben: Kleben Sie Erinnerungszettel an Ihren Badezimmerspiegel, den Kühlschrank und auf den Esstisch. Je mehr Sie sich an Ihr Vorhaben erinnern, desto weniger verlieren Sie es aus dem Blick.
- Führen Sie ein Veränderungsjournal, Ihren Kalender, Listen oder Pläne und überprüfen Sie sowohl die Prioritätensetzung wie den Zeitbedarf regelmäßig.
- Versuchen Sie, immer ein wenig vor Ihrem Plan zu liegen.
- Erledigen Sie etwas von der morgigen Arbeit schon heute.
- Versuchen Sie bei langfristigen Vorhaben eine Woche vor Ihrem Plan zu liegen.
- Streichen Sie die erledigten Dinge auf Ihrer to-do-Liste aus.
- Nehmen Sie danach das nächste Vorhaben auf Ihrer Liste in Angriff.
- Neu hereinkommende Aufgaben ordnen Sie sofort zu: Wenn es prioritäre Aufgaben sind, erledigen Sie sie gleich, sonst später.
- Laden Sie sich nicht zu viele Aufgaben auf.
- Organisieren Sie sich Hilfe und delegieren Sie so viel wie möglich.
- Kaufen Sie per telefonischer Bestellung, Katalog oder via Internet ein und lassen Sie sich Ihre Einkäufe ins Haus liefern, wenn Sie die Zeit für Besorgungen nicht erübrigen können.
- Planen Sie bei längerfristigen Aufgaben das Jahr hindurch. Legen Sie auch Ihre Urlaubszeiten im Voraus fest.
- Bei langfristigen Vorhaben sind Visualisierungen eine große Hilfe: Hängen Sie sich riesige Kalender an die Wand, auf denen Sie Ihre

Fortschritte markieren und sehen können. Bestätigen Sie sich auf diese Weise: Sie sind auf dem richtigen Weg!

• Entrümpeln Sie Schreibtisch, Festplatte, Kleiderschrank und Wohnung regelmäßig. Das meiste von dem, was Sie im letzten Jahr kein einziges Mal zur Hand genommen haben, ist entbehrlich.

• Wenn Sie mehrere Vorhaben zur selben Zeit betreiben, richten Sie einen Tisch (oder eine Ecke auf Ihrem Schreibtisch) für jedes Vorhaben ein. Produktive Menschen arbeiten meistens an verschiedenen Projekten gleichzeitig, an verschiedenen Tischen.

All diese Tipps können hilfreich für eine gute Selbstorganisation sein. Darüber hinaus sollten Sie durch Beobachtung Ihres Vorhabens analysieren, wie Sie mit Zeit umgehen. Stellen Sie sich vor, Sie hätten von Ihrem Arzt erfahren, dass Sie nicht mehr lange zu leben haben. Welche Ihrer bisherigen Aktivitäten würden Sie ganz aufgeben? Können Sie das wirklich nur dann, wenn Sie lebensbedrohlich erkrankt sind? Oder dürfen Sie das auch, um als Gesunder ein besseres Leben zu führen?

Der schlimmste Zeitdieb ist Ihre zwanghafte Haltung, die Ihnen suggeriert, dass Sie alles selbst erledigen müssen. Lernen Sie zu delegieren. Heuern Sie Dienstleister an: Lassen Sie Ihr Auto waschen, nehmen Sie die Dienste einer Putzhilfe in Anspruch, lassen Sie Ihr Manuskript professionell layouten, statt unverhältnismäßig lange daran herum zu werkeln, lassen Sie Ihr Büro oder Ihre Wohnung entrümpeln. Bitten Sie Freunde, Familienangehörige und Partner um Hilfe, wenn es mit einer Deadline wirklich einmal sehr eng zu werden droht.

Sich effizient zu organisieren bedeutet, sich ein hilfreiches Stützgerüst von Routinen zu schaffen, denen Sie folgen, ohne jeweils Entscheidungen über Ihr Vorgehen treffen zu müssen. Sie sparen dadurch Zeit, die Ihnen an anderer Stelle zur Verfügung steht, und machen sich Ihre Vorhaben leichter, indem Sie sich Hilfen einrichten.

Zeitmanagement

Sie haben für Ihre Vorhaben Ziele festgelegt, die erforderlichen Schritte geplant und deren Umsetzung organisiert. Jetzt taucht erneut das Thema Zeit auf. Zeit hat man nicht, Zeit nimmt man sich, lautet der wichtigste Grundsatz vernünftigen Zeitmanagements. Sie erinnern sich: Wie auch schon früher bei anderen *Muss*-Gedanken entsteht sofort Stress, wenn Sie sich sagen, diese Aktivität oder jenen Termin *müssen* Sie noch irgendwie unterbringen. Stattdessen können Sie sich entscheiden, sich für diese Unternehmung Zeit zu nehmen oder es wählen, für jene Begegnung Zeit zur Verfügung zu stellen. Zeitmanagement beginnt mit dem Überblick darüber, wie Sie Ihre Zeit verwenden und natürlich mit Planung. Da es über die optimale Einteilung und Nutzung der Zeit viel zu sagen gibt, widmen sich eine Reihe von Büchern diesem Thema eingehend. Von ihnen sind in der Literaturliste einige Titel aufgeführt, in denen Sie sich genauer informieren können.

Ihr Ziel ist ein souveräner Umgang mit Ihrer eigenen Zeit und Ihren Vorhaben: Sie selbst bestimmen, statt sich von Uhr, Kalender und Arbeitsplänen beherrschen zu lassen. Und Sie orientieren sich an der *Wichtigkeit* Ihrer Vorhaben, nicht an der Dringlichkeit, mit der Ihnen einfällt, was Sie noch alles zu erledigen haben. Zum kompetenten Umgang mit Zeit gehört auch der Rückblick auf die bisher in Ihrem Leben verstrichene Zeit und der Ausblick in die Zukunft: Wie soll Ihr Leben in 10 Jahren aussehen? Der Bezug auf die vergangene Zeit wie auf die Zukunft kann zu Handlungen motivieren, wie Proust darlegt:

»Da bemerkte ich, der ich seit meiner Kindheit immer nur von einem Tag zum anderen lebte und mir im Übrigen von mir selbst und den anderen ein definitives Bild gemacht hatte, an den Metamorphosen, die sich an allen diesen Leuten vollzogen hatten, zum ersten Mal die Zeit, die für sie vergangen war; das aber trug mir die bestürzende Offenbarung ein, dass sie ebenso für mich vergangen war.« (Proust, VII, S. 340)

»Endlich hatte die Idee vom Wesen der Zeit auch noch den Wert für mich, ein Ansporn zu sein; diese Idee sagte mir, es sei jetzt an der Zeit zu beginnen ...« (Proust, VII, S. 485)

Vor allem kann die beständige Wahrnehmung, wo Sie in der ablaufenden Zeit Ihres Lebens gerade stehen, den Grundsatz *Carpe diem!* (Nutze den Tag!) für Sie mit Sinn erfüllen. Für viele Vorhaben ist jetzt der richtige Zeitpunkt: Sie sind nicht zu jung und nicht zu alt, um Ihre Sachen gerade jetzt zu erledigen. Sie ersparen sich mit der Einstellung, die Gegenwart zu nutzen, auch die ängstigenden Fragen, die Proust seinem gealterten Erzähler in den Mund legt:

»... war es wirklich noch Zeit und war ich selbst noch imstande dazu? Der Geist hat seine Landschaften, deren Betrachtung ihm nur eine Zeitlang gestattet ist. Ich hatte gelebt wie ein Maler, der einen Weg erklimmt, unter dem sich ein See breitet, dessen Anblick ihm ein Vorhang aus Felsen und Bäumen verbirgt. Durch eine

Lücke in dieser vorgelagerten Landschaft sieht er ihn ganz und gar vor sich liegen. Aber da kommt auch schon die Nacht, in der er nicht mehr malen kann und hinter der kein Tag sich wieder erhebt.« (Proust, VII, S. 489f.)

Prousts Einsicht können Sie zum eigenen Vorteil konkret umsetzen, indem Sie die folgenden Punkte bei Ihrem Zeitmanagement beherzigen:

Zeitmanagement-Leitsätze

- Sie verteilen zunächst die Zeit, die Sie für Vergnügungen und Genuss investieren wollen.
- Sie verschaffen sich eine Übersicht über die anstehenden Aufgaben.
- Sie legen klare Prioritäten fest: *First things first!*
- Sie bestimmen die Priorität nach Ihren übergeordneten Zielen.
- Sie planen die Erledigung Ihres Vorhabens so, dass Sie ein Sicherheitsnetz ausspannen. Dazu dienen zeitliche Puffer, Veränderungslogbuch und die tägliche und wöchentliche Kontrolle der Einhaltung Ihres Planes. Belohnen Sie sich, wenn Sie Ihre zeitlichen Vorgaben erreicht oder gar unterboten haben.
- Sie erledigen das zweitwichtigste Vorhaben, *nachdem* Sie mit Ihrem prioritären Projekt fertig geworden sind.

Sie machen sich das Leben wesentlich leichter, wenn Sie den Eindruck gar nicht erst entstehen lassen, lediglich die trostlose Fronarbeit der nächsten Zeit zu planen. Um dies zu vermeiden, ist es sinnvoll, in den vor Ihnen liegenden Wochenplan als erstes die Zeiten einzutragen, in denen Sie *nicht* arbeiten werden. Beginnen Sie also mit der Planung von Vergnügungen und Freuden!

Egal, wie sehr Sie unter Termin- und Zeitdruck stehen: Als Mensch müssen Sie auch Zeit zum Spielen haben. Sie brauchen es, sich sportlich zu betätigen, spazierenzugehen oder sich auf andere Art zu vergnügen. Wenn Sie darauf verzichten und 20 Stunden am Tag arbeiten, um nur vier Stunden zu schlafen, dann werden Sie es vielleicht unter besonderen Umständen schaffen, eine Deadline doch noch einzuhalten. Aber erinnern Sie sich: Wenn Sie das Aufschieben wirklich überwinden wollen, kommt es nicht auf heroische Nachtschichten an, sondern darauf, neue und geeignetere Einstellungen aufzubauen. Zu denen gehört es, sich nicht als Arbeitstier einem frühen Herztod entgegenzuprügeln, sondern das Leben zu genießen und Ihren Bedürfnissen so weit wie möglich Rechnung zu tragen. Sich in freier Zeit mit selbstgewählten Dingen zu beschäftigen, ist ein wesentlicher Teil Ihrer Lebensqualität. Bewährt haben sich die folgenden Grundsätze von Zeitplanung als Grundlage des Zeitmanagements:

- Planen Sie nicht mehr als 20 Stunden/Woche Arbeit an Ihrem Projekt ein.
- Planen Sie nicht mehr als 5 Stunden täglicher Arbeit an Ihrem Vorhaben. Hören Sie dann auch wirklich auf. Hören Sie auch dann auf, wenn alles gerade gut läuft. Auf die Weise fällt Ihnen am nächsten Tag der Einstieg leichter. Wenn Sie hingegen bis zur Erschöpfung arbeiten, leidet die Qualität Ihrer Ergebnisse, Sie sind schließlich unzufrieden und der Beginn am nächsten Tag stünde unter einem schlechten Vorzeichen.
- Planen Sie täglich mindestens eine Stunde Freizeit für Sport, Vergnügungen und Erholung ein.
- Planen Sie wenigstens einen freien Tag in der Woche ein.
- Planen Sie Arbeitseinheiten von 45 Minuten Dauer, nach denen Sie eine Viertelstunde Pause haben. Legen Sie auch fest, was Sie in den Pausen tun werden.
- Planen Sie für den Arbeitsteil Ihres täglichen Planes eine Einheit von 30 Minuten *Qualitätsarbeit* ein. Das sollte die Arbeit sein, bei der Sie sich wirklich besondere Mühe geben. Legen Sie ein Kriterium für Qualität fest, bei dessen Erreichen Sie zufrieden sein werden.
- Entdramatisieren Sie den Anfang: Beginnen Sie mit Ihrem Vorhaben zum festgelegten Zeitpunkt, ohne dass vorher besondere Voraussetzungen an Lust, guter Laune oder Schaffenskraft erfüllt sein müssen.
- Verschwenden Sie keine Energien: Arbeiten Sie nicht, wenn Sie sich krank oder übermüdet fühlen.
- Planen Sie elastisch: Sorgen Sie dafür, dass Sie bei längerfristigen Projekten immer noch eine Woche oder jedenfalls ein paar Tage Pufferzeit haben. Auf die Weise vermeiden Sie es, in Panik zu geraten, wenn Sie einmal nicht das vorgesehene Pensum schaffen, weil Sie beispielsweise durch eine lästige Erkältung lahmgelegt waren.
- Planen Sie am Ende der Woche Zeit ein, um über die Eintragungen in Ihrem Veränderungsjournal nachzudenken oder Ihren Plan zu überarbeiten. Ihre störenden Einfälle haben Sie auf später vertröstet. Wichtig ist, dass Sie sich ihnen dann auch wirklich widmen. Wenn

Sie feststellen, dass ein Impuls, der Sie während der Arbeit als brandeilig heimsuchte, aus der Distanz einiger Tage kaum noch eines Gedankens wert ist, umso besser. Aber wenn Sie sich Ihre Aufzeichnungen nicht noch einmal vorgenommen hätten, wäre Ihnen das nie aufgefallen. Bedenken Sie außerdem, dass Ihr Plan nicht ein für alle Mal festliegt, sondern ein Versuch ist. Je mehr Sie ihn verbessern, desto mehr wird der Plan Ihnen zugute kommen. Und schließlich: *Murphy's law* gilt auch für Ihren Plan. Richten Sie sich darauf ein, dass Sie nicht immer so vorankommen, wie Sie es eingeplant haben. Auch zur Analyse solcher Schwierigkeiten brauchen Sie Zeit, die Sie reservieren sollten.

Häufig ist der Anfang das Schwierigste. Sie müssen Ihr persönliches Trägheitsmoment überwinden, bevor Schwung in Ihre Unternehmung kommt. Sie können es mit der literarisch-philosophischen Methode versuchen, von der Proust spricht:

»Die glücklichen Jahre sind die verlorenen, man wartet auf einen Schmerz, um an die Arbeit gehen zu können. Die Vorstellung vorausgegangenen Leidens geht mit dem Gedanken an Arbeit eine enge Verbindung ein, man fürchtet sich vor jedem neuen Werk, wenn man an die Schmerzen denkt, die man zuvörderst ertragen muss, um es zu konzipieren. Da man aber einsieht, dass Leiden das Beste ist, was man im Leben finden kann, denkt man ohne Grauen – wie an eine Befreiung fast – an den Tod.« (Proust, VII, S. 316)

Und dann beginnt man! Wenn das nicht Ihr Weg sein sollte, dann gibt es auch noch ein paar hilfreiche Kniffe zur Überwindung der Anfangsschwierigkeiten. Versuchen Sie es einmal mit der Methode der Symptomverschreibung: Verordnen Sie sich weitere 45 Minuten des Aufschiebens. Was so lockend erscheint, wenn Sie es sich verbieten, verliert manchmal in dem Moment seine Anziehungskraft, wo Sie es sich auferlegen: Wenn Sie nun aufschieben *müssen*, kann es sein, dass sich Ihre Widerstandskraft dagegen richtet und Sie Ihren persönlichen Entscheidungsfreiraum wieder herstellen, indem Sie arbeiten.

Auch ein paar andere Tricks können Ihnen den Arbeitsstart erleichtern:

- Warten Sie einfach fünf Minuten ab und beobachten Sie Ihre Gedanken in dieser Zeit. Machen Sie einen Eintrag in Ihr Veränderungslogbuch und fangen Sie dann an.

- Fangen Sie spontan an, bevor Sie sich zum Beginn bereit fühlen, fünf Minuten vor dem planmäßigen Start.
- Sie können sich auch ein Startsignal verordnen, auf das hin Sie ohne weiteres Nachdenken beginnen: Schauen Sie aus dem Fenster. Beim dritten Vogel, der vorbeifliegt, legen Sie los. Oder hören Sie die Nachrichten im Radio: Nach dem Ende des Wetterberichts oder der Verkehrslagemitteilungen fangen Sie an.
- Probieren Sie es mit Techniken der Selbsthypnose: Sagen Sie sich, dass Sie von 10 bis 0 zählen und dann anfangen werden, machen Sie den *countdown* und starten Sie.
- Schließlich können Sie mit etwas anderem anfangen als dem ursprünglich Geplanten und nach fünf Minuten zu der eigentlichen Aufgabe wechseln.
- Arbeiten Sie lediglich fünf Minuten an Ihrem Vorhaben. Brechen Sie danach ab, falls Sie nicht in Schwung gekommen sind. Sie haben allerdings gute Chancen, dass Ihre inneren Widerstände sich durch den Anfang verringert haben und Sie noch einmal fünf oder zehn Minuten Weiterarbeit als erträglich und machbar empfinden.

Ebenso wichtig wie den Anfang zu schaffen, ist es, sich an die vorgesehenen Pausen zu halten, egal wie gut die Sache gerade läuft. Nach einer Pause setzt Ihre Leistungsfähigkeit auf höherem Niveau wieder ein. Sie müssen also nicht befürchten, dass Ihnen der Schwung abhanden kommt. Nur dann, wenn Sie feststellen, dass Ihnen der Anfang immer wieder gleich schwer fällt, egal wie gut Ihnen die Arbeit in der Zwischenzeit von der Hand ging, sollten Sie Ihre Arbeitsphase ausdehnen. Aber nach ca. 90 Minuten ist dann wirklich eine längere Unterbrechung fällig, wenn Sie Ihre Batterien nicht zu sehr entleeren wollen.

Eine weitere Schwierigkeit des Zeitmanagements ist es, realistisch einzuschätzen, wieviel Zeit Sie für die Erledigung eines Vorhabens brauchen. Als Ex-Aufschieber haben Sie mit hoher Wahrscheinlichkeit unzutreffende Vorstellungen darüber, wie lange die Erledigung bestimmter Dinge im allgemeinen dauert, und wie lange die Erledigung bestimmter Dinge *speziell durch Sie* dauert.

Der Zeitbedarf für ein Projekt ergibt sich aus seiner Art, aus Ihren sonstigen Verpflichtungen sowie Ihrem Handlungstempo. Wenn Sie nicht wissen, wie schnell Sie vorankommen (weil Sie mit Ihrem Vorhaben keine Erfahrungen haben), dann ist es klug, das zu testen.

> **Tipp:** Halten Sie in Ihrem Veränderungslogbuch fest, wie viele Seiten eines Textes Sie in 45 Minuten lesen, wie viele kreative Einfälle Sie im selben Zeitraum haben oder wie viele Briefe Sie beantworten können. Wenn Sie auf diese Weise Basisdaten gewonnen haben, können Sie planen.

Kalkulieren Sie immer mehr Zeit ein, als Sie unbedingt brauchen, damit Sie unvermeidliche Verzögerungen mit Gelassenheit hinnehmen können. Und planen Sie so, dass Sie stets ein wenig mehr erreicht haben können, als Ihre Vorgabe vorsah. So vergrößern Sie Ihr tägliches Erfolgserlebnis und verstärken Ihre entspannte Gewissheit, dass Sie es rechtzeitig schaffen können.

Zusammenfassung

Planen Sie die Erledigung Ihrer Vorhaben! Vor dem Hintergrund der Ausgangssituation und Ihrer Ziele legen Sie die einzelnen Schritte möglichst konkret fest. Bei der Umsetzung Ihres Planes sind Routinen hilfreich, die den ganzen Arbeitsablauf strukturieren und organisieren. Eine optimale Gestaltung Ihrer Arbeitsumgebung kann Ihre Effizienz steigern. Unerwartet auftretende neue Aufgaben gewichten Sie nach ihrer Priorität.

Wenn zu Ihrer Planung und Organisation auch noch ein gutes Zeitmanagement kommt, so wirkt dies stressreduzierend und enttängstigend: Sie gestalten Ihr Leben, indem Sie bestimmen, was Sie in der verstreichenden Zeit tun werden. Auf diese Weise vermeiden Sie das Gefühl, vom Leben gelebt zu werden. Mit der Festlegung neuer Ziele, realistischer Planung und konsequentem Selbstmanagement haben Sie die Voraussetzungen dafür geschaffen, Ihre Zeit nunmehr zielgerichtet und konsequent zu nutzen. Sie genießen Ihre freie Zeit mehr als bisher, weil sie nicht mehr durch Schuldgefühle vergiftet ist. Für die gibt es nämlich keinen Grund mehr, da Sie die Dinge, die Ihnen wichtig und wesentlich sind, erreichen.

14.

Der Geist ist willig, aber das Fleisch ist schwach?

Sie kennen sich selbst und Ihre Probleme nun besser und wissen auch, welche Strategien Sie anwenden können, um gegen das Aufschieben anzukämpfen. Ab und zu müssen Sie noch den inneren Schweinehund in den Zwinger sperren, der Ihnen gelegentlich das Aufschieben wieder nahelegt. Hierzu benötigen Sie Ihren Willen. Ihre Willenskraft kann Ihnen dabei helfen,

- sich überhaupt für eine Veränderung zu entscheiden,
- Ihre Konzentration aufrechtzuerhalten und
- Durststrecken durchzuhalten.

Mit dem, was Sie in diesem Kapitel über Willensprozesse lernen, wird es Ihnen leichter fallen, kritische Phasen Ihres Erledigungsprogramms konstruktiv zu bewältigen und positiv zu gestalten.

Es gibt *ein* sicheres Mittel gegen das Aufschieben: Nehmen Sie nur noch Dinge in Angriff, auf die Sie Lust haben, bei denen Ihre Erfolgsaussichten maximal sind und die keinerlei Bedrohungen für Ihr Selbstwertgefühl darstellen. Sie wären wahrscheinlich hochmotiviert und würden alle diese Dinge in einem Schaffensrausch, einem *flow*, erledigen, selbst- und zeitvergessen, voll konzentriert und ohne sich bemühen zu müssen. Es wäre wie in der Werbung: alles ginge wie von selbst ...

Dieses Rezept bleibt leider Utopie. Bei der Arbeit, im Studium, im Haushalt und vielen Situationen des Alltags werden Sie immer wieder Aufgaben übernehmen müssen, die unangenehm sind und Ihnen vielleicht zunächst auch als Überforderung erscheinen. Und es werden Ihnen Termine gesetzt, bis zu denen alles erledigt sein sollte. Daneben gibt es die lästigen Pflichten wie Aufräumen, einen Bericht für den Chef zu schreiben, Inventur zu machen, die Steuererklärung abgeben zu müssen. Ihr Wille kann Ihnen dabei helfen, einen Anfang zu finden und diese Dinge schließlich doch zu erledigen.

Selbst bei den freiwillig in Angriff genommenen Aufgaben geht es nicht ohne Willenskraft voran. Sie wollen einen Roman schreiben oder eine Doktorarbeit, ein großes Modellschiff bauen oder das Golfspiel erlernen. Bei solchen Vorhaben folgen auf den Anfang unweigerlich Phasen, in denen Sie das Gefühl haben, nicht voranzukommen und in Gefahr geraten, die Sache aufzuschieben. Bei anspruchsvollen Projekten treten trotz der besten Arbeitstechniken immer auch Durststrecken auf. Selbst wenn Sie sich zu einer Sache wirklich motiviert fühlen, kann es Ihnen passieren, dass Ihre ursprüngliche Lust schwindet. Dann brauchen Sie eine Portion Willenskraft, um Ihre Konzentration zu bewahren und durchzuhalten.

Ein Umschalten auf Ihren Willen als Motor ist immer dann notwendig, wenn sich innere oder äußere Hemmnisse Ihrem zielgerichteten Handeln entgegenstellen. Sie kennen das zur Genüge: Wie oft haben Sie innere und äußere Widerstände dabei erlebt, wenn Sie Ihren Garten wieder einmal pflegen oder die Weihnachtsgeschenke ausnahmsweise rechtzeitig besorgen wollten. Der Rasenmäher springt nicht an und Sie müssen den Vergaser erst reinigen, bevor Sie loslegen können. Zum Geschenkeeinkauf drängt es Sie sowieso nicht gerade, und die besonders ausgefallenen Geschenke, nach denen Sie suchen, gibt es nicht gleich im ersten Geschäft, in das Sie sich schließlich geschleppt haben. Sie sind drauf und dran, den Rasen zur Wiese werden zu lassen und die Besorgungen auf später zu verschieben. An diesem Punkt nehmen Sie Ihren Willen zur Hilfe. »Mist«, sagen Sie sich, »aber die Sache ist mir wichtig und ich habe mir nun mal vorgenommen, sie zu erledigen. Ich schicke mich also darein, dass alles länger dauern wird, und gebe meine anderen Pläne auf. Ich werde den alten Rasenmäher jetzt mal reinigen und ölen und ins Branchenbuch gucken, wer solche Geschenke, wie ich sie suche, noch führen könnte. Dann rufe ich da an. Bis spätestens zum Wochenende habe ich das erledigt.« Ihr Wille hat Ihnen geholfen, den äußeren Widerständen zu trotzen.

Willenskraft

Was aber ist der Wille eigentlich? Wille heißt Bewusstheit und willkürliche Steuerung dessen, was erforderlich ist, um Ihre Ziele zu erreichen. Als sein Kernmerkmal gilt das unbeirrbare Verfolgen eines Ziels, trotz aller Störungen, und die Fähigkeit, Ablenkungen und Versuchungen zu widerstehen.

Sie können Ihren Willen anspannen wie einen Muskel und Sie werden wirklich eine körperliche Spannung wahrnehmen, wenn Sie willensgesteuert handeln. Der Wille sitzt natürlich nicht wie ein Muskel an Ihrem Oberarm, sondern als ein Bündel von Gedanken, Einstellungen und Handlungsbereitschaften in Ihrem Gehirn. Sie haben ihn durch Gewohnheit geformt und durch Übung trainiert. Wie Ihre körperliche Kraft, so können Sie auch Ihre Willenskraft einschätzen und eine Voraussage darüber abgeben, was Sie wohl schaffen werden, wenn Sie wirklich wollen. Je nachdem, wieviel Training Sie bislang hatten, sind Sie »willensstark« oder »willensschwach«. Letzteres ist in unserer Gesellschaft eine herabsetzende Beurteilung. Marcel Proust hat den Mangel an Willenskraft sogar als das größte aller Laster bezeichnet. Sich willentlich beherrschen und kontrollieren zu können, wird umgekehrt als hoher Wert betrachtet. Willenskraft ist etwas, was man in Elternhäusern, in denen man mit zahlreichen Herausforderungen konfrontiert wird, eher lernt als in einem Umfeld, in dem einem die gebratenen Tauben in den Mund fliegen. Je verwöhnter, desto weniger ausgeprägt ist oft die Kraft, sich willentlich zu steuern. So erklären sich die zum Teil beträchtlichen Unterschiede zwischen Menschen hinsichtlich dieses Merkmals.

Früher sah man in der Willenskraft eine nahezu mystische Fähigkeit, die man einfach hatte oder nicht. Inzwischen weiß man, dass »eiserne Willensstärke« sich aus Fertigkeiten zu Selbststeuerung und Selbstmotivation zusammensetzt. Sie müssen also nicht befürchten, dass Ihnen am Ende Ihres *BAR*-Programms noch neue titanische Leistungen abverlangt werden. Das, was Ihr Wille zu konsequentem Handeln beitragen kann, haben Sie über weite Strecken schon mit Ihrer verbesserten Selbststeuerung und Emotionskontrolle gelernt. Deswegen werden Sie die Bestandteile willensgesteuerter Handlungen auch wiedererkennen. Zu ihnen gehören:

- ein Plan, eine Beschreibung dessen, was Sie vorhaben;
- ein Vorsatz, mit dem Sie sich sagen, dass Sie jetzt wirklich wollen und alle konkurrierenden Aktivitäten ausschließen;
- körperliche Anspannung;
- das Erleben von Anstrengung.

Wo ein Wille ist, ist auch ein Weg, sagt man, aber den müssen Sie sich, anders als bei dem Selbstläufer Lust, erst einmal ins Dickicht Ihrer aufschiebenden Gewohnheiten schlagen. Er fängt mit dem Beginn an. Sie kennen vielleicht die Scherzfrage: »Wie viele Psychologen braucht man, um eine Glühbirne einzuschrauben?« Antwort: »Einen, aber die Birne muss auch wirklich wollen!« Natürlich müssen Sie wirklich etwas verändern wollen. Dazu ist am Beginn eine willentlich herbeigeführte Entscheidung hilfreich. Es hat keinen Sinn, heroische Vorsätze zu fassen (»Ich werde nie wieder aufschieben!)« oder vage und unverbindliche Globalentscheidungen zu treffen (»Ich werde dieses Buch schreiben!«). Die berühmten guten Vorsätze bringen deswegen meistens nichts, weil sie viel zu unbestimmt sind und nicht in umsetzbare Pläne münden. Sie geben sich eine Chance auf einen echten Anfang, indem Sie Ihr Vorhaben möglichst präzise fassen: »Ich mache mir einen Plan für meine Vergnügungen und Aktivitäten und werde jeden Tag eine halbe Stunde reservieren für Arbeit an meinem Projekt!« Geben Sie sich einen klaren Auftrag und fassen Sie den Beschluss, ihn zu verwirklichen. Planen Sie konkrete Handlungen. Halbherzige Gefühle, die diesen Entschluss begleiten, brauchen Sie nicht zu stören; Sie wissen ja, dass sich alles falsch oder nur halbwegs glaubwürdig anhört und anfühlt, sobald Sie ein gewohntes Muster von Verhalten und Erleben durchbrechen.

Helmut hat die Aktenstapel auf seinem Schreibtisch durchgezählt. Der rechte enthält 27 Vorgänge, die zum Teil schon drei Monate alt sind. Der linke Stapel umfasst sogar 38 Vorgänge, deren ältester seit knapp einem halben Jahr dort vergilbt. Helmut nimmt sich folgendes vor: Er wird die Vorgänge sortieren, einmal nach ihrem Alter, zum anderen nach ihrer Komplexität. Eine Aufstellung wird ihm helfen, die neugewonnene Übersicht auch zu behalten. Einfache Anfragen wird er durch die Zusendung von Informationsmaterial und einem Standardbrief, in dem er sich für die entstandene Verzögerung entschuldigt, beantworten. Bei den komplizierteren Vorgängen wird er zuerst die ältesten Schreiben beantworten, ebenfalls mit dem Entschuldigungsbrief. Helmut wird zwar noch leicht mulmig bei dem Gedanken an die viele Arbeit, aber dann erinnert er sich an die Abmachung, die er mit seinem Chef getroffen hatte: Er würde die Rückstände in den nächsten drei Wochen aufarbeiten. Mit Hilfe seiner Tabelle, die Helmut am Computer entworfen hat, kann er seinen Fortschritt überwachen.

Tipp: Entschließen Sie sich, einen Anfang zu machen. Nehmen Sie sich vor, willentlich eine Woche lang an einem bislang aufgeschobenen Vorhaben zu arbeiten und planen Sie diese Woche genau durch. Nutzen Sie dazu die Tipps zu Organisation und Zeitmanagement. Legen Sie den Zeitpunkt für den Anfang fest und halten Sie sich an ihn. Lesen Sie bei Schwierigkeiten die Hinweise, wie Sie sich den Start erleichtern können, im vorigen Kapitel nach.

Aufmerksamkeit und Konzentration steigern

Sie beginnen zum vorgesehenen Zeitpunkt und stellen eventuell fest, dass die Sache zäh anläuft. Nach einer gewissen Zeit bekommen Sie das Gefühl, sich richtig anstrengen zu müssen. Später haben Sie gelegentlich den Eindruck, dass die Zeit unendlich langsam vergeht. Anders als bei Tätigkeiten, die Sie sehr gerne ausführen, wo alles wie von selbst geht, tauchen ablenkende Gedanken auf. Sie müssen sich bewusst dafür entscheiden, Ihre Aufmerksamkeit auf Ihr Erleben und Handeln zu richten und beides absichtlich zu regulieren. Aber Ihr Wille hilft Ihnen dabei, Ihre Gefühle von Unbehagen, Unlust und innerem Widerstand im Zaum zu halten. Sie erinnern sich an Ihren Vorsatz und an die Tipps zur Selbststeuerung, die Sie jetzt anwenden. Ihre Willenskraft erlaubt es Ihnen, Gefühle zu kontrollieren, indem Sie die Gedanken wahrnehmen, die hinter ihnen stecken.

Ihr Wille ist trainierbar. Sie brauchen eine Zeit bewusster und absichtsvoller Übung, um ihn zu kräftigen. Je mehr Aufgaben Sie sich stellen, die Sie nur mit seiner Hilfe erledigen können, desto intensiver üben Sie den Gebrauch Ihrer Willenskraft. Und je geübter Sie sind, sich willentlich in Schwung zu bringen und in Fahrt zu bleiben, desto leichter wird es Ihnen jedesmal fallen, von motiviertem, lustbetonten Handeln auf willentliche Steuerung umzuschalten.

Willensübungen

Knüpfen Sie mit Ihrem Willenstraining an eine Aktivität an, die Sie gerne machen, und verlangen Sie sich dabei etwas mehr als üblich ab, so dass Sie sich bewusst anstrengen müssen:

- Beschließen Sie, nach den 20 Minuten Spaß, den Sie im Schwimmbad hatten, noch 10 Bahnen zu schwimmen, so kraftvoll wie möglich.
- Duschen Sie sich, nachdem Sie das warme Wasser genossen haben, zusätzlich noch kalt ab und versuchen Sie, es immer etwas länger auszuhalten.
- Üben Sie es, nach der angenehmen Lektüre des Feuilletons auch noch intensiv den Wirtschaftsteil Ihrer Zeitung durchzuarbeiten.
- Nehmen Sie sich ein anspruchsvolles, dickes Werk, das Sie schon lange einmal lesen wollten (zum Beispiel Proust). Hängen Sie an die drei Seiten Ihrer Proust-Lektüre noch eine Seite ran.

Sie werden bemerken, dass es Ihnen zunehmend auch in anderen Dingen leichter fallen wird, die anfängliche zähe Unlust beim Umschalten auf anstrengende Willenshandlungen zu überwinden. Gleichzeitig werden Sie sich bestätigen, dass Sie Ihren Vorsatz (»Das will ich!«) auch in die Tat umsetzen können. Und irgendwann wird auch der Einsatz des Willens zur Gewohnheit, die automatisch abläuft.

Sie merken, dass Willenskraft keine angeborene Charakterstärke ist, die man hat oder nicht. Vielmehr handelt es sich um Fähigkeiten und Fertigkeiten, die es Ihnen erlauben, einen einmal gefassten Vorsatz bewusst zu verfolgen, bei der Sache zu bleiben und ablenkende Gefühle zu kontrollieren. Wie das geht, haben Sie bereits im Kapitel *Schluss mit dem Schlendrian* gelernt. Aber Sie können Ihren Willen noch mehr als bisher trainieren, indem Sie sich fordern und belasten, so dass Sie sich mehr als üblich anstrengen müssen.

Gefühlskontrolle und Durchhalten

Stellen Sie sich zum Beispiel vor, dass Sie beschließen, »mehr Sport« zu treiben. Ein solcher Vorsatz verstößt bereits gegen das erste Gebot der Willenshandlungen, er ist vage, unpräzise und sagt nichts darüber aus, was Sie wann genau tun wollen. Sie wissen ja schon, dass es besser ist, wenn Sie Ihr Vorhaben operationalisieren. Sie setzen sich also einen konkreten Termin und beschreiben möglichst präzise das, was Sie tun wollen. Sie beschließen also, Mittwoch und Samstag ab 18.00 Uhr im Park gegenüber den diagonalen Weg einmal rauf und einmal runter zu laufen, im Dauerlauftempo. Damit haben Sie Ihr Vorhaben auf der einen Seite leichter gemacht, denn jetzt ist sehr klar, was Sie wann tun wollen. Gerade die Konkretheit reduziert andererseits Ihre Ausweichmöglichkeiten und steigert das Gefühl der Selbstverpflichtung. Sie werden jetzt alle möglichen Gegenargumente und ein Gefühl der Müdigkeit im Inneren spüren. Es ist wichtig, dass Sie diese Überlegungen und Empfindungen wahrnehmen als Teil dessen, was Sie gerade zu ändern im Begriff sind: als Signale einer passiven Haltung und eines anfänglichen Trägheitsmoments. Sie nehmen sich vor, diesen Einflüsterungen keinesfalls nachzugeben, sondern sehen sie als Teile des Problems, aber nicht als Lösungen. Verstopfen Sie sich nicht die Ohren, wie Odysseus es seiner Mannschaft gegen die Lockrufe der Sirenen verordnete, sondern bleiben Sie achtsam und halten Sie fest, welche Argumente Ihr innerer Schweinehund findet und Ihnen leise einflüstert. Sie spüren eine Spannung: Werden Sie Ernst machen oder werden Sie doch in letzter Minute eine Ausrede finden? Wenn Sie Ihren Entschluss jetzt aufgäben, würden Sie sich sofort von dieser Spannung befreit fühlen – aber sich langfristig Ihre Trägheit nur um so mehr vorwerfen.

Schließlich rennen Sie los und merken, dass es anstrengend ist. Natürlich ist es strapaziös, wenn Sie Ihre untrainierten Muskeln belasten. Sie haben sich vielleicht ein *runner's high* erhofft, von den euphorischen Gefühlen gehört, die sich beim Laufen infolge der Ausschüttung körpereigener Endorphine einstellen. Tja, aber nur bei geübten Läufern, die regelmäßig unterwegs sind. Bei Ihnen wird es bei der Anstrengung bleiben, die Lungen pfeifen, die Brust tut weh, die Füße auch und am nächsten Tag haben Sie einen Muskelkater. Sie fühlen sich schlechter als zuvor, obwohl Sie begonnen haben dafür zu sorgen, dass es Ihnen besser geht. Aber bis sich die positiven Folgen einstellen, haben Sie eine Durststrecke vor sich. Immer wieder flüstert eine innere Stimme Ihnen zu, es sei doch sinnlos, sich so abzurackern, blöd geradezu, Sie seien nun einmal nicht zum Sport geschaffen. Nun, damit haben Sie gerechnet, Sie machen sich eine mentale Notiz und keuchen weiter.

Sie kennen diesen Widerstand schon, der sich gegen jede Veränderung richtet und sich daher auch jetzt meldet. Er rät Ihnen immer dasselbe: Sie sollten es sich einfacher machen. Jetzt den Genuss, jetzt die Entspannung, jetzt die Ruhe – warum sich schinden und anstrengen,

Belohnungen aufschieben und sich willentlich abrackern? Diese Gedanken und Wünsche klingen anfangs deswegen so überzeugend, weil Sie sich jahrelang durch sie haben motivieren lassen. Sie sind Ihnen durch und durch vertraut, und da Sie ihnen hunderte von Malen gefolgt sind, scheint es unsinnig, ausgerechnet jetzt gegen sie anzukämpfen. Mit Ihrem Entschluss, »mehr Sport« zu betreiben, haben Sie aber auch beschlossen, die Gewohnheit, den leichteren Weg zu wählen, zu durchbrechen. Ihr neues Verhalten ist Ihnen noch nicht in Fleisch und Blut übergegangen und noch in keinen neuen Motivationen verankert.

Deswegen ist gerade zu Beginn von Veränderungen der Wille so wichtig: Nur er kann die Gegenkraft zu den Gewohnheiten bilden. Odysseus, der die Lockrufe der Sirenen ihrer vielgerühmten Süße wegen schon hören wollte, widerstand ihnen, indem er sich am Mast seines Schiffes festbinden ließ.

Tipp: Auch Sie brauchen etwas, an dem Sie sich festhalten können, wenn die Versuchung zum Schlendrian Sie verlocken will. Benutzen Sie dazu Ihr Veränderungslogbuch, Ihren Plan und vor allem dessen Visualisierungen.

Ablenkende Gedanken und Gefühle können Sie entschärfen, ohne sie zu unterdrücken. Das Bedrängende an ihnen erfordert eine besondere Kontrolle der Aufmerksamkeit. Wenn es Ihnen gelingt, konzentriert gleichzeitig Ihr Vorhaben und die störenden Gedanken im Blick zu behalten, dann haben Sie eine gute Chance, sich nicht aus dem Konzept bringen zu lassen.

Tipp: Machen Sie mit Ihrem Vorhaben einfach weiter und halten Sie die störenden Gedanken fest, indem Sie sie in Ihr Veränderungslogbuch schreiben. In Ihrem Wochenplan haben Sie ja Zeit reserviert, um sich diese Gedanken näher anzuschauen. Bitte erinnern Sie sich: Ablenkungen sind keine Feinde, sondern Gedanken, die es verdienen, auch wichtig genommen zu werden – nur nicht gerade jetzt!

Wenn Sie Beschlüsse fassen, die in lange bestehende Gewohnheiten eingreifen, dann stellen Sie besser von vornherein Gegenkräfte in Rechnung. Registrieren Sie Widerstände und schätzen Sie deren Stärke ein, aber geben Sie ihnen nicht nach. Verschieben Sie die Beschäftigung mit den ablenkenden Gedanken auf später. So verschaffen Sie sich positive Erfolgserlebnisse und nehmen doch grundsätzlich auch Widerstände ernst. Achten Sie dabei besonders auf Kognitionen, die ein hohes Ablenkungspotential haben, und analysieren Sie diese Gedanken nach dem Muster im Abschnitt *Sich akzeptieren lernen.*

Sie können stolz auf sich sein, dass Sie einen Anfang gemacht und durchgehalten haben. Belohnen Sie sich! Erinnern Sie sich daran, dass Sie als Mensch, der aufschiebt mit hoher Wahrscheinlichkeit ein negatives Selbstbild haben, das Sie durch Ihre frühere Neigung zur Vertagung bislang aufrechterhalten haben. Es wird Ihnen also merkwürdig vorkommen, dass Sie sich belohnen sollen, wenn Sie sich »im Schneckentempo nur so ein paar Meter gelaufen« sind und sich »im Vergleich mit all den sehnigen Joggern als schlappe Witzfigur gefühlt« haben (wörtliche Äußerungen ehemals perfektionistischer Aufschiebeprofis!). Tun Sie es gerade deswegen. Gönnen Sie sich eine besondere Belohnung, weil Sie den schweren Anfang zu einer Verhaltensänderung geplant und durchgeführt haben.

»Aber das macht keinen Spaß«, werden Sie eventuell einwenden. Ein solches Leben haben Sie nicht verdient. Wenn Sie schon beschließen, sich zu ändern, dann sollten Sie sich gut fühlen. Das werden Sie auch, aber nicht sofort. Sofort können Sie nur anfangen, all die Dinge zu tun, die Menschen mit einem positiven Selbstwertgefühl jeden Tag tun: Sagen Sie sich, dass es prima war, dass Sie überhaupt gelaufen sind, gönnen Sie sich etwas, was Sie sich sonst nur mit schlechtem Gewissen oder gar nicht gestatten.

Beate hatte sich bewusst dazu entschieden, jeden Tag für wenigstens 30 Minuten an ihrer Konzeption zu schreiben. Sie hatte sich einen Plan gemacht für ihre Freizeitaktivitäten, aus dem sich auch ergab, wann sie am Schreibtisch sitzen würde. Sie hatte sich klar gemacht, dass diese ersten dreißigminütigen Sitzungen wohl kein Honiglecken werden würden. Sie spürte die Unlust, den Impuls »steh doch einfach auf und iss was«, es zuckte in ihren Beinen und sie musste dringend etwas tun, um der Versuchung zu widerstehen. Wie wir es vorher besprochen hatten, notierte sie die ablenkenden Gedanken und Einfälle in ihrem bereitliegenden Veränderungsjournal und befahl sich, die nächsten fünf Minuten am Schreibtisch zu bleiben und sich zu beobachten. Dabei bemerkte sie, dass nach einem zweiminütigen inneren Kampf die ablenkenden Stimmen verstummten, sie nahm den Stift wieder auf und konnte wei-

terschreiben. Nach der dreißigminütigen Arbeitssitzung bewertete sie die Stärke der störenden Gedanken auf einer Skala von 1 (kaum ablenkend) bis 5 (maximal ablenkend) und belohnte sich selbst für ihre erfolgreiche Selbststeuerung mit einer ihrer teuren belgischen Pralinen.

Beate setzt den Willen als Motor ihrer Veränderung ein. Sie hat sich für ein konkretes Vorgehen entschieden und handelt ihrem Beschluss entsprechend. Sie fixiert sich jedoch nicht auf ihr Ziel, sondern bemerkt auch störende, sich aufdrängende Gedanken. Sie notiert diese, gibt ihnen jedoch jetzt keinen Raum, sondern lenkt ihre Aufmerksamkeit wieder zurück auf die Aufgabe, ohne sich darüber aufzuregen, dass sie kurz einmal unkonzentriert war. Beate macht außerdem die Erfahrung, dass die nervende Unruhe nicht ewig andauert, sondern nach relativ kurzer Zeit verschwindet. Sie sehen an dem Beispiel, wie Beate das Vierganggetriebe von Selbststeuerungstechniken, das Sie im Kapitel *Schluss mit dem Schlendrian* kennengelernt haben, einsetzt: Selbstbeobachtung – Selbstkontrolle – Selbstbewertung – Selbstverstärkung.

Nach einer Reihe solcher positiver Erfahrungen entwickelt sich eine Gewohnheit, bestimmte Handlungen willentlich auszuführen und den entgegenstehenden Gedanken oder Gefühlen keine allzu große Aufmerksamkeit zu schenken. Ihre Aufschiebemechanismen liefen – bevor Sie Ihre Aufmerksamkeit auf sie lenkten – ja auch wie von selbst ab. Dieselbe Gewohnheitsbildung hilft Ihnen nun bei der Veränderung. Vertrauen Sie darauf, dass die bewusst gesteuerte Aufmerksamkeit später ersetzt wird durch automatisch ablaufende Handlungsmuster, wie Proust sie beschreibt:

»... der Wille, jener beharrliche, unentwegte Diener unserer einander ablösenden Persönlichkeiten; im Dunkel verborgen, verkannt, doch unablässig treu, wirkt er unberührt von den Wandelungen unseres Ich unermüdlich daran, dass es diesem nur ja an gar nichts fehle. Während in dem Augenblick, da eine langersehnte Reise Gestalt annehmen soll, Verstand und Gefühl sich zu fragen beginnen, ob das Unternehmen wirklich die Mühe lohnt, lässt der Wille, der weiß, dass diese seine müßigen Herren die Reise sofort wieder ganz wundervoll fänden, wenn sie nicht statthaben könnte, die beiden noch vor dem Bahnhof darüber diskutieren und allerlei Hemmungen haben; er selber beschäftigt sich damit, die Fahrkarten zu besorgen und uns rechtzeitig zur Abfahrt ins Eisenbahnabteil zu setzen. Er ist ebenso unbeugsam, wie Verstand und Gefühl veränderlich sind, aber da er schweigt, teilt er seine Gründe nicht mit, er scheint fast nicht da zu sein; die anderen Teile unseres Ich aber folgen seiner festen Entschlossenheit, doch ohne es zu merken, während sie deutlich vor sich nur ihre Unentschiedenheit sehen.« (Proust, IV, S. 583)

Bei Aktionen, die Sie willentlich starten und durchhalten wollen, lauern ein paar Klippen, die Sie von vornherein umschiffen können, wenn Sie Folgendes von ihnen wissen:

- Möglicherweise stellen Sie fest, dass Sie keine Lust haben, ablenkende Gedanken zu notieren. Ursprünglich hatten Sie sich aber auch nicht vorgenommen, Ihre Aufzeichnungen mit Lust zu machen, sondern nur, überhaupt etwas aufzuschreiben. Gehen Sie nicht in die Falle, Ihre willensmäßig gesteuerten Handlung abzubrechen, weil Sie feststellen, dass Sie nicht mit Freude bei der Sache sind. Bei willentlichen Aktionen können Sie keine Lust erwarten. Lesen Sie den Abschnitt über das Ertragen von unangenehmen Gefühlen im Kapitel *Null Bock* noch einmal durch.
- Sie notieren zwanghaft jeden Nebenaspekt und verlieren sich in Details. Hüten Sie sich vor dem Perfektionismus, der Ihnen hier in die Quere kommen könnte. Es geht nicht um eine vollständige Bestandsaufnahme aller Ihrer störenden Gedanken. Haben Sie Mut zur Lücke.
- Sie finden, Ihre Willenskraft allein müsste genügen, und glauben, dass Sie Organisations- und Selbststeuerungshilfen nicht nötig haben. Wenn Sie wirklich wollen, dann sollte bei Ihnen alles von alleine laufen, meinen Sie. Bedenken Sie, dass es genau diese Einstellung ist, die Sie bisher zum Aufschieben zwang.

Ihr Wille kann ein mächtiges Werkzeug sein. Aber allmächtig ist er nicht. Es gibt nicht nur individuelle Begrenzungen Ihrer Willensstärke, sondern es ist auch nicht alles mit Willenskraft zu meistern. Fälschlicherweise denken immer noch Menschen über Suchtkranke, dass sie einfach willensschwach seien oder von Politikern, dass denen die Kraft zu bestimmten Entscheidungen fehle. Sie erwarten, dass Alkoholiker wie Politiker ihren Willen anstrengen und sich zusammenreißen, um vom Suchtstoff loszukommen oder gesellschaftliche Probleme zu lösen. In einer naiven Vorstellung ähnelt der Wille nämlich doch unserem Armmuskel: Als ob wir ihn nur kräftig genug anspannen, uns nur einen Ruck geben müssten und schon ginge es voran. Der damalige Bundespräsident Roman Herzog mahnte in einer Reihe von Reden 1997 und 1998 angesichts des Reformstaus in etlichen Bereichen der Gesellschaft viele solche »Rucks« an. Die demonstrierenden Studenten im Wintersemester 1997/98 nahmen ihn beim Wort. Sie gingen mit Transparenten auf die Straße, auf denen stand: »Roman, hier ruckts!« Natürlich änderte sich dadurch nichts.

Verantwortlich dafür ist unter anderem die Tatsache, dass viele gesellschaftliche Prozesse (wie zum Beispiel der Stillstand in der Bildungspolitik) auf komplex miteinander verwobenen Ursachen beruhen, bei denen das Modell der Muskelanspannung eine unzulässige Vereinfachung darstellt:

»... denn wir spüren, dass das Leben wohl doch etwas komplizierter ist, als man sagt, und dass auch die Umstände es sind«. (Proust, VII, 326)

Auch das Aufschieben ist ein kompliziertes Geschehen, das durch viele miteinander verzahnte Ursachen aufrechterhalten wird. Wenn Sie bislang ergebnislos immer wieder beschlossen haben, Ihre Dinge endlich zu erledigen, dann haben Sie möglicherweise die Komplexität dessen übersehen, was Sie da beschlossen hatten: Sich ungeschützt einem vermeintlich oder tatsächlich großem Risiko von Beschämung auszusetzen, sich Unbehagen aufzuladen, auf unmittelbare Befriedigungen zu verzichten. Auch methodisch haben Sie möglicherweise eine zu einfache Vorstellung gehabt und wahrscheinlich eher daran gedacht, Flucht- und Vermeidungstendenzen zu unterdrücken, statt ein neues Verhaltensmuster aufzubauen.

In der amerikanischen Kultur gelten Durchhaltevermögen, Hartnäckigkeit und Beharrlichkeit als Werte an sich, die in der dortigen Selbsthilfeliteratur zur Überwindung der *procrastination* nicht hinterfragt werden. Dabei kann zu große Beharrlichkeit auch selbstschädigend sein, wenn sie exzessiv und sinnlos an Zielen festhält, die längst unerreichbar geworden sind. »Wir mussten die Stadt zerstören, um sie zu retten«, sagte ein US-Militär im Vietnamkrieg. Es kann wichtig sein, rechtzeitig mit einem blauen Auge aus schlechten Investitionen auszusteigen, statt den Verlusten weiter gutes Geld hinterherzuwerfen. In verschiedenen Versuchen neigten jedoch 87 Prozent der Investoren genau zu diesem selbstschädigenden Verhalten, besonders dann, wenn andere Menschen Zeugen ihrer Aktionen waren. Sie wollten sich vor den Beobachtern eben keine Blöße geben.

Bis zum bitteren Ende eine aussichtslos gewordene Ehe willentlich weiterzuführen, an einem sinnlos gewordenen Gerichtsverfahren festzuhalten, das nur noch Kosten verursacht, oder am geliebten alten Auto, das alles kann Aufschieben sein, maskiert als Beharrlichkeit. Auch hier werden Gesichtsverlust und Beschämung durch Selbst und andere gefürchtet.

Tipp: Prüfen Sie erneut Ihre Ziele! Hat Ihr Vorhaben genügend Bedeutung für Sie? Haben Sie eine hinreichende Aussicht auf Erfolg? Verfügen Sie über die erforderlichen Fähigkeiten und Fertigkeiten? Lohnt sich in Ihren Augen der Aufwand, sich willentlich zu kontrollieren, bis die erforderlichen Verhaltensweisen Teil Ihres Verhaltensrepertoires geworden sind?

Zusammenfassung

Ihren Willen, das Aufschieben zu überwinden, zeigen Sie dadurch, dass Sie die Selbststeuerungstechniken, die Sie bereits gelernt haben, auch wirklich einsetzen:

- Legen Sie so präzise wie möglich fest, was Sie zu einem gegebenen Zeitpunkt tun wollen.
- Legen Sie einen Zeitpunkt für den Anfang fest.
- Machen Sie sich und anderen klar, dass Sie Ihr Vorhaben wirklich durchführen werden, unter allen Umständen und ohne Ausflüchte zuzulassen.
- Richten Sie sich auf eine auch körperliche spürbare Spannung ein, die zu Ihrem Entschluss dazugehört.
- Registrieren Sie während der Zeit, in der Sie das willentlich entschiedene Vorhaben durchführen, auftretende Ablenkungen, aber folgen Sie ihnen nicht.
- Bewerten Sie, wie stark die Ablenkungen waren und wie gut es Ihnen gelang, sie zu bemerken und ihnen zu widerstehen.
- Belohnen Sie sich.

Bleiben Sie im Willensmodus und schalten Sie nicht plötzlich um: Wenn Sie feststellen, dass Sie eigentlich keine große Lust zu Ihrem Vorhaben spüren, dann machen Sie am besten einfach mit seiner Erledigung weiter. Mit Hilfe Ihres Willens können Sie manches schaffen, aber nicht alles. Es gibt Grenzen, bei denen es sinnvoller sein kann, ein Vorhaben endgültig aufzugeben oder sich ganz andere Lösungen zu überlegen.

15.

Wenn Sie alleine nicht mit dem Aufschiebeproblem fertigwerden

Was ist, wenn Sie das Aufschieben überwinden wollen, Ihnen die Empfehlungen in diesem Buch dazu auch einleuchten, Sie sich aber nicht dazu aufraffen können, sie auszuprobieren? Wenn Sie sich weder ein Veränderungslogbuch zugelegt, noch den Fragebogen über Ihre spezielle Art des Aufschiebens auch nur ein einziges Mal ausgefüllt haben? Wenn Sie weder Ihre Kognitionen bei einem aufgeschobenen Vorhaben überprüft, noch auch nur eine einzige Übung zur Veränderung Ihrer Gefühle gemacht haben? Vielleicht ist Ihr Aufschieben tatsächlich durch *BAR*, also *B*ewusstheit, *A*ktionen und *R*echenschaft darüber, nicht zu heilen. Ihre bisherigen Misserfolge beim Versuch, sich selbst besser zu steuern, könnten beweisen, dass Sie Ihr Verhalten nicht kontrollieren können. Wenn das der Fall ist oder Sie bei einem ernsthaften Leidensdruck wegen Ihres Aufschiebens gar keinen Versuch machen, sich selbst zu helfen, dann haben Sie die Chance zu erkennen, dass Sie offenbar alleine nicht weiterkommen. Es könnte für Sie dann sinnvoll sein, psychotherapeutische Hilfe in Anspruch zu nehmen. Ich stelle Ihnen kurz die wichtigsten Therapieformen und deren Vorgehen bei Störungen, die hinter dem extremen Aufschieben stecken, vor.

Falls Sie die in diesem Buch empfohlenen Tipps und Techniken über einen Zeitraum von drei Monaten angewendet haben, aber mit Ihrem bisherigen Erfolg noch nicht zufrieden sind, dann können Sie sich einer Selbsthilfegruppe anschließen. In ihr treffen sich Menschen wie Sie, die unter dem Aufschieben leiden. Wenn es an Ihrem Wohnort eine solche Gruppe nicht gibt, dann gründen Sie doch einfach eine. Setzen Sie eine Anzeige in die Zeitung oder hängen Sie einen Zettel im örtlichen Supermarkt am Schwarzen Brett aus. Sie können sicher sein, dass sich andere Menschen, die auch unter dem Aufschieben leiden, finden werden.

Sie könnten auch nach Selbsthilfegruppen Ausschau halten, in denen sich »Messies« treffen. Unter diesem Stichwort versuchen Menschen, die unter einem schlampigen Umgang mit Zeit, Ordnung, Sauberkeit und Verpflichtungen leiden, sich gegenseitig zu helfen. Aufschieben ist zwar nicht identisch mit dem, was die Messies bekümmert, aber es gibt genügend Berührungspunkte, so dass Sie auch von der Teilnahme an solchen Gruppen für die Lösung Ihrer Schwierigkeiten profitieren können.

Was aber, wenn Sie keine der hier angebotenen Empfehlungen überhaupt ausprobiert haben? Wenn Sie weder den Gebrauch Ihrer Zeit festgehalten noch geplant haben, wie Sie Ihre Ziele erreichen können? Was ist dann mit Ihnen los? Es gibt mehrere Möglichkeiten, die sich darin unterscheiden, wie frustriert Sie sich fühlen:

- Ihr Aufschieben beruht nicht auf Konflikten, sondern auf Bequemlichkeit. Möglicherweise tarnen Sie Ihre Trägheit durch das Etikett »Aufschieben« und geben sich so etwas Problematisches. In Wirklichkeit aber sehen Sie sich nicht in echten Schwierigkeiten und haben somit auch keinen Anlass, sich zu verändern.
- Ihr Aufschieben erzeugt zwar einen gewissen Leidensdruck, aber zur Zeit sind Sie (noch) nicht bereit, an Ihrem Problem wirklich etwas zu verändern. Vielleicht ist es nicht der richtige Zeitpunkt. Debattieren Sie zur Sicherheit einmal diesen Gedanken (»Ist es wahr, dass jetzt nicht der richtige Zeitpunkt ist?«) und nehmen Sie in drei Wochen einen neuen Anlauf.
- Sie möchten Ihr Aufschieben loswerden, aber Sie sind nicht bereit, dabei Ratschläge entgegenzunehmen, weder von anderen Menschen noch aus Büchern. Wahrscheinlich haben Sie ein Autoritätsproblem und empfinden Ratschläge als Schläge. Aber ein Ratgeberbuch ist kein Psychotherapeut, an dessen Tür Sie erst einmal klingeln und auch kein Chef, dem Sie sich unterordnen müssten. Es liefert nur Anregungen und Vorschläge. Die Entscheidung, ob Sie ein paar Tipps und Tricks ausprobieren, liegt ganz allein bei Ihnen.
- Sie können sich gar nicht richtig darauf konzentrieren, die einzelnen Schritte dieser Selbsthilfeübungen durchzuführen. Ihre Gedanken sind ständig woanders und Sie finden nicht einmal die Ruhe, über das Gelesene nachzudenken. Das meiste haben Sie schon wieder vergessen. Eine innere Unruhe überkommt Sie, wenn Sie nur anfangen, an Ihr Aufschiebeproblem zu denken. Das geht Ihnen bei fast allen Sachen so, auf die Sie sich konzentrieren müssten. Möglicherweise

haben Sie das Aufmerksamkeits-Defizit-Syndrom. Konsultieren Sie einen kompetenten Psychotherapeuten und lassen Sie das abklären.
- Sie leiden schon lange und ernsthaft unter dem Aufschieben. Vor allem darunter, dass Sie selbst es bisher nicht überwinden konnten. Sie haben dieses Buch gelesen, auch verstanden und finden die meisten Anregungen brauchbar. Sie wollen auch einige ausprobieren, fangen aber nicht damit an. Sie schieben es auf, an Ihrem Aufschieben etwas zu verändern. Interpretieren Sie das bitte als Zeichen dafür, dass Sie allein nicht mit dem Problem fertigwerden.

Sich selbst zu beobachten und Gedanken aufzuschreiben, sich einen Stundenplan zu machen oder ein Vorhaben in kleine Schritte zu zerlegen, ist etwas, bei dem es keinen echten Versuch gibt. Entweder Sie tun es oder nicht. Wenn Sie solche Dinge nicht machen können, obwohl Ihr Leidensdruck groß ist und Sie auch überzeugt davon sind, dass diese Schritte Ihnen helfen könnten, dann sitzen Sie leider tiefer in der Tinte als erwartet. Sie haben sich vielleicht bisher durch Ihr Aufschieben vor der Einsicht drücken können, ein ernsthafteres Problem wie beispielsweise eine depressive Verarmung an Schwung, Optimismus und Energie zu haben. Damit verlängerten Sie allerdings auch Ihr Leid.

Wenn Sie gerne glauben würden, dass die Empfehlungen aus diesem Buch etwas bringen, sich aber zu antriebslos fühlen, um auch nur eine auszuprobieren, dann haben Sie wahrscheinlich eine depressive Störung. Seien Sie nicht zusätzlich deprimiert darüber, dass Sie mit diesem Buch nicht arbeiten konnten, sondern suchen Sie sich möglichst bald psychotherapeutische Hilfe.

Wenn Sie alle möglichen Tipps ausprobiert haben, aber nicht lange und ausdauernd genug, und alles nichts genützt hat, dann haben Sie unterschätzt, wie sehr Ihr Aufschieben als Symptom in Ihrem Leben eine wichtige Funktion erfüllt. Es kommt recht häufig vor, dass Menschen sich in dieser Hinsicht irren und glauben, es reiche aus, sich mit etwas mehr Selbstdisziplin und Arbeitstechnik auszustatten. Wenn Ihr Aufschieben jedoch in bewussten oder gar unbewussten Konflikten verankert ist, dann stoßen Sie an Grenzen der Selbsthilfe. Es ist dann so, als ob Sie eine Boje, die am Meeresboden verankert ist, abschleppen wollen. Sie können noch so heftig rudern, es gelingt Ihnen natürlich nicht. Als Faustregel gilt: Je mehr Sie das Gefühl haben, das Aufschieben sei Ihnen eigentlich fremd und es als lästig erleben, desto bessere Chancen haben Sie, es aus eigener Kraft zu überwinden. Je mehr es jedoch in Ihrer Lebensführung verwurzelt und zur zweiten Natur geworden ist, desto eher brauchen Sie Hilfe von außen.

Tipp: Lesen Sie die Abschnitte über die Gründe für das Aufschieben nochmals und identifizieren Sie im Kapitel *Jede Menge Stress*, welche emotionalen Probleme mit Ihrem Aufschieben verbunden sind. Sprechen Sie mit Freunden, Familienangehörigen oder Partnern darüber. Wenn Sie bereits wissen oder jedenfalls ahnten, dass Sie ernsthaftere emotionale Probleme haben, sollten Sie eine Beratungsstelle oder einen Psychotherapeuten aufsuchen.

Damit Sie von psychologischer Beratung oder Psychotherapie profitieren können, müssen Sie sich eingestehen, dass Sie ohne fremde Hilfe nicht weiterkommen, das heißt, Ihren Stolz überwinden. Und der steht in einem ganz besonderen Verhältnis zum unkontrollierbaren Aufschieben.

Jenseits der Selbstkontrolle

Die in diesem Buch präsentierten Selbsthilfetechniken unterstellen, dass Sie grundsätzlich ohne fremde Hilfe dazu in der Lage sind, in einem hohen Ausmaß Ihr Verhalten selbst zu kontrollieren. Irrationale Einstellungen mögen Sie bisher in dieser Fähigkeit ebenso behindert haben wie die eingeschliffene Gewohnheit, vor unangenehmen Gefühlen auszuweichen. Sicher haben Sie bislang auch keine optimale Selbststeuerung praktiziert. Deswegen habe ich Ihnen Wege vorgestellt, wie Sie

- Ihr Ich stärken können, indem Sie sich so akzeptieren, wie Sie sind;
- auf dieser Grundlage Ihre wichtigsten Konflikte erkennen und lösen können;
- sich realistische Ziele setzen können, die zu Ihnen passen und Sie motivieren;
- mit Hilfe von optimaler Planung, Selbstorganisation und Zeitmanagement Ihre Vorhaben erledigen können.

Sicher stimmen Sie mir in der prinzipiellen Annahme zu, dass Sie Ihr Verhalten selbst kontrollieren und lernen können, sich noch mehr und besser zu steuern. Was aber, wenn Ihnen gerade das konstant misslingt?

Sie stehen dann vor einer Wahl: Entweder verstärken Sie Ihre Anstrengungen, sich selbst zu kontrollieren und haben dabei Erfolg. Oder Sie verstärken die Selbstkontrolle, haben dabei aber dauerhaft Misserfolge. Dann könnte Ihr Aufschieben in seiner unbewussten Dynamik der Versuch einer Selbstheilung und nicht, wie bisher angenommen, ein Versuch des Selbstschutzes sein. Wieso Selbstheilung? Nun, Sie müssen nur Ihre bisherigen Erfahrungen ernst nehmen und die Idee aufgeben, dass Sie sich selbst kontrollieren können, damit Sie auf den Weg der Heilung geraten. Sie würden sich dann als jemand betrachten, der *süchtig* nach dem Aufschieben ist, denn das bedeutet *unkontrollierbar*. Das Aufschieben ist Ihre Droge. Sie fliehen aus der harten Wirklichkeit, die Ihnen unerträglich vorkommt, in eine etwas weniger schmerzliche, etwas angenehmere Realität. Vielleicht genießen Sie den Nervenkitzel, wenn Sie ausweichen und vertagen. Sie haben ein Loch im Ich, das Sie mit dem Aufschieben plombieren. Das, womit Sie das Loch füllen, ist aber ebenso problematisch wie Amalgam. Auf die Dauer wird Ihre Seele vergiftet. Sie stürzen vielleicht auch sozial ab. Sie wollen das Aufschieben aufgeben, schaffen es aber nicht allein. Jeder Versuch, den Schlendrian abzustellen, führt bald zum Rückfall. Sie können sich in dieser Hinsicht nicht kontrollieren. Sie brauchen Hilfe. Das einzusehen, ist leichter gesagt als getan, zumal zu Ihrem süchtigen Aufschieben gehört, dass Sie nicht glauben, krank zu sein, sondern im Gegenteil annehmen, dass Sie sich *eigentlich* kontrollieren können. Kein Wunder, da doch in unserer Kultur die Fähigkeit zur Selbststeuerung als so außerordentlich wichtig angesehen wird.

Süchtiges Aufschieben

Nehmen wir einmal an, dass Sie bislang Ihr Aufschieben mit einem Mangel an Selbstkontrolle gleichgesetzt haben. Nun erwarten Sie sich die Lösung davon, sich mehr als bisher zu steuern. Sie haben sich deswegen dieses Buch gekauft, die empfohlenen Strategien eine Zeitlang angewendet, aber die Erfahrung gemacht, dass Sie damit Ihr Aufschieben nicht verändern können. Offenbar sind Sie dem Aufschieben gegenüber machtlos und können diesen Aspekt Ihres Lebens nicht beeinflussen. Eigentlich müssten Sie den Kontrollverlust als Regelfall einplanen und sich eingestehen, dass Sie ziemlich am Ende sind mit Ihrem Latein.

Möglicherweise kränkt Sie das bisher so sehr, dass Sie sich immer wieder vorgenommen haben, der Versuchung zu widerstehen, sich einen Plan zu machen, den einzuhalten, sich nicht abzulenken und so weiter. Sie träumen davon, dass Ihr Ich stark und dominierend über das siegt, was Sie für Schwäche und Faulheit halten. Tatsächlich aber führt dieser Weg – mit guten Vorsätzen gepflastert – zur Hölle.

Natürlich gibt es Probleme, die mit dem Sieg des Ichs über den inneren Schweinehund gelöst werden können. Diese Lösung funktioniert wie die Heizung: Es ist kalt, Sie drehen die Heizung an. Es ist noch nicht warm genug, Sie drehen den Thermostaten höher. Mehr desselben, bis das Resultat zufriedenstellend ist. Falls es nicht wärmer wird, werden Sie annehmen, dass irgendetwas an der Heizung kaputt sei. Mit Ihrem Aufschieben können Sie es genauso halten: Sie schieben auf, Sie versuchen es mit Selbstkontrolle. Sie schieben weiterhin auf, Sie steigern die Selbstkontrolle. Wenn es nicht klappt, ist vielleicht irgendetwas in Ihnen nicht in Ordnung. Sie müssten einsehen, dass Selbstkontrolle bei Ihnen nicht funktioniert. Sie sind in derselben Lage wie ein Alkoholiker, der erkennen muss, dass er den Drang zur Flasche nicht beherrschen kann. Sie können das süchtige Ausweichen, den Drang zur unmittelbaren Spannungserleichterung auch nicht abstellen. Sie können zur Psychotherapie gehen und versuchen herauszufinden, was in Ihnen kaputt ist, um es dann wieder in Gang zu bringen.

Leider aber gehört zu dieser Störung dazu, dass Sie in extremer Weise überzeugt davon sind, sich potentiell doch und jederzeit selbst steuern zu können. Obwohl Ihre Erfahrungen das Gegenteil beweisen, glauben Sie weiterhin, dass Sie der Steuermann am Ruder Ihres Schiffes sind. Wenn Sie sagen: »Ich werde gegen den Schlendrian ankämpfen«, dann bauen Sie nicht auf vergangene Erfolge, sondern setzen einzig und allein auf Ihren Stolz. Der beruht angesichts Ihrer Fehlschläge in der Vergangenheit nicht auf der rückblickenden Gewissheit: »Ich habe es schon so oft geschafft, mich zu beherrschen«, sondern auf der durch nichts begründeten illusionären Zuversicht: »Ich kann es schaffen, mich zu beherrschen«. Sie leben dann im Bann einer Phantasievorstellung, die Ihnen wichtiger ist als die Realität. Bald sind Sie der einzige, der daran glaubt, dass Sie das Aufschieben wirklich aufgeben können.

Wenn Sie statt auf die Realität auf Ihren neurotischen Stolz setzen, dann lernen Sie nicht aus Ihrer immer wieder erlebten Machtlosigkeit, sondern missdeuten sie als nicht hinnehmbare Unfähigkeit, was Ihre Aufschieberkarriere verlängert. Um nicht so unfähig zu sein, klammern

Sie sich an einen Arbeitsplan. Haben Sie diesen Plan eine gewisse Zeit eingehalten, so stellt sich nicht etwa mehr Stolz auf Ihre reale Leistung, es geschafft zu haben, ein. Ihre Befriedigung kommt ja eben nicht aus der Erfahrung, dass Sie sich beherrscht haben, sondern aus dem Stolz darauf, dass Sie sich jederzeit wieder beherrschen können. Um sich das zu beweisen, müssen Sie wieder aufschieben, womit sich Ihre Machtlosigkeit erneut zeigt. Ihr neurotischer Stolz lässt jedoch weder Machtlosigkeit noch Unfähigkeit gelten. Sie spalten sich immer mehr in einen Teil, der bewusst den Schlendrian bezwingen will, und den Rest, der nicht pariert. Sie stimmen Freunden und Verwandten zu, die Sie dazu drängen, stark zu sein und den inneren Schweinehund zu überwinden. Wie ein Alkoholiker, der im nüchternen Zustand Stein und Bein schwört, der nächsten Versuchung zu widerstehen, geloben Sie, nie wieder aufzuschieben. Sie setzen die beiden Teile Ihres Selbst, das große starke Pferd, das immer wieder durchgeht, und Ihr kleines Reiterchen oben drauf, das lenken möchte, einfach nicht zu einer Ganzheit zusammen. Trotz aller gegenteiliger Erfahrung verlangt Ihr Ich weiterhin heroisch, dass Sie gegen die abgespaltene, nicht ins Selbst integrierte Schwäche ankämpfen.

Die Hoffnung auf mehr Selbstkontrolle kann zur fixen Idee werden und sich zur Allmachtsphantasie auswachsen. Ihr reales Misslingen führt bei Ihnen nicht in erster Linie zu Schuldgefühlen und Versagensangst. Stattdessen fühlen Sie sich reduziert auf Ohnmacht und Hilflosigkeit. Wahrscheinlich haben Sie diese Gefühle in Ihrer Lebensgeschichte als so unerträglich erlebt, dass Sie sie aus Ihrer Existenz ausgeschlossen haben. Die Phantasievorstellung, dass Sie Herr im eigenen Haus sind, sein sollten und sein könnten, richtet sich gegen Ihre traumatischen Erfahrungen mit Unkontrollierbarkeit.

Ihr Stolz steht auch in Beziehung mit anderen Menschen bzw. den inneren Abbildern von anderen Menschen, die für Sie wichtig waren und sind. Die Art der Beziehung ist dabei meistens eskalierend, nach dem Modell des Rüstungswettlaufs, wo keiner sich unterkriegen lässt. Das heißt auch: Sie stehen grundsätzlich in innerer Opposition. Wenn Ihr Chef argwöhnt, dass Ihr Aufschieben eine Charakterschwäche von Ihnen sei, dann können Sie symmetrisch reagieren, indem Sie es ihm übelnehmen, und eskalierend, indem Sie es ihm zeigen wollen. Also schieben Sie eine Zeitlang nicht auf. Aber, wie Sie oben schon gesehen haben: Wenn Sie das durchhalten, wird sich nach einer gewissen Zeit Ihre eigene unbewusste Opposition wieder melden und bald sind Sie wieder voll drauf.

Es ist klar, dass solche Verhältnisse einen extrem unangenehmen inneren Zustand schaffen, wenn Sie an einem Vorhaben arbeiten. Für den Alkoholiker, der gegen die Flasche kämpft, kann es eine Alternative darstellen, sich zu betrinken. Für Sie, der sich um Erledigung bemüht, kann es eine ersehnte Entlastung sein, sich schließlich dem Aufschieben hinzugeben. Was dem Alkoholiker der Rausch, bedeutet Ihnen die Flucht vom Schreibtisch, das Hängenbleiben vor dem Fernseher, das Verstreichenlassen der Deadlines. Sie steigen aus der kämpferischen symmetrischen Beziehung zu realen oder verinnerlichten anderen Personen aus, indem Sie sich Ihrer Verachtung und Ihrem Misstrauen unterwerfen. »Du schaffst es sowieso nicht«, sagten Sie oder sagen Ihre verinnerlichten Stimmen, »du bist einfach zu schwach, du bringst es nicht!« Nach all dem anstrengenden Kampf um Selbstbeherrschung, nach all der inneren Opposition ist es für Sie eine Erleichterung, endlich klein beizugeben: »Ihr habt ja Recht mit Eurer Verachtung, aber darf ich mich jetzt endlich vom Stress, vom Kampf und von der Unlust befreien?« Das aktuelle Aufschieben beendet den Kampf, bringt Sie in Übereinstimmung mit dem Urteil der anderen und vertagt die inneren wie die zwischenmenschlichen Konflikte. Sie ruinieren durch Ihr Verhalten das Konzept der Selbstkontrolle, dem Sie in Worten immer beipflichten. Erst das Eingeständnis, ein Mensch zu sein, der aufschieben muss, der mit seiner Sucht eine Einheit bildet und sich ihr eben nicht kämpfend entgegenstellen kann, öffnet den Weg aus Ihrer Krankheit.

Als jemand mit einem extremen Aufschiebeproblem machen Sie immer wieder neue Anstrengungen, so etwas wie Selbstkontrolle zu probieren. Aber Ihre Erfahrungen sprechen dafür, dass Sie sich nicht selbst kontrollieren können. Ihre abschließende Vermeidung des Vorhabens und die Zuflucht zu etwas Einfacherem, Lustvollerem und Bequemerem ist wie eine im Verhalten gestaltete Aussage, dass Selbstkontrolle für Sie ein unmögliches Konzept sei. Je mehr Sie es damit versuchen, desto unweigerlicher landen Sie beim Aufschieben.

Schluss mit den Lebenslügen

Wenn Sie sich ganz genau und ehrlich beobachten, dann werden Sie als extremer Aufschieber merken, wie Sie bereits beim Aufstellen eines Arbeitsplanes die Hintertüren öffnen und aktiv dafür sorgen, dass »es nicht klappt«. Sie sind entschlossen, eine Theorie der Selbstkontrolle zum Scheitern zu bringen, mit der Sie sich zutiefst identifiziert haben.

Sie ahnen oder wissen, dass Ihre immer wieder vorgebrachten Ankündigungen, dass Sie das nächste Mal wirklich pünktlich sein und dass Sie nicht mehr aufschieben werden, Lügen sind. Nach dem jeweiligen Aufschieben kommt der moralische Katzenjammer. Möglicherweise haben Sie sich an ihn gewöhnt. Dann haben Sie vielleicht noch Gewissensbisse, erwarten aber im Grunde nichts mehr von sich und haben de facto resigniert. Eine traurige Lösung, denn Sie wählten damit ein Stück Selbstaufgabe.

Wenn Sie die Tatsache verleugnen, dass Sie Ihr Aufschieben nicht im Griff haben, werden Sie weiterhin Anläufe machen, sich mit Selbstkontrolle beizukommen, mit einem Vorgehen also, das sich schon hundertmal als unwirksam erwiesen hat. Wenn Sie sich und anderen versprechen, dass Sie das nächste Mal bestimmt durchhalten, sind Sie in Gefahr, nicht nur völlig unglaubwürdig zu werden, sondern zusätzlich als Phantast dazustehen, der sich weigert, die Realität anzuerkennen. Ihr Leben wird dann zur Lüge, mit eventuell düsteren Folgen, auf die schon Proust hinwies:

»Wenn es sich ums Schreiben handelt, ist man gewissenhaft, man sieht sehr genau hin, man verwirft, was nicht Wahrheit ist. Solange es aber nur um das Leben geht, ruiniert man sich, macht sich krank oder begeht Selbstmord, und das um lauter Lügen.« (Proust, VII, S. 316f.)

Sie können sich dann auf eines verlassen: Sie werden weiter aufschieben und als ein ewig uneingelöstes Versprechen aus dieser Welt gehen. Oder aber Ihre Unzufriedenheit und Ihre Selbstverachtung werden bis zu einer Schwelle gesteigert, ab der eine Veränderung möglich wird. Dann werden Sie zwei Dinge einsehen: dass es wirklich Ihr Aufschieben ist, das Ihnen so viel Leid verursacht; und dass Sie darüber tatsächlich keine Kontrolle haben.

Sie sind dann bereit, die für Sie falsche Frontstellung »Ich gegen finstere innere Aufschiebemächte« aufzugeben. Sie erwerben damit eine neue Beziehung zu sich und den anderen, die mit Anerkennung und Ergebung zu tun hat. Sie fügen sich der Einsicht, dass der abgespaltene innere Schweinehund Ihr Lebensgefährte ist, den Sie nicht besiegen, sondern mit dem Sie sich nur arrangieren können. Vielleicht kann Ihnen die Vorstellung helfen, dass es Probleme gibt, die mit der Strategie des »Mehr desselben« nicht gelöst werden können. Wenn Ihre Zimmerpflanze nicht gedeiht, geben Sie ihr mehr Dünger. Sieht sie immer noch nicht prächtig genug aus, kippen Sie Dünger nach. Lässt sie die Blätter hängen, geben Sie ihr Wasser. Wenn Sie nach einem Tag weiterhin welk aussieht, steigern Sie die Dosis und giessen noch einmal kräftig nach. Am Ende ist Ihre Pflanze eingegangen, überdüngt und ertränkt. Ihre Lösung war dem Problem nicht angemessen. Die Wachstumsprozesse einer Pflanze sind auch durch Einsatz des Willens nicht zu beeinflussen. Sie können sie anschreien, die Fäuste schütteln oder Prämien aussetzen: Sie wächst doch nicht schneller. Auch Sie brauchen Zeit, um eine früher nicht mögliche Entwicklung nachzuholen.

Ihr süchtiges Aufschieben, das in Lebenslügen gipfelt und in dem Gefühl, dass Sie ein Schwindler seien, können Sie nur heilen, indem Sie akzeptieren, dass Sie nicht Herr sind im eigenen Haus. Wie die Anonymen Alkoholiker der Auffassung sind, dass der Alkohol als Ausweg diene aus der persönlichen Versklavung durch die falschen Ideale einer materialistischen Gesellschaft, so können Sie als Anonymer Aufschieber für sich in Anspruch nehmen, sich in einer Revolte zu befinden, die sich gegen die kaputten Voraussetzungen zur ungestörten Erledigung von Vorhaben und Aufgaben in Ihnen selbst richtet. Wenn Sie wirklich bereit sind zu akzeptieren, dass Sie Ihr Aufschieben nicht kontrollieren können, dann sind Sie vielleicht auch dazu bereit, innere Fähigkeiten, die Sie bisher nicht entwickeln konnten, mit fremder Hilfe aufzubauen. Dies kann durch eine Psychotherapie gelingen. In ihr wird es auch darum gehen, die kindlichen, übertriebenen und unangemessenen Aspekte Ihres Selbstkonzepts realistischer zu machen. Vor allem aber wird das Ziel sein, Ihr Selbstkonzept so zu verändern, dass Sie nicht länger innere Gegensätze aufbauen müssen: Sie gegen den Rest der Welt, Ihr Ich gegen die Trägheit, Stärke gegen Schwäche.

Reif für die Couch?

Es gibt verschiedene Psychotherapieformen, die von den Krankenkassen bezahlt werden, wenn eine krankhafte Störung vorliegt. Aufschieben allein ist zwar keine Krankheit, kann aber – wie Sie gesehen haben – sehr wohl ein Symptom einer Störung sein oder mit behandlungsbedürftigen Erkrankungen einhergehen. Der Psychotherapeut wird herausfinden, ob Ihr Aufschieben beispielsweise durch das Aufmerksamkeits-Defizit-Syndrom oder durch Substanzmissbrauch verursacht wird. Aufschieben als Strategie zur Vermeidung von Ängsten oder als Ergebnis defizitärer kognitiver Einstellungen lässt sich meistens in einem Jahr überwinden. Wenn Ihr Aufschieben jedoch ein Symptom von neurotischen, also depressiven, phobischen, zwanghaften oder hysterischen Störungen ist, werden Sie sich auf eine intensivere Psychotherapie einrichten müssen, die zwischen einem und drei Jahren dauern kann. Aufschieben in Verbindung mit schweren Persönlichkeitsstörungen erfordert in jedem Fall eine länger dauernde Psychotherapie. Zur Abklärung etwaiger körperlicher Ursachen wird der Psychotherapeut Sie zu einem Arzt schicken. Das wird ein Neurologe sein, falls der Verdacht besteht, dass Ihr Aufschieben mit nervlichen Störungen in Verbindung steht.

Falls sich – wie in den meisten Fällen – herausstellt, dass Ihr Aufschieben nicht durch körperliche Störungen bedingt ist, wird Ihr Psychotherapeut Ihnen ein Behandlungsverfahren vorschlagen. Sowohl Verhaltenstherapie als auch Psychotherapie kommen in Frage.

Verhaltenstherapie

Der Grundgedanke der Verhaltenstherapie ist es, dass Menschen gelernt haben, auf bestimmte innere und äußere Situationen mit gestörtem (nicht funktionalen, nicht angepassten, selbstschädigenden) Verhalten zu reagieren. Er legt den Schluss nahe, dass das gestörte innere oder äußere Verhalten durch Um- oder Neulernen zu reduzieren oder zu beseitigen ist. Daran anschließen kann sich der Aufbau geeigneterer Verhaltensweisen. In einer Verhaltenstherapie geht es darum, Störungen in ihrem gegenwärtigen Auftreten so genau wie möglich auf der Ebene der Gedanken, Gefühle und des konkreten Verhaltens zu beschreiben, um Ansatzpunkte für Veränderungen zu finden. Symptombeseitigung steht dabei als Ziel an vorderster Stelle. Besonders wirksam sind die Kognitiven Verhaltenstherapien, zu denen auch die Rational-Emotive Therapie gehört, die Sie in diesem Buch kennengelernt haben.

Verhaltenstherapie ist erwiesenermaßen sehr hilfreich bei Problemen, die durch eine abgegrenzte quälende Symptomatik gekennzeichnet sind, wie gewohnheitsmäßiges Aufschieben es durchaus sein kann. Insbesondere dann, wenn sich das Aufschieben als Folge einer anderen Störung ergibt.

Bei einem meiner Patienten zeigte sich, dass eine ausgedehnte Zwangsstörung sein Aufschieben bewirkte. Er hatte eine Diplomarbeit anzufertigen, um sein Studium abschließen zu können. Bevor er mit seiner täglichen Arbeit begann, musste er jedoch umfangreiche Rituale erledigen, wie jeden Tag seine vier Paar Schuhe zu putzen, abzuwaschen, Staub zu saugen, Bad und Klo zu reinigen und sein Bett zu machen. Nur durch diese Handlungen konnte er eine Angst bannen, die er als überwältigend kennengelernt hatte. Nach ungefähr zwei Stunden saß er dann endlich am Schreibtisch. Dort überfielen ihn quälende Zweifel, ob er wirklich überall Schmutz und Bakterien beseitigt hatte. Er hielt diesen Zweifeln nicht lange stand, dann musste er auf Kontrolle gehen. Und natürlich fand er Spuren von Schmutz, also ging alles von vorne los. Auf diese Weise waren seine Fortschritte an der Diplomarbeit minimal. Weil er sich wegen der Zwangsstörung so sehr schämte, hatte er sein Problem zunächst einmal als »Aufschieben« bezeichnet.

Ähnlich können die Verhältnisse liegen, wenn Sie unter Panikattacken oder phobischen Ängsten leiden, so dass Sie bestimmte Orte wie zum Beispiel Bibliotheken nicht aufsuchen können, in die Sie aber gehen· müssten, um Ihr Vorhaben zu erledigen. Die Verhaltenstherapie strebt eine möglichst direkte Veränderung des Problemverhaltens an. Sie lernen mit Hilfe des Therapeuten, das zu tun, wovor Sie Angst haben bzw. Ihre Vermeidungsrituale zu unterlassen. Erleichtert wird das, indem Sie parallel zur Konfrontation mit Ihren Ängsten oder Zwängen neue, geeignetere Verhaltensweisen aufbauen. Das Vorgehen ist also ähnlich wie in diesem Buch, nur dass Sie jetzt einen Menschen als Gegenüber haben und nicht nur ein Buch. Durch die Beziehung zu Ihrem Therapeuten kommen natürlich auch die jeweiligen Aspekte Ihres Aufschiebens zur Sprache, die sich auf andere Menschen beziehen.

Von einer Verhaltenstherapie profitieren Sie dann am meisten, wenn Sie sich auf die Bekämpfung Ihrer Symptome konzentrieren und zu einem aktiven Vorgehen bereit sind. Wenn bei Ihrem Aufschieben direkt erfahrbare Angst und Mangel an Sorgfalt im Vordergrund stehen, werden Sie von Entspannungsverfahren, Verhaltenstherapie und eventuell von Psychopharmaka eine relativ schnelle Veränderung zum Besseren erwarten können. Wenn intensive Konzentrations- und Sorgfaltsstörungen Ihr Leitsymptom sein sollten, dann wird Verhaltenstherapie Ihnen dabei helfen, sich besser als bisher durch Hinweisreize aus der Umwelt zu steuern. Außerdem werden Sie lernen, Ihre Gedanken, die auf impulsive Spannungsabfuhr drängen, zu beseitigen und konsequent Belohnungsstrategien anzuwenden. Das Ziel der Behandlung besteht darin, dass Sie mehr Verantwortung für Ihr Verhalten übernehmen. Je diffuser und damit auch schwerer beschreibbar die Störungen in Ihrem Erleben und Verhalten sind, desto weniger wird eine Verhaltenstherapie Ihnen helfen können.

Psychoanalytisch orientierte Psychotherapie

Die psychoanalytisch begründeten Therapieformen sind der Auffassung, dass hinter Symptomen bewusste und/oder unbewusste Konflikte stehen. Im Laufe der Entwicklung von der Geburt bis zur Adoleszenz werden bewusste und unbewusste Denk-, Fühl- und Verhaltensmuster verinnerlicht, die der Anpassung an die familiäre Umwelt dienen, in die Sie hineingeboren wurden und auf die Sie existentiell angewiesen waren. Wir alle haben dabei in den Bereichen von Trieb-, Ich- und Selbstentwicklung sowie der Beziehungen zu wichtigen anderen Menschen in vielfältiger Weise Freiheiten und Hemmungen, Einstellungen und Abwehrvorgänge gegen Unerwünschtes erworben. Das Ergebnis dieser Lernprozesse ist zum einen unsere »Hardware«, unsere Persönlichkeitsstruktur, als relativ unveränderbares Gerüst unseres seelischen Lebens. Zum anderen unsere »Software«, die Programme, mit denen wir unser Leben gestalten. Diese wirken komplex zusammen. Es kann vorkommen, dass sie in anderen Umwelten als der unserer Herkunftsfamilie oder für unseren gereiften Organismus nicht (mehr) funktional sind.

In der psychoanalytischen Therapie geht es darum, aus der lebensgeschichtlichen Entwicklung eines Menschen heraus die wichtigsten Konfliktbereiche und in ihnen die Mischung von Wünschen, Impulsen und der Abwehr gegen sie kennen- und verstehen zu lernen, aus denen sich die Störungen, unter denen jemand leidet, speisen. Diese Störungen können angesehen werden als Probleme in den Beziehungen, die jemand global zu sich selbst oder zu bestimmten Teilen seiner Person (Gedanken, Gefühlen, Impulsen, Verhaltensweisen) unterhält oder auch als Probleme der Beziehung zu anderen Menschen. Diese Probleme werden durch die Therapie wiederbelebt und für den Patienten erfahrbar. Sie erhalten die Möglichkeit, dank der gereiften Fähigkeiten einer erwachsenen Person und unter dem Schutz des Therapeuten bessere (manchmal auch erstmals überhaupt) Lösungen zu finden für bewusste oder bisher unbewusste Konflikte.

Wenn das Aufschieben bei Ihnen Hintergründe in persönlichen Problemen oder Störungen in der Partnerschaft hat, wird eher tiefenpsychologisch fundierte oder psychoanalytische Therapie in Frage kommen. Hierbei wird es um die Lösung unbewusster Konflikte gehen, die bis in die Kindheit zurückreichen können, und um die Veränderung eingefahrener Einstellungsmuster. Das Aufschieben wird im Hinblick auf seine symbolische Bedeutung betrachtet werden, als Ausdruck von Feindseligkeit, gelernter Hilflosigkeit, einem Schrei nach Aufmerksamkeit oder in seiner Funktion als neurotischer Selbstschutz. Sie haben in diesem Buch schon viel über diese Sichtweisen erfahren.

Humanistische Therapieverfahren

Die humanistischen Therapieverfahren haben sich aus der Psychoanalyse heraus entwickelt. Beide teilen daher auch viele Auffassungen, beispielsweise die Konzepte von Konflikt, Abwehr und Wiederbelebung der Konflikte in der Therapie, aber sie unterscheiden sich hinsichtlich der Bewertung vergangener Erfahrungen und des Vorgehens bei der Behandlung. In der *Gesprächspsychotherapie* (auch Klienten- oder Personenzentrierte Gesprächspsychotherapie nach Rogers genannt) stehen Ihre Sichtweisen im »Hier und Jetzt« im Vordergrund. Die Äußerungen des Therapeuten vermitteln einfühlsame Nähe zu Ihrem Erleben und sollen Ihnen helfen, nicht wahrgenommene Aspekte Ihrer selbst und/oder von Situationen zu integrieren. Damit wird gefördert, dass Sie sich möglichst uneingeschränkt akzeptieren. In der *Gestalttherapie* werden bestimmte gefühlsaktivierende Übungen durchgeführt, über die anschließend gesprochen wird. Es geht vor allem darum, die aktuell erlebten Bedürfnisse und Wünsche ohne Zögern und Unbehagen zu befriedigen, um so persönliches Wachstum und Selbstverwirklichung zu fördern. Auch im *Psychodrama* wird gehandelt: Hier werden konflikthafte Situationen wie im Theater in einer Gruppe mit verteilten Rollen erst durchgespielt und anschließend durchgesprochen. Ziel ist es, Spontaneität, Aktivität und Beziehungsfähigkeit zu fördern. *Paar- und Familientherapie* schließlich behandeln das Beziehungssystem eines Menschen, indem die wichtigsten Partner einbezogen werden. Auch hier werden häufig Übungen durchgeführt und Hausaufgaben vorgeschlagen. Zur Zeit werden die Kosten für humanistische Therapieformen allerdings von den Krankenkassen (noch) nicht übernommen.

Die Richtlinien der Krankenkassen sehen vor, dass Behandlungen in den beiden Therapierichtungen Verhaltenstherapie und analytische Psychotherapie sowohl als Einzel- wie auch als Gruppenbehandlung möglich sind. Von einer Gruppe können Sie vor allem dann sehr profitieren, wenn Ihre Schwierigkeiten im Umgang mit anderen Menschen bereits die Qualität von Beziehungsstörungen angenommen haben und das Krankheitsgeschehen stark bestimmen. Andererseits gilt auch, dass eine Gruppentherapie Ihnen wenig nützen wird, wenn Sie Schwierigkeiten haben, Ihre Aufmerksamkeit auf andere zu richten.

Ganz wesentlich für den Erfolg jeder Psychotherapie ist Ihre Mitarbeit. Ob es in einer Verhaltenstherapie darum geht, dass Sie Ihre Ängste aktiv überwinden und sich in einer »Expositionsbehandlung« den vermiedenen Situationen stellen, oder ob Sie in einer analytischen Psychotherapie mehrmals die Woche darum ringen, wirklich das auszusprechen, was in Ihnen vorgeht – ohne Ihr Bemühen kommt auch eine psychotherapeutische Behandlung nicht voran. Dazu gehört es auch, Durststrecken und Phasen zu ertragen, in denen kein Fortschritt erkennbar ist. Was Sie neben der Befreiung von Ihren Symptomen von einer Psychotherapie erwarten können, ist eine vertiefte Erkenntnis Ihrer selbst und Ihrer Beziehungen zu anderen Menschen, die Ihnen in vielen Bereichen Ihres privaten wie beruflichen Lebens nützlich sein wird.

Zusammenfassung

Sie haben mit diesem Buch nun einen langen Weg zurückgelegt. Sie haben Ihre *Bewusstheit* für sich selbst, für Ihre Gedanken, Gefühle, Verhaltensweisen, Motivationen und Konflikte geschärft, um für Sie wichtige Angelegenheiten schneller und stressfreier zu erledigen. Sie haben neue *Aktionen* gestartet und alte Gefühle, die Ihr Selbstvertrauen beeinträchtigten, verändert. Sie haben Techniken erlernt, wie Sie sich selbst besser organisieren und steuern können. Sie haben schließlich Ihre Selbstkontrolle verbessert und sich jederzeit über das, was Sie tun, *Rechenschaft* abgelegt und sich für Ihre Fortschritte belohnt. Sie haben damit *BAR* praktiziert, das Paket der erfolgreichsten Strategien, um Vorhaben endlich erledigen zu können. Damit haben Sie einen schönen

Erfolg erreicht: Sie haben sich verändert und neue Einstellungen und Verhaltensmuster erworben.

Vielleicht haben Sie das aber auch noch vor sich, und brauchen dafür psychotherapeutische Hilfe. Selbsthilfestrategien werden Ihnen schon seit Langem nicht gerecht, wenn Sie wissen, dass Sie aus verschiedenen Gründen nicht in der Lage sind, sie anzuwenden und von ihnen zu profitieren. Sie müssen erst die Voraussetzungen dafür schaffen, damit Sie selbst Ihre bisherige Entwicklung akzeptieren und weiter voranbringen können, und Sie müssen Ihr Selbstkonzept überprüfen.

Nachwort

Nicht alles ist machbar, auch wenn es uns immer wieder suggeriert wird. Es ist schön, wenn Sie mit Hilfe dieses Buches Ihre Neigung zum Aufschieben überwinden konnten. Schön ist es auch, wenn Sie sich besser akzeptieren können als vorher. In der Gewissheit zu leben, dass Sie sich Ziele stecken, die Sie auch erreichen können und währenddessen das gute Gefühl zu haben, sich selbst zu verwirklichen, ist eine feine Sache. Zu wissen, wie Sie sich notwendige Pflichtaufgaben schmackhafter machen und die Zeit verkürzen können, die Sie mit ihnen verbringen müssen (indem Sie sie zügig erledigen), ist es ebenfalls. Freuen Sie sich darüber, dass Sie in Punkto Erledigung kompetenter geworden sind und genießen Sie vor allem die freie Zeit, die Sie dadurch gewinnen.

Vielleicht werden Sie zu den Millionen Deutschen gehören, die am Neujahrstag des Jahres 2000 den guten Vorsatz fassen, im soeben begonnenen Jahrhundert endlich all die Dinge energisch anzupacken und zu erledigen, die sie bisher auf die lange Bank geschoben haben: ein gesünderes Leben zu führen, pünktlicher zu sein, den alltäglichen Schlendrian zu bekämpfen. Belassen Sie es nicht bei den besten Absichten, sondern setzen Sie weiter Ihre neuen Fertigkeiten ein. Lassen Sie sich durch Ihr Veränderungslogbuch auch ins 3. Jahrtausend begleiten. Planen Sie herausfordernde Unternehmungen, mit denen Sie Ihr Leben bereichern und Ihre Möglichkeiten erweitern. Und wenn Sie nicht alles davon umsetzen werden, so trösten Sie sich mit Brecht, der sagte:

»Dauerten wir unendlich, so wandelte sich alles. Da wir aber endlich sind, bleibt vieles beim Alten!«

Literatur

Ach, N. (1935), »Analyse des Willens«, in: E. Abderhalden (Hg), *Handbuch der biologischen Arbeitsmethoden*, Vol. VI., Berlin.

Baumeister, R. F. / Schütz, A. (1997), »Das tragische Paradoxon selbstschädigenden Verhaltens: Mythos und Realität«, *Psychologische Rundschau*, 48, S. 67-83.

Bateson, G. (1981), »Die Kybernetik des ›Selbst‹: Eine Theorie des Alkoholismus«, in: *Ökologie des Geistes*, Frankfurt/M.

Boice, R. (1996), *Procrastination and Blocking. A Novel, Practical Appproach*, Westport / London.

Brecht, B. (1988), *Werke*, Berlin / Weimar.

Bruno, F. J. (1998), *Nichts mehr aufschieben. Knaurs kleiner Lebensratgeber*, München.

Deci, E. L. / Ryan, M. R. (1990), »A motivational approach to self: Integration in personality«, *Nebraska Symposium on Motivation*, 38, S. 237-288.

Elias, N. (1976), *Über den Prozess der Zivilisation*, Frankfurt/M.

Ellis, A. / Knaus, W. J. (1977), *Overcoming procrastination*, New York.

Ende, M. (1973), *Momo*, Stuttgart.

Fiori, N. (1989), *The now habit. A strategic program for overcoming procrastination and enjoying guilt-free play*, New York.

Ferrari, J. R. (Hg.) (1995), *Procrastination and task avoidance: Theory, research and treatment*, New York.

Heller, J. (1998), *Catch 22*, Frankfurt/M.

Inglehart, R. (1998), *Modernisierung und Postmodernisierung. Kultureller und wirtschaftlicher Wandel in 43 Gesellschaften*, Frankfurt / New York.

Jung, C. G. (1990), *Die Beziehungen zwischen dem Ich und dem Unbewussten*, München.

Kafka, F. (1952), *Das Urteil und andere Erzählungen*, Frankfurt/M.

Kenkô, Y. (1991), *Betrachtungen aus der Stille*, Frankfurt/M.

Knaus, W. J. (1998), *Do it now! Break the Procrastination Habit*, Wiley.

Kuhl, J. (1983), *Motivation, Konflikt und Handlungskontrolle*, Berlin / Heidelberg / New York.

Kuhl, J. (1987), »Action control: The maintenance of motivational states«, in: Halisch, F. Kuhl, J. (Hg.) *Motivation, intention and volition*, Berlin, S. 279-291.

Kuhl, J. (1992), »A theory of self-regulation: A new theory for old applications«, *Applied Psychology: An International Review*, 41, S. 97-130.

Lazarus, A. / Fay, A. (1977), *Ich kann, wenn ich will. Anleitung zur psychologischen Selbsthilfe*, Stuttgart.

Musil, R. (1978), *Der Mann ohne Eigenschaften*, Reinbek bei Hamburg.

Peterson, K. E. (1966), *The tomorrow trap: Unlocking the secrets of the procrastination-protection syndrome*, Deerfield Beach.

Proust, M. (1970), *Auf der Suche nach der verlorenen Zeit*, Werkausgabe, Frankfurt/M.

Rückert, H.-W. (1994), »Wann, wenn nicht jetzt? Über das Aufschieben«, in: H. Knigge-Illner / O. Kruse (Hg), *Studieren mit Lust und Methode*, Weinheim, S. 119-143.

Sapadin, L., Maguire, J. (1996), *It's about time! The six styles of procrastination and how to overcome them*, New York.

Saum-Aldehoff, Th. (1993), »... ›gleich morgen fang ich an!‹ Trödeln oder die Kunst, die eigene Arbeit zu sabotieren«, *Psychologie heute*, 20, 3, S. 60-63.

Sennett, R. (1998), *Der flexible Mensch. Die Kultur des neuen Kapitalismus*, Berlin.

Sokolowski, K. (1993), *Emotion und Volition. Motivationsforschung*, Band 14. Göttingen.

Tschechow, A. (1960), *Drei Schwestern*, Stuttgart.

Tschechow, A. (1998), Rothschilds Geige, zitiert nach: ders. *Onkel Wanja*, Berlin.

Literatur zu Arbeitstechniken

Becher, S. (1998), *Schnell und erfolgreich studieren*, Würzburg.

Gäthjens-Reuter, M. (1991), *Effizient Arbeiten*, Wiesbaden.

Institut für Beratung und Training (1998), *Mit Pep an die Arbeit*, Frankfurt / New York.

Kitzmann, A. (1994), *Persönliche Arbeitstechniken und Zeitmanagement*, Wien.

Kruse, O. (1995), *Keine Angst vor dem leeren Blatt*, Frankfurt / New York.

Schräder-Naef, R. (1994), *Rationeller Lernen lernen*, Weinheim.

Seiwert, L. J. (1996), *Selbstmanagement*, Offenbach.

Timm, P. R. (1995), *Erfolgreiches Selbstmanagement*, Wien.

Zielke, W. (1992), *Handbuch der Lern-, Denk- und Arbeitstechniken*, Bindlach.

Literatur zum Zeitmanagement

Beyer, M. / Beyer, G. (1995), *Optimales Zeitmanagement*, Düsseldorf.

Briese-Neumann, G. (1998), *Zehn Minuten Zeitmanagement*, Niedernhausen/ Ts.

Covey, S. (1997), *Der Weg zum Wesentlichen*, Frankfurt / New York.

Forsyth, P. (1998), *Erfolgreiches Zeitmanagement*, Niedernhausen/Ts.

Fry, R. (1998), *Last Minute Programm für Prüfungen und Seminararbeiten*, Frankfurt / New York.

Gerding, M. (1997), *Zeitmanagement mit MS Outlook 97*, München.

Institut für Beratung und Therapie (1998), *Zeitgewinn mit Pep*, Frankfurt / New York.

Mackenzie, A. (1995), *Die Zeitfalle*, Heidelberg.

Regenscheidt, U. (1997), *Die meisterhafte Zeitvermehrung*, Würzburg.

Seiwert, L. J. (1998), *Wenn Du es eilig hast, gehe langsam*, Frankfurt / New York.

Wellmann, A. / Zelms, R. (1995), *Professionelles Zeitmanagement*, Wiesbaden.

Campus Concret

Uta Glaubitz
Der Job, der zu mir paßt
Das eigene Berufsziel entdecken und erreichen
campus concret, Band 38. 2. Auflage, 1999. 197 Seiten
ISBN 3-593-36167-1

Studenten und Studentinnen stehen nach Beendigung ihres Studiums vor der Qual der Berufswahl. Oft fehlt ihnen jegliche Idee, was sie mit ihren Qualifikationen konkret anfangen sollen. Viele der Absolventen sind sich gar nicht darüber im klaren, welche Fähigkeiten sie besitzen und wo sie diese einsetzen können. Für orientierungslose Akademiker hat Uta Glaubitz diesen praktischen Ratgeber verfaßt, der Schritt für Schritt den Weg zur individuellen Berufsfindung darlegt. Die Autorin konzentriert sich auf die Beantwortung folgender Fragen:

- Was kann ich, und was will ich?
- Wie entdecke ich meine spezifischen Begabungen?
- Welches Betätigungsfeld paßt zu meinen Qualifikationen und Begabungen?
- Wie beschaffe ich mir Informationen über mögliche Arbeitgeber?
- Wie baue ich gezielt persönliche Kontakte auf?
- Was muß ich beachten, wenn ich an den gewünschten Arbeitgeber herantrete?

Dieses Schritt-für-Schritt-Programm kann jede Studentin und jeder Student individuell umsetzen. Es hilft, den maßgeschneiderten Beruf zu finden oder eine Nische in der Berufswelt zu entdecken, die ein sicheres Einkommen garantiert.

Campus Verlag · Frankfurt/New York